内藤智裕

メロデスガイドブック

北欧編

PB
PUBLIB

まえがき

1990 年代、ヘヴィメタルは冬の時代を迎えていた。筆者のような 1990 年代に生まれた人間にはにわかに信じがたいかもしれないが、過去にハードロック／ヘヴィメタルが音楽のメインストリームで、商業的にも成功し黄金期を迎えた時期があったという。その発端は 1970 年半ばからイギリスで始まった NWOBHM（ニュー・ウェイブ・オブ・ブリティッシュ・ヘヴィメタル）というムーブメントによって数多くのバンドが生まれ、やがて海を越えアメリカでもその勢いが広がり始め、世界中を熱狂させる渦へと成長したからだ。

音楽シーン自体も 1981 年にアメリカで開局した Music Video を放送する MTV の登場によりプロモーションの在り方が変わった。より過激で豪華なものが持て囃され、NWOBHM から発展した攻撃的なサウンドが特徴のスラッシュメタルや、派手なメイクを施したグラムメタルは西海岸を中心にトレンドとなった。しかし、その栄華も長くは続かなかった。1980 年代後半にアメリカのシアトルからグランジが台頭したからだ。飾らないオルタナティヴなロックバンドの登場、新たなカルチャーの移り変わりによってこれまでの音楽の在り方は否定され、方向転換を余儀なくされた。

一方で 1980 年代から活動していてその波に乗ってさらなる成功を掴んだバンドもいる。その代表的な例が Metallica だ。1991 年のセルフタイトル作品『Metallica』の発表は来たるオルタナティヴの時代を予期し、さらなる進化に繋がった。しかし言い方を変えれば、本作は同時にそれまで積み重ねてきた歩みを否定することにもなった。『Metallica』は本作で大きな商業的成功と同時に、大きな落胆の両方を界隈に投げかけた。それから程なくして Nirvana の発表した『Nevermind』

が発売され大ヒットとなると、皮肉にも Metallica の予測は正しかったことが証明された。そのグランジも 1990 年代の後半になるとブームは収束していくのだが、以前のような指針を見失い、大衆的なメタルシーンは陰りを見せるようになった。

アンダーグラウンドの全盛期が始まる

ヘヴィメタルの歴史における冬の時代、それが 1990 年代だった。しかし、メインストリームではなくアンダーグラウンドのシーンに目を向けるとむしろ 1990 年代から全盛期が始まった。その理由は前述したメインストリームへの落胆、そして反抗心が彼らの創作の拠り所になったからだ。「俺たちは商業主義に魂を売ったアイツラとは違う」と。「自分たちの音楽こそが正しい」と。

そんな商業的に成功を収めたバンドに対するアンチテーゼとも言える過激なスラッシュメタルの復活がデスメタルを生み出し、やがてそのブームがヨーロッパでも広がりを見せるようになると、悪魔崇拝や反キリスト教を掲げ、デスメタルが本来持っていた互助精神とも相容れないブラックメタルが登場した。

北欧でメロデスが登場

本書で扱うメロディック・デスメタル（以下、メロデスとも略される）はそのような時代背景の中で、北欧を中心に大きく発展したジャンルの１つである。当初はブラックメタルの腹違いの子供であり、メロディック・ブラックメタルとも双子のような間柄だったが、徐々に親であるデスメタルを超えるほどに規模を拡大し、ヘヴィメタルを代表する新たなジャンルへと成長した。

ジャンルの成長と発展は様々な要因があるが、間違いないのはスウェーデンの第二の都市であるヨーテボリが、最大の流行地であっ

たことだ。ヨーテボリやその周辺地域に住む若いバンドが次々とバンドを結成し、メロデスは大きな盛り上がりを見せた。その中心にいたのは、Eucharist、Ceremonial Oath、In Flames、Dark Tranquillity、At the Gates の5つのバンドだ。彼らはデスメタルの世界に「ハーモニー」を導入することを思いついた。それは1980年代、彼らがまだ幼い頃にNWOBHMの影響に受けていたことからだ。ヨーロッパの大衆的なメタルシーンの影響がスウェーデンの若者たちの創造力に火をつけ、これまでのデスメタルと違う新しいデスメタルが生まれた。後年に彼らの音楽を総称して「ヨーテボリスタイル」と呼ばれるようになった。

Peaceville 御三家が他国に影響

もちろん1990年代のヨーロッパのメタルシーンを語る時にParadise LostやAnathema、My Dying Brideをはじめとする、当時Peaceville Recordsに所属していたバンドは無視できない。メロデスが宿す哀愁や耽美性はゴシックメタルやドゥームメタルと共通しており、相互に影響を受けながら発展していった。ヨーテボリは自給自足でメロデスを生み出せたが、それ以外の国では周辺のジャンルと調和する形で発展した。フィンランドの Amorphis や Sentenced、ギリシャの Nightfall や Horrified はその代表例であり、彼らはヨーテボリとは異なる源流を持つ。

世界各国に波及

初期のメロデスバンドが注目される追い風になったのは、自国の民族音楽や歴史に影響を受けて個性を確立する風潮が1990年以降にメタルシーンで広がり始めたこととも無関係ではない。メロデスの本筋からは外れるものの、イギリスの Skyclad、アイルランドの Cruachan、ブラジルの Sepultura、スペインの Mägo de Oz、イスラエルの Orphaned Land の登場がそれを裏付けている。まだ小さな集団にすぎなかったヨーテボリのメタルシーンも含めて、決して恵まれた環境から物語は始まったわけではなかった。より多くの注目を集めるためにバンドは自身のアイデンティティーを楽曲に溶け込ませ、ロゴは病的に刺々しいものではなく、視認性に優れたスタイリッシュなものに変化するようになった。バンド間で交わされた暗黙の不文律はいつしかデスメタルとは枝分かれして独自の文化を育むこととなる。

デスメタルのホラーイメージと差別化

メロデスの音楽面以外の大きな革新性を述べるのであれば、従来のデスメタルがホラーやゴアを扱うのに対し、メロデスは個人の悲しみや孤独を扱っていたことにある。肉体的な痛みから離れ、ゴシックメタルやドゥームメタルが兼ね備えていた精神的な痛みに共感し、既存のデスメタルでは表現できなかった「死の領域」を広げることができた。その後のデスメタルの歴史から見てもメロデスというジャンルの誕生は、大きなパラダイムシフトを生み出していたことは間違いない。

メロデスに対する批判・拒絶・中傷

革新的でありすぎた故にメロデスと呼ばれるジャンルは、必ずしもデスメタルファンには好意的な視線を受けていたわけではなかった。少なくともそれまでのデスメタルの進化の流れに背くメロデスは歓迎されていなかった。「アレはデスメタルではない」「デスメタルにメロディーなんてありえない」「初心者向けデスメタルバンド」そのような批判・拒絶・中傷は決して珍しいものではなかった。
ところが興味深いことに、彼らのスタイルをいち早く評価し、支えたのは日本のヘヴィメタルリスナーだった。伝統的なヘヴィメタルシーンのリスペクトによって生まれていることを見抜き、彼らを伝統を継ぐ者として歓迎した。ヨーテボリのバンド以外に目を向けるとイギリスのリヴァプールの残虐王こと

Carcass の存在を忘れてはならない。1993年の作品『Heartwork』はメロディーを大胆に取り入れた作品の先駆けの1つになる。本国では賛否両論の作品だったが、日本では強く歓迎された。日本のレコード会社や雑誌、そしてリスナーの後押しがなければこうした盛り上がりは今よりも小さなもので終わっていたかもしれない。

アメリカのニューメタルにまで影響を与える

　こうした下支えによって、デスメタルの一ジャンルであったメロデスは 2000 年代を迎えるとピークに達し、日本以外の場所でも成功するバンドが次々と出始める。スウェーデンの Arch Enemy、Amon Amarth、Hypocrisy、Soilwork はヨーテボリ以外の出身だがメロデス第二世代を代表するバンドへ成長した。そしてヨーロッパだけに留まらずアメリカの地でハードコアが叙情的な旋律を取り入れた過程で、メロデスは再発明された。ニュースクールハードコア／エッジメタルを経て、アメリカ仕様にチューニングアップされたメタルコアが誕生すると、マサチューセッツ州を中心に若者たちは新しいヘヴィメタルのゴールドラッシュであるメタルコアにのめり込んだ。この一連の流れは NWOBHM と同じ新たなムーヴメントを彷彿とさせる。

第三世界でモダンメロデスが勃興

　アメリカではニューメタルとメタルコアが全盛を迎え、次々とバンドが台頭する。だがそれまでの歴史が語るように長くは続かず、メタルコアの衰退と共に徐々にメロデス本体もブームの収束を迎える。その一方で 2000 年以降、アメリカと北欧以外の第 3 世界に余波が広がるようになる。新人類とも言える彼らのスタイルはメタルコアのメッセージ性をごく自然に身にまとうようになり、陰鬱した当時のメロデスとは異なる姿を見せている。近未来の世界観を共有するデフォルメ化されたメロデスは、モダンメロデスという言葉で表されることが多い。そして、今まさに本書を読んでいるこの瞬間にも新たなバンドと作品が産声を上げ、メロデスの世界は拡張を続けている。

隣接サブジャンルにも影響を与える

　現在ではメロデスは世界中のあらゆる国でその存在を見かけるほどポピュラーなものになった。そしてメロデスの方法論・アプローチはパワーメタルやフォークメタルのサブジャンルにも導入され、今ではごく自然に取り入れられている。現代のメタルシーンでメロデスの影響を無視することは難しいほどだ。それは、メタルシーンに限った話ではない。日本のロックシーンに目を向けてもデスヴォイス、ブラストビートが使われるようになったのはニューメタルとメタルコア、そしてメロデスの登場によって導入のハードルを下げたからだ。ティーン向けのバンドの影響元を追った時に、彼らのフェイバリットにメロデスバンドが挙げられることはもはや珍しい話ではない。本書を読んでいる人の中には、彼らを通じてルーツの1つに挙げられたメロデスバンドに興味を持った方もいるのではないだろうか？

選定基準、そして「メロデス」という言葉

　ここまでマクロな視点でメロデスにまつわる一連の歴史を振り返った。本書はガイドブックであるため、それぞれの歴史における個々のセグメントの詳細は国の紹介、バンド紹介、そしてコラムを通じて語っていく。本書の目的はメロディック・デスメタルにまつわる大量の作品のアーカイヴをまとめ、一連の歴史の出来事の再検証を行うことだ。その膨大な足跡を追うためには中心地である北欧全体のシーンと、それ以外の地域に分ける必要があった。これまでの既知の歩みはもちろん、見逃されていた部分にも光を灯していくことが本書の役割だ。

メロデスは曖昧さによって拡張したジャンルだ。掲載されたバンドの中にはメロデスとは言いがたい作品もあえて掲載している。本書の選定方針はメロディーの有無に留まらず、制作された時代の背景や重要度、既存のデスメタルから脱却しようとする先進性、そしてクオリティ。それらを総合的に判断して決めている。本シリーズは書籍のフォーマットで、紙面が許す限りその網羅を目指している。

なお、今ではメロデスは海外でも「Melodeath」で通じるほどに定着している。なので本シリーズは『メロディック・デスメタル・ガイドブック』ではなく、親しみやすさがある『メロデスガイドブック』というタイトルを採用した。

『北欧編』が扱う範囲

本書は『北欧編』として北欧のメロデスシーンに絞ったガイドブックになる。本書で紹介する『北欧編』の定義には「北欧理事会」の加盟国を参考にした。加盟国とはスウェーデン、フィンランド、デンマーク、ノルウェー、アイスランド、グリーンランド、オーランド諸島、フェロー諸島となる。そのうち、陸続きで繋がっているスウェーデン、フィンランド、デンマーク、ノルウェー、そしてフェロー諸島、アイスランドに絞って紹介を行う。最大の流行地であったスウェーデンのヨーテボリを中心に発生したムーブメントは、どのような影響をスカンジナヴィアのメタルシーンに与えたのか？ メロデスの全体像を掴んでいく。

スウェーデン

メロデスの中心地であるスウェーデンでは、4つの地域に分けて紹介を行っている。インタビューでは、Hypocrisy、Sacramentum、Soilwork、Fredrik Nordström にインタビューを試みた。Hypocrisy はデスメタル、Sacramentum はブラックメタルのフィールドからのメロデス像を追った。

Soilwork はモダンメタルの立場から話を伺った。そして、ヨーテボリから数多くの作品を発表した Fredrik Nordström の知見を得ることで、巨大なシーンの全貌を掴んでいくのが狙いだ。

フィンランド

フィンランドでは Sentenced と Amorphis を中心とした初期デスメタルシーンから始まり、やがて彼らが1つの時代を築き上げると、Children of Bodom を筆頭とする新たな潮流が生まれた。Amorphis については、メンバーを代表して初代ヴォーカルかつ現在までリズムギターを担当する Tomi Koivusaari にインタビューすると共に、『Silent Waters』から作詞でバンドに協力する Pekka Kainulainen に登場願った。そして現在のシーンを代表する Insomnium と Omnium Gatherum にインタビューを試みることで、フィンランドのメロデスシーンの強さを追った。

デンマーク、ノルウェー、フェロー諸島、アイスランド

スウェーデンとフィンランドに規模では劣るデンマークだが、メロデスシーン全体を語る上で見逃せないバンドが数多くいる。また、同国がスウェーデンやフィンランドに与えた影響についても紹介していく。ノルウェーはシーンこそ小さいが、デスメタルとメロディーの融合に関して、数多くのヒントがあったことがわかる選定を行っている。アイスランドとフェロー諸島については、知られざるメロデスバンドについて扱っている。

トロムセー

ラッピ県

ノールボッテン県

ロヴァニエミ

ボーデン

北ポフヤンマー県

ルーレオー

ヴェステルボッテン県

シェルレフテオー

オウル

カイヌー県

カヤーニ

ウーメオー

コッコラ

中部
ポフヤンマー県

北サヴォ県

トロンヘイム

ポフヤンマー県

ヴァーサ

クオピオ

北カルヤラ

エーンヒェルツビーク

イェムトランド県

クラムフォシュ

セイナヨキ

南ポフヤンマー県

中央スオミ県

ヨエンスー

ユヴァスキュラ

南サヴォ県

ヴェステルノールランド県

サタクンタ県
ポリ

ピルカンマー県

ユースダール

イェヴレボリ県

ダーラナ県

タンペレ

ミッケリ

ハメ県

ファールン

ヘーデモラ

ウプサラ

南西スオミ県

トゥルク

ハメーンリンナ

ラッペーンランタ

ベルゲン

ルドビーカ

アーベスタ

ウプサラ

カンタ=ハメ県

キュヴィンカー

コウヴォラ

南カルヤラ県

ヴェルムランド県

キル

ヴェステロース

ヴェステルノールランド県

ウーシマー県

ポルヴォー

コトカ

オスロ

ドランメン

シーエン

アルボガ

エブル一県

ストレングネース

ストックホルム

エスボ

ヴァンター

ヘルシンキ

スタヴァンゲル
サンネス

カールスタード

フィンスポング

セーデルマンランド県

フレドリクスタ

ストレムスタード

ヴェストラ・イェータランド県

シェフテ

エステルイェータランド県

トロルヘッタン

リンシェーピング

ゴットランド県

クリスチャンサン

アリングソース

ション島

ミュルビュー

ヨンショーピング県

カルマル県

ゴーテボリ

クングスバッカ

オールボー

ヴァールベリ

ハッランド県

クロノベリ県

ラナース
オーフス

ファルケンベリ

ハルムスタード

デンマーク

ヘルシングボリ

ヘーエール

ブレーキンゲ県

ランツクルーナ

クリスチャンスタードタード

コペンハーゲン

ビャアレッド

スコーネ県

エスビアウ

オーゼンセ

ルンド

マルメー

目次

19　Chapter 1　　Sweden

185 Chapter 3 Denmark, Norway, Iceland, Faroe Islands

Century Media Records

👤 Robert Kampf 📍ドイツ 📅1988

🎵 Arch Enemy, At the Gates, Shadows Fall, Dark Tranquillity, Imsomnium, Omnium Gatherum, Sacramentum, Sentenced

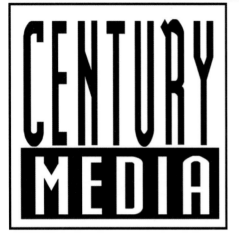

ドイツ西部のドルトムント出身の Robert Kampf は、自分がヴォーカルを務めるデスメタルバンド Despair の音源をリリースするためのレーベルを 1988 年に設立した。これが Century Media Records の始まりである。設立当初はデスメタルを中心としたレーベルだったが、メロデス界隈では 1990 年代に Arch Enemy や Dark Tranquillity、Sacramentum や Sentenced などの重要バンドと契約した。2000 年以降は、ゴシックメタルの Lacuna Coil やメタルコアの Shadows Fall が相次いで成功し、オールジャンルのレーベルに成長した。メロデスは現在も力を入れており、At the Gates や Insomnium、Omnium Gatherum などのジャンルの代表格が在籍している。巨大なレーベルだが、新人やベテランに限らず、現状のシーンから一歩先に踏み出すバンドが多い。2014 年に共同経営者の Oliver Witthöft が亡くなり、2015 年、Robert Kampf が Century Media Records を Sony Music に売却した。

Metal Blade Records

👤 Brian Slagel 📍アメリカ 📅1982

🎵 Aeternam, Allegaeon, Amon Amarth, Anteritor, Callenish Circle, Desultory, The Absence, The Arcane Order, The Black Dahlia Murder, This Ending, Vehemence

Brian Slagel によって創設。彼はレコード店の店員であり、音楽ライター志望者だった。地元カリフォルニアのバンドのプロモーション活動の一環として、Ratt、Bitch、Cirith Ungol、Metallica など当時まだ無名だったバンドのコンピレーションアルバムを作成したことが、レーベル業の原点となる。Decibel Magazine 編集長の Albert Mudrian は「サブジャンルの礎を発見できるレーベルは稀である」と語っている。スラッシュメタルの Slayer、デスメタルの Cannibal Corpse を筆頭に、ジャンルの代表格を輩出してきた貢献は大きい。メロデスでは、The Black Dahlia Murder、Amon Amarth がレーベルの代表格だ。オールジャンルを扱う巨大なレーベルだが、多くのバンドで一貫した世界観を持つ。2017 年に Brian Slagel は共同執筆者の Mark Eglington と半生をまとめた『For the Sake of Heaviness: The History of Metal Blade Records』を出版している。

Napalm Records

👤 Markus Riedler 📍オーストリア 📅1992

🎵 Æther Realm, Aephanemer, Bodom After Midnight, Brymir, The Unguided

オーストリア出身の Markus Riedler によって設立。当初は、Abigor や Summoning などの自国のブラックメタルがラインナップの中心だった。やがてゴシックメタルやフォークメタル、パワーメタルを幅広く扱うようになる。独立系のレーベルとしては、ヨーロッパ最大級の規模に成長した。Napalm Records は、レーベルの精神として神聖ローマ帝国およびオーストリアの王家だった、ハプスブルク家の紋章（双頭の鷲）をモチーフとして頻繁に使っている。Gloryhammer や Alestorm などファニーなバンドの Music Video がしばしば話題になるが、バンドのコンサルティング能力に定評がある。一例として Æther Realm は、レーベルに加入し、西部劇要素のあるフォークメロデスへと進化した。Aephanemer や Be'lakor、Brymir や The Unguided など実力派のメロデスバンドが多数在籍している。日本のバンドでは Ryujin（Gyze）が契約したことでも話題になった。

Nuclear Blast

👤 Markus Staiger 📍ドイツ 📅1987

🎵 Amorphis, Children of Bodom, Darkane, Dismember, Hypocrisy, In Flames, Kataklysm, Night in Gales, Scar Symmetry, Soilwork, Therion, The Halo Effect, Wintersun

ドイツ南部ドンツドルフで生まれ育った Markus Staiger により設立。やがて世界最大規模のメタルレーベルへ成長する。今ではレーベル業は地元の基幹産業にまで成長し『ヘヴィメタル・イン・ザ・カントリー』という映画では、村を巻き込んだ様子が収録されている。有名な「ヘヴィ・メタルはまだガンには効かないが、そのうち効くようになる」という名言もこの映画が元ネタである。1990 年代のレーベルの成長に、メロデスは密接に関わっていた。Hypocrisy、Dismember、Kataklysm のヒットを経て、Therion と Amorphis などメロディー主体のデスメタルバンドと、契約を交わしていた。契約したバンドの中でも、大きな成功を収めたのは In Flames であった。Markus も直感的に他のバンドとは違うことを理解しており、その成功を振り返る時に「『The Jester Race』はメタル界の絶対的なマイルストーンだった」と語っている。Markus Staiger は、レーベルの経営から退いていたが、2021 年に新たに Atomic Fire Records を設立している。

No Fashion Records

Tomas Nyqvist ● スウェーデン ● 1992

Ablaze My Sorrow, A Canorous Quintet, Dark Funeral, Dissection, Unanimated, Vinterland

スウェーデンのストレングネースという小さな町で Tomas Nyqvist が設立。彼は伝説的なファンジン『Putrefaction Mag』の執筆者でもあり、その活動を広げる形でレーベル業に手を出した。1990 年代のスウェーデンでは伝説的なレーベルの 1 つである。デスメタル、ブラックメタルの才能を見抜く、彼の審美眼は非常に優秀だった。メロデスでは A Canorous Quintet や Unanimated、Ablaze My Sorrow などのバンドをリリース。ブラックメタルでは Marduk や Dark Funeral と契約を結んでいた。レーベル最大の功績は Dissection の『The Somberlain』を発表したことだ。しかし、本作があまりにも売れすぎてしまったことが悲劇を招く。スウェーデンの流通業者の House of Kicks に、CD のプレスと流通を任せる形で、Tomas はレーベルを譲ってしまった。その結果、創立者である彼には、一銭も入ってこなかったようだ。一度は失意に立たされた Tomas は 1997 年になると Iron Fist Productions を新たに立ち上げた。

Wrong Again Records

Per Gyllenbäck, Wez Wenedikter ● スウェーデン ● 1993

Arch Enemy, Eucharist, In Flames, Naglfar

スウェーデン南部ヤルップで、Per Gyllenbäck と Wez Wenedikter の両名によって設立。わずか 4 年で閉鎖した短命のレーベルだったが、1990 年代のメロデスシーンの重要作品を次々と発表した。No Fashion Records と並ぶ名門レーベルである。代表的なバンドとして、ヨーテボリサウンドの礎を築いた Eucharist や、In Flames と早い時期に契約を交わしていた。なお、Per Gyllenbäck は In Flames の『Subterranean』でゲストヴォーカルの経験もある。また、当時は Arch Enemy や Naglfar といった現在でも一線で活躍するバンドが、在籍していた。惜しくも解散した Excretion と Cardinal Sin も、メロデスマニアからは後年高く評価されている。メロデスとはあまり関わりがないが、Cryptopsy の代表作『None So Vile』も本レーベルからのリリースである。創立者の Per Gyllenbäck は Regain Records、Wez Wenedikter は War Music を後に設立することになる。

Apostasy Records

🧑 Tomasz Wisniewski　📍ドイツ　📅 2012

🎵 Fragments of Unbecoming, Nailed to Obscurity, Night in Gales

Dawn of Disease の Tomasz Wisniewski が設立。ドイツのデスメタルバンドを中心に扱うレーベル。Fleshcrawl のような重鎮デスメタルも所属している。そして、Night in Gales や Fragments of Unbecoming などのドイツのベテランメロデスを支えている。過去にスウェーデンのメロデスバンドでは Ablaze My Sorrow、The Duskfall、This Ending が在籍し、再結成後のリリースを担っていた。日本のメタルバンドでは Serenity in Murder が過去に在籍していた。

Black Lion Records

🧑 Oliver Dahlbäck　📍スウェーデン　📅 2012

🎵 Æolian, Black Therapy, Bleeding Utopia, Hyperion, Meadows End

スウェーデン北部の都市ウーメオー出身の Oliver Dahlbäck によって設立された比較的新しいレーベル。元々はファンジンの執筆や他レーベルのプロモーション活動や地元の小さなバンドのマネジメントを行っていた。Oliver は「Hyperion の 2016 年作『Seraphical Euphony』をリリースした経験からプロダクション設立までのノウハウを学んだ」と語っている。Bleeding Utopia、Meadows End などのスウェーデンのバンドが多数在籍。スペインの Æolian やイタリアの Black Therapy など、スウェーデン以外のバンドの開拓にも力を入れている。

Black Mark Production

🧑 Stig Börje "Boss" Forsberg　📍スウェーデン　📅 1984

🎵 Bathory, Dan Swanö, Edge of Sanity, Necrophobic, Scum

Bathory の創始者 Quorthon の父である、Stig Börje "Boss" Forsberg によって設立された。スウェーデンのデスメタル／ブラックメタル／スラッシュメタルを中心に取り扱う。Bathory 以外で有名なリリースは、Edge of Sanity である。他にも Necrophobic などもシーンの重要バンドであった。Morgana Lefay、Tad Morose、Oz などのエクストリーム系ではないが、カルトなメタルファンに愛されてきたバンドにも、定評がある。Quorthon の死から 13 年後の 2017 年に、Stig Börje "Boss" Forsberg は亡くなっている。

Black Sun Records

🧑 Rolf　📍スウェーデン　📅 1994

🎵 Ebony Tears, Grotesque（At the Gates）, Sacrilege, Sins of Omission, The Crown

ヨーテボリのインディーズロックやパンクを扱う、レコードショップ Dolores Records の一部門から独立して設立。Metallica と Slayer のトリビュート CD を皮切りに、デスメタルを中心に取り扱っていた。特に Grotesque と契約を結んでいたのは有名だ。デモ音源は Dolores Records からリリースされ、後に Black Sun Records から編集盤を発表。その後の At the Gates の登場に繋がっている。Sacrilege、Sins of Omission、Ebony Tears が所属し、ヨーテボリ発祥のメロデスカルチャーを語る上では、避けては通れないレーベルの 1 つだ。

Coroner Records

👤 Ettore Rigotti　📍イタリア　🗓 2009

🎵 Blood Stain Child, Destrage, Disarmonia Mundi, Gyze, Rise to Fall, The Stranded

2009 年に Ettore Rigotti が設立。自身のバンドである Disarmonia Mundi は 3rd アルバム『Mind Track』までは、Scarlet Records と契約していた。やがて作品だけでなく、レーベルも自分たちでコントロールすることを考えて独立した。2010 年以降のモダンメロデスの躍進を陰で支えてきたレーベルだ。Disarmonia Mundi を筆頭に、イタリア出身の Destrage や、スペイン出身の Rise to Fall など、モダンなメタルバンドに定評がある。過去に日本のメロデスバンドでは Blood Stain Child と Gyze が在籍していた。

Creator-Destructor Records

👤 Ben Murray　📍アメリカ　🗓 2006

🎵 Crepuscle, Darkness Everywhere, Light This City, The Funeral Pyre

Light This City のドラムを担当している Ben Murray が設立。当初は他のバンドを助けるための共同体のような形で活動を始めたが、現在では彼が愛している 2000 年初期のオールドテイストなメロデスやメタルコア、パンクの復権を西海岸から発信するようになった。ハードコアとデスメタルなどクロスオーヴァーが感じられるラインナップだ。再結成後の Light This City を始めとして、シンフォニック・メロデスの Crepuscle や Ben Murray の新たなバンド Darkness Everywhere、The Funeral Pyre などが在籍している。

Earache Records

👤 Digby Pearson　📍イギリス　🗓 1986

🎵 At the Gates, Carcass, The Haunted

Digby Pearson が設立。イギリスのデスメタルやグラインドコアの名門レーベルで知られる。Napalm Death や Bolt Thrower などのレジェンドバンドが有名である。特別メロデスを贔屓するレーベルではないが、歴史的にも重要な作品のリリースに関わる。Carcass は代表作『Heartwork』を筆頭に、一時解散するまで Earache Records から作品を発表した。Jeff Walker が、レーベルのロゴをデザインしたことは有名だ。そして At the Gates の名盤『Slaughter of the Soul』は Earache Records に移籍後、初となる作品である。

Good Life Recordings

👤 Edward Verhaeghe　📍ベルギー　🗓 1995

🎵 Catafalque, Dead Blue Sky, Undying

Rise Above や Nations on Fire でヴォーカルを務めていた Edward Verhaeghe によって設立。ベルギーにおけるハードコアの名門レーベルである。欧州のメタルコア第一世代に数えられる、H8000 系のバンドを扱ってきた。メロデスバンドと直接契約していた例は、Catafalque のみである。しかし、在籍していた Undying や Dead Blue Sky は、ニュースクールハードコアバンドの中に、メロデスの影響が見て取れる。ジャンル間のクロスオーヴァーを知らしめる重要レーベルだ。サブレーベルに Soulreaper Records がある。

Holy Records

Phillipe De L'Argilière, Séverine Foujanet ● フランス ● 1992

🎵 Exhumation, Misanthrope, Nightfall, Septic Flesh, Supuration（S.U.P.）

Misanthrope のヴォーカルである Phillipe De L'Argilière と、そのアートワークを手がけていた Séverine Foujanet の両名によって設立。最初のリリースは Nightfall の 1st アルバム『Parade into Centuries』だった。セールスが軌道に乗り、本格的にレーベル業が始まった。その後もギリシャとは強い結びつきがあり、Septic Flesh や Exhumation が在籍していた。フランスでは Supuration（S.U.P.）が在籍していたことで有名。メロデスを主にしていたレーベルではないにしろ、変わり種のバンドを見抜くセンスは唯一無二だ。

Invasion of Solitude Records

Lord Nothingness ● 日本 ● 2017

🎵 Ancient Cosmos, Daemonian, Holiest Era, In Nothingness

Lord Nothingness、またの名をＨＥＡＶＹ　ＭＥＴＡＬ　ＷＡＲＲＩＯＲが運営する日本のディストロ兼個人レーベル。オールドスタイルのメロデスやメロブラを中心に取り揃えている。スペインの Sunvoid や南米の Myrkgand などマニアの需要に応え、確かなバンドを見抜く審美眼が評価されている。自身のプロジェクトでは、オールドメロデスを懐かしむ In Nothingness や、Dissection や Naglfar を崇拝する Daemonian、シンフォニック・メロデスの Ancient Cosmos などを扱う。彼のプロジェクト作品はここから入手可能だ。

Invasion Records

Maja Majewski ● ドイツ ● 1990

🎵 Defleshed, Embracing, Gates of Ishtar, Indungeon, Mithotyn, Skymning

Maja Majewski によって設立。当初は自身がドラムで参加している Lunatic Invasion を発表するための自主レーベルだったが、やがてデスメタル／ブラックメタル／スラッシュメタルを中心に取り扱う。ドイツのレーベルだが、スウェーデンのバンドが多数所属していた。1990 年代のメロデスシーンの勢いを象徴するレーベルの１つだ。Mithotyn や Defleshed を筆頭に、Gates of Ishtar や Embracing、The Everdawn とマニアにはたまらないラインナップを抱えていたが、1999 年に閉鎖した。

Inverse Records

Joni Kantoniemi ● フィンランド ● 2011

🎵 Blind Stare, Dead End Finland, Noumena, Ulthima

2011 年に Joni Kantoniemi が設立。設立して日は浅いが、170 バンドと契約しており、その多くはフィンランドのバンドが占めている。ジャンルに拘らずに、受け入れている。その姿勢は、フィンランドのメタルバンドの数と層の厚さを象徴している。メロデスバンドは Noumena や、Dead End Finland、Blind Stare、Ulthima など多数在籍している。ポップやロックを扱う Secret Entertainment や、マスタリングを手がける Concorde Music Company と提携しており、フィンランドのメタルシーンの活性化を狙っている。

Kolony Records

👤 Lorenzo Marchello 📍イタリア 📅 2008

🎵 Be'lakor, Countless Skies, In Mourning, Orpheus Omega, The Cold Existence

イタリアの古参ゴシックメタル Tragodia のベーシストだった Lorenzo Marchello が設立。イタリアのレーベルだが国籍に偏りなく、De Profundis や Fractal Universe などプログレッシヴ／テクニカルなデスメタルに定評がある。レーベルの知名度向上に繋がったのは、オーストラリアの Be'lakor とアンドラの Persefone だ。特にオーストラリア出身の Be'lakor がヨーロッパで注目を集めるためには、現地のレーベルの力が必要だった。過去に In Mourning や Orpheus Omega、Countless Skies が在籍していた。

Lifeforce Records
👤 Rüdiger Mahn 📍ドイツ 📅 1995

🎵 Caliban, Cipher System, Destinity, Heaven Shall Burn, Nightrage, Omnium Gatherum, Raintime

ドイツのライブツィヒにて Rüdiger Mahn によって設立。一般的にはメタルコアとデスメタルバンドを取り扱うレーベルである。ドイツ国内では Heaven Shall Burn や Caliban が在籍し、国外では Trivium や Between the Buried and Me の名前が有名だ。Cipher System、Omnium Gatherum などの北欧メロデスだけでなく、北欧以外の地域からは Destinity や Raintime を輩出している。現在では必ずしもメタルコアに限らず、レーベルの傾向としては複数のジャンルを交差するバンドが受け入れられている。

Massacre Records
👤 Thomas Hertler 📍ドイツ 📅 1991

🎵 Burden of Grief, Kambrium, Night in Gales, Theatre of Tragedy

Thomas Hertler が設立。同名のデスメタルバンド Massacre とは関係がない。ヨーロッパから数多くのメタルバンドと契約している総合レーベル。その中でもゴシックメタルに強いとされており、Theatre of Tragedy を筆頭に、Crematory や Edenbridge と契約していた。メロデスでは、ベテランの Burden of Grief や、Kambrium、Night in Gales などのジャーマンシーンの代表格がいる。過去に北欧メロデスシーンのバンドでは Catamenia、Darkane が在籍していた。

Nameless Grave Records
👤 Brandon Corsair, Andrew Lee 📍アメリカ 📅 2018

🎵 Dungeon Serpent, Draghkar

Brandon Corsair と Andrew Lee の両名で設立。NWOBHM とデスメタルを中心に取り扱う。過去には Twisted Tower Dire や Pagan Altar などのカルトな人気を誇るヘヴィメタルバンドを扱っている。メロデスの領域では Dungeon Serpent や Draghkar などのアンダーグラウンドの新進気鋭のバンドを扱っている。レーベルは Desultory や Intestine Baalism のようなデスメタルからメロディーを見いだしたバンドを高く評価している。Intestine Baalism の 2nd アルバムの Vinyl は同レーベルから初めて再発された。

Oz Productions

Óscar Reyes Torres　メキシコ　1994

Agony Lords, Buried Dream, Cenotaph, Dies Irae

Óscar Reyes Torres によって設立。1990 年代にメキシコのデスメタルシーンの躍進を支えたレーベルだ。国内のレジェンドの Cenotaph や、The Chasm のリリースに関わるだけでなく、Buried Dreams や Agony Lords、Dies Irae などのメキシコ産メロデスバンドを取り扱っていた。北欧とはまた毛色の異なるメロデス一派がアーカイヴされている。すでにレーベルは廃業したが、同国の Chaos Records は Oz Production 出身バンドのリイシューを発表している。再結成した Cenotaph や Agony Lords も Chaos Records に在籍している。

Prosthetic Records

E.J. Johantgen　アメリカ　1998

All That Remains, Skeletonwitch, Exmortus, Light This City

ロサンゼルス在住の E.J. Johantgen によって設立。アメリカを代表するレーベルの 1 つ。一般的にはメタルコアレーベルとしても有名である。現在では Undeath のようなデスメタルバンド、Judicator のようなパワーメタル、An Autumn for Crippled Children のようなポストブラックメタルを扱う、百貨店のようなレーベルだ。なお、メタルコアの類似ジャンルであるメロデスに関しては、純粋な取り扱いは少ない。現行では Astralborne が条件を満たしている。過去には All that Remains や Exmortus、Light This City が在籍していた。

Reaper Entertainment

Greg, Flo　ドイツ　2017

Gladenfold, Kambrium, MyGrain, Parasite Inc., Suotana, Wolfchant

Greg と Flo の両名によって設立した新進気鋭のレーベル。設立して日は浅いが、レーベルの顔である Parasite Inc. が国内チャートに登場したことで一躍レーベルの名前も知られる。レーベルの傾向として、ドイツとフィンランド出身のバンドが多数在籍中だ。ドイツ出身のバンドでは Kambrium や Wolfchant が代表的である。フィンランド出身では Gladenfold や MyGrain、Suotana が所属している。他にもジャーマンスラッシュメタルの重鎮である Tankard や、日本のメタルバンド In for the Kill もレーベルメイトである。

Regain Records

Per Gyllenbäck　スウェーデン　1997

Dimension Zero, Dismember, Embraced

Per Gyllenbäck が設立した Wrong Again Records の後継レーベル。War Music とは双子のような関係で、デスメタルとブラックメタルを満遍なく扱っている。特に Behemoth や Dark Funeral、Gorgoroth、Marduk など、ブラックメタルの重鎮バンドが在籍していた。メロデスでは Dimension Zero や Embraced、そして Nuclear Blast を離れた Dismember が解散前まで在籍していた。2012 年からリリースペースが落ち込み始めたので、閉鎖したかと思われたが、2017 年から事業を再開している。

Scarlet Records

👤 Filippo Bersani, Stefano Longhi　📍イタリア　🗓1997

🎵 Disarmonia Mundi, Divine Souls, HateSphere, Lahmia, Nightshade, Slowmotion Apocalypse

Filippo Bersani と Stefano Longhi が、運営するイタリアの有名レーベル。パワーメタルやスラッシュメタルを、中心に扱う。メロデスは、レーベルの中でも目玉というほどのものではない。しかし、Coroner Records を設立する前の Disarmonia Mundi や、Lahmia、Slowmotion Apocalypse などのイタリア国内の実力バンドを扱っていた。北欧のメタルバンドでは、HateSphere を筆頭に、Divine Souls や Nightshade などの硬派なバンドをピックアップ。サブレーベルに Bakerteam Records がある。

Serious Entertainment

👤 Jacob Hansen　📍デンマーク　🗓1996

🎵 Autumn Leaves, Illdisposed, Mercenary, Without Grief

Jacob Hansen が、過去にオーナーとして運営していたレーベル。彼のプロデュース／マスタリング業の、ポートフォリオの側面があった。運営期間は 1996 年から 2000 年までのわずか 4 年だが、メロデスシーンにも大きな足跡を残した。Mercenary や Illdisposed などデンマーク国内の重鎮メタルバンドはもちろん、Without Grief や Autumn Leaves のような後年メロデスシーンで高く評価されたバンドのリリースに関わる。Jacob Hansen が Hansen Studios を設立してからは、マスタリングやプロデューサー業に専念するために閉鎖された。

Spinefarm Records

👤 Riku Pääkkönen　📍フィンランド　🗓1990

🎵 Amorphis, Children of Bodom, Dark Tranquillity, Ensiferum, Kalmah, Norther

Riku Pääkkönen によって設立されたフィンランドの老舗レーベル。当初は国外のロックやメタル作品の通信販売や流通を手がけていた。Nightwish や Sonata Arctica、Children of Bodom の注目によって、レーベルは国内バンドを売り出す方に舵を切った。メロデスでは Norther や Kalmah、Wolfheart を筆頭に有名バンドが在籍していた。傘下の Spikefarm Records は日本のメロデスバンド Shadow を輩出した。2016 年には Candlelight Records を買収。業界最大手 Universal Music のロック専門レーベルへと成長した。

War Music

👤 Wez Wenedikte　📍スウェーデン　🗓1997

🎵 Carnal Forge, Darkane, Defleshed, Dimension Zero, In Thy Dreams

Wez Wenedikter が設立した Wrong Again Records の後継レーベルの 1 つ。Wrong Again Records から War Music に移籍したバンドは Eucharist や In Thy Dreams、Naglfar が挙げられる。なお、Wrong Again Records から Regain Records に移籍したバンドはいなかった。Wrong Again Records の活動時期と比べて、スラッシュメタル要素のあるバンドが増えている。具体的には、Carnal Forge や Darkane、Defleshed の存在だ。メロデスからデスラッシュへの移り変わりを感じられる。

Chapter 1

Sweden

スウェーデン

北欧最大の国であるスウェーデンは本書で扱うメロデスを産んだ国である。いきなり本題のメロデスを扱う前に、1970年〜1980年代のスウェーデンの音楽シーンを振り返る。一見遠回りのように見えるが「なぜこの国でメロデスが生まれ、人気なのか？」を理解するためのヒントがあるからだ。

スウェーデンの音楽を率いた ABBA

スウェーデンといえば1974年から活動する国民的ポップグループのABBAが有名だ。スウェーデンに限らず数多くのメタルバンドはABBAのカヴァーを演奏している。その理由はABBAで見られる繊細なメロディー、ハイトーン、高揚感ある展開がヘヴィメタルの理想郷と繋がっているからだ。ABBAの魅力はそれだけではないのだが、1つの要因として英語で歌ったからこそスウェーデンを越えて世界中でヒットした。

北欧メタルの火付け役 Europe

ABBAの成功事例は後々のスウェーデンのバンドが国内ではなく国外に目を向けるようになった。1980年代スウェーデンのハードロック／ヘヴィメタルの世界に目を向けるとイギリス発祥のNWOBHMの登場に触発されるようにEuropeが登場した。「The Final Countdown」のヒットもあり、当時のスカンジナヴィアを代表する最も有名なヘヴィメタルバンドだった。1979年の結成から、1992年までの活動休止までの10余年の間に日本に3回も訪れていることから、当時日本で北欧シーンがいかに注目を集め、そして人気であったことが窺える。

スウェディッシュ・デスメタルの登場

表の舞台でヘヴィメタルが人気になると、裏ではそのカウンターカルチャーとしてアンダーグラウンドが活発化するようになる。スウェーデンのエクストリームの歴史を遡ると必然的にBathoryへ辿り着く。イギリスのVenomが見せた邪悪なヘヴィメタルに対する解答として登場したBathoryはブラックメタルの世界で神格化されているが、同様にデスメタルシーンにも大きな影響を与えた。1984年の時点では首都ストックホルムにTorment（後のMefisto）というバンドが存在するぐらいの小さなシーンは、やがて1988年頃までに相次いでCarnage、Morbid、Nihilistなど伝説的なバンドが出揃うようになる。そして1990年代初期に発表したEntombedの1stアルバム『Left Hand Path』と、Dismemberの1stアルバム『Like an Everflowing Stream』という2つの作品によってストックホルムシーンは最盛期を迎える。しかし、それからわずか数年のうちにシーンの中心はストックホルムからヨーテボリへと移っていく。

ヨーテボリサウンドの登場

スウェーデン第二の都市ヨーテボリは大きな流行発信地の1つであり、いわゆる「ヨーテボリサウンド」を生み出したことで広く知られている。首都のストックホルムとは異なり、1980年代から1990年代初頭のヨーテボリはまだデスメタルの土壌がほとんど形成されていない地域だった。だからこそ、新しい発想でデスメタルを演奏することに彼らは抵抗が無かった。本書ではスウェーデンにおけるメロデスの誕生は2つの説を支持している。1つはDark TranquillityがまだSeptic Broilerと呼ばれていた時期に発表した1990年発表のデモ作品をルーツとする説、もう1つはEucharistが1991年に発表したデモ作品をルーツとする説だ。そのいずれもデスメタルとギターハーモニーの融合が

試されており、今までのデスメタルとは異なるルーツの存在をのぞかせた。そのルーツとは NWOBHM、つまりイギリスを中心にした表舞台で活躍するヘヴィメタルバンドの影響があった。フィンスポングの Edge of Sanity、ルドビーカの Hypocrisy も同時期にメロディーとデスメタルの融合を試みてはいるが、ヨーテボリのバンドと決定的に違うのは NWOBHM に影響を受けていたかどうかだった。またヨーテボリ発祥のデスメタルとギターのハーモニーの実験的な試みに、Dissection と Unanimated はブラックメタルの要素を加えて成功した。プリミティヴでパンクなノルウェーとは異なる明瞭かつ美意識を持つスタイルは、スウェーデンにおける主流の１つとなる。Necrophobic や Sacramentum などのバンドはデスメタルとブラックメタルの両方の特徴を有している。

ヨーテボリの成功を支えた要因

　そしてヨーテボリのバンドが成功を収めたのは、同時期の仲間にも恵まれていたからだ。現在でも活躍する At the Gates、Dark Tranquillity、In Flames はいずれも 1990 年代初期から共に活動していた。やがて At the Gates が 1995 年に発表した『Slaughter of the Soul』によって、メロデスはいよいよ国内を越えて世界中に影響を与えるようになる。こうしたヨーテボリメロデスの台頭の裏には Fredrik Nordström の存在も欠かせないファクターだった。Studio Fredman はバンドにとっての秘密基地であり、彼がマスタリングした音そのものがヨーテボリの音として愛されてきた。彼自身が熱心なポップスのファンであること、デスメタルでありながらパワーメタル寄りのセンスが入った音作りは、より受け入れられやすい形で届けられた。

本書で扱う４つの地域について

　本書では、スウェーデンを４つの地方に分類し、紹介している。その理由はシンプル

で、スウェーデンのメタルシーンがとても広大であること、そして同じメロデスでも地域ごとに差があることを知ってほしいからである。

　まずメロデス発祥の地であるヨーテボリ（ヴェストラ・イェータランド県）を紹介する。同時多発的に生まれたバンドブームが、シーンを形成してどのように受け入れられるようになったのかに迫っていく。次に紹介する南部周辺のメタルシーン（ハッランド県・スコーネ県・エステルイェータランド県）は、ヨーテボリの影響を受けた土地になる。試行錯誤を繰り返していたヨーテボリシーンに対して、南部を代表する Arch Enemy や Soilwork は最初から自身のサウンドのビジョンに迷いがなかった。首都ストックホルム周辺は、すでに強固なデスメタルの基盤があったため、ヨーテボリとは異なる道を歩んでいる。「軟弱なデスメタル」と批判を受けるメロデスへの反論として、玄人好みの「メロディックなデスメタル」が登場するようになった。Amon Amarth や Edge of Sanity はその代表的な例である。北部周辺のメタルシーン（イェヴレボリ県・イェムトランド県・ヴェステルノールランド県・ヴェステルボッテン県・ノールボッテン県）は、他の都市と比べると人口が少ない。だからこそ、Naglfar や Gates of Ishtar を筆頭にデスメタルとブラックメタルの垣根を気にしない傾向がある。最もディープなエリアである。

　ヨーテボリの若者たちから始まった小さな炎は、今も消えずに燃え続けている。先人たちへ続けとたくさんのバンドが結成された一方で、日の目を見ずに消えていったバンドの数も多い。少数の成功者の声だけでなく、彼らの声も届くような選定を本書は目指した。

ヨーテボリ周辺

ヴェストラ・イェータランド県

ヨーテボリで Dig するなら Bengans

In Flames のメンバーが運営する 2112

観覧車で Music Video を撮るならリゼベリ遊園地へ

ライヴも主催するメタル Bar、The Abyss

　ヨーテボリは、スウェーデン国内第二の都市である。それでも住んでいる人口は約 60 万人ほどである。北海道を例にすれば、旭川市と函館市の人口を合わせてようやく釣り合う程度だ。

　まずは、ヨーテボリはエンターテイメントの中心、Andra Långgatan を歩くとレコードショップが並んでいる。最も規模が大きいのは Bengans というお店だ。オールジャンルで様々な音楽を扱い、T シャツなど様々なマーチを取り扱う。他にも、Dirty Records、Linné Skivbörs などのお店があり、お宝を探すには 1 日では足りないくらいだ。

　そしてヨーテボリを一望したいならば、リゼベリ遊園地に足を運ぼう。Gteborgshjulet（ヨーテボリの車輪）とも呼ばれる観覧車は、In Flames の「Deliver Us」の Music Video に登場した観覧車である。

　お腹を空いてきたら Restaurant 2112 に行こう。ヨーテボリで話題のハンバーガーが食べられる。もちろん「2112」とは Rush のアルバムのことだ。そして何を隠そう、このレストランは In Flames の Peter Iwers と Björn Gelotte が始めたレストランだ。ホームページから予約できるので、時間帯を決めておくと安心だ。もしかしたらメンバーと会えるかも。

　街一番のハードロック／ヘヴィメタル Bar は Abyss と呼ばれるところだ。Bar を名乗っているが、お店はレストランのように広い。美味しい自家製料理と、激しい音楽が楽しめる。さらに、Bar の名を冠した The Abyss Festival も開催されている。同フェスでは、2022 年には Watain や Destroyer666、Nifelheim や Razor のようなレジェンドを招いておりシーンを底支えしている。

全米のメタルシーンに大きな衝撃を与えたヨーテボリの首魁

At the Gates

- ⊙ Grotesque, Liers in Wait, The Haunted, Nightrage
- ◐ 1990 ⊕スウェーデン、ヴェストラ・イェータランド県ヨーテボリ
- ⊛ Tomas Lindberg, Adrian Erlandsson, Anders Björler, Jonas Björler, Martin Larsson

At the Gates はヨーテボリの中で最も早くからその才覚を評価されていたバンドだ。たった 6 年で世界のメタルシーンの動向を大きく変えた、開拓者精神の持ち主でもある。特にアメリカのメタルシーンに彼らが与えた影響は絶大だ。1990 年デスメタル／ブラックメタルの Grotesque が解散すると、残ったメンバーは Liers in Wait と At the Gates の 2 つのバンドに分かれる。At the Gates にはヴォーカル Tomas Lindberg とギターの Alf Svensson が残り、Anders Björler と Jonas Björler の双子の兄弟、ドラムの Adrian Erlandsson が合流する。結成当初は Alf Svensson の意向でプログレッシヴな作風に傾倒していた。Alf Svensson 脱退後は楽曲における Björler 兄弟の貢献が大きくなり、3rd アルバム『Terminal Spirit Disease』ではストレートな作風に接近する。そして 1995 年 4th アルバム 『Slaughter of the Soul』を発表し、時代の頂点に立つ。1996 年には Morbid Angel、Dissection と共にアメリカツアーを開始し、数多くのバンドとも共演を果たすが、同年 9 月にたび重なるライヴで燃え尽きたバンドは解散の道を選ぶ。2007 年に再結成を発表。活動が不安定な時期が続いたが、2014 年に 18 年ぶりの復活作となる 5th アルバム『At War with Reality』以降は安定する。その後も 2 作を発表し、2022 年 8 月には出世作『Slaughter of the Soul』の完全再現を Download Japan で披露した。これに先駆け、5th アルバム発表後に脱退していた Anders Björler が復帰を果たしたものの、Download Japan には不参加。このため Patrik Jensen が代役を務めた。

At the Gates
ヨーテボリ

The Red in the Sky Is Ours
🅐 Deaf Records 🅞 1992

ヨーテボリシーンのデスメタルシーンの伝説的バンド Grotesque から枝分かれした At the Gates が、EP『Gardens of Grief』を経て発表した 1st アルバム。予測不能で複雑な曲展開は、プログレッシヴで変わり種のデスメタルとしてシーンに認知されていた。メンバー最年長の Alf Svensson は、当時 Atheist のようなテクニカルなバンドに影響を受け、ヴァイオリン奏者をメンバーに招くなど、既存のデスメタルの掟破りを試みていたからだ。そのような先進性が評価されて名盤扱いされている本作だが、ART Studio の収録環境には不満があり、ギターの迫力の無さをメンバーは嘆いている。

At the Gates
ヨーテボリ

With Fear I Kiss the Burning Darkness
🅐 Deaf Records 🅞 1993

At the Gates のキャリアの中では、語られることの少ない 2nd アルバム。Grotesque 時代の影響が残る最後の作品。前作の反省からギターの音量が大きくなり、リードギターが楽曲の主導権を握るようになる。Tomas Lindberg の歌唱も高音域のスクリームで叫び、昂る感情を爆発させているほか、Adrian Erlandsson が複雑な曲構成を支えている姿も必見だ。前作と地続きな直線的な疾走曲の 1 曲目、彼らには珍しく大曲の 5 曲目、複雑なリズムを組み合わせた 7 曲目や 8 曲目など一筋縄でいかない曲が並ぶ。ギターの Alf Svensson は本作を最後に脱退した。

At the Gates
ヨーテボリ

Terminal Spirit Disease
🅟 Peaceville Records 🅞 1994

矢継ぎ早に発表された 3rd アルバム。新たに Martin Larsson をギターに迎え、チェロで Peter Andersson が、ヴァイオリンで Ylva Wåhlstedt がゲストで参加している。本作は初期 2 作よりも叙情的で聴きやすい仕上がりだ。Anders Björler と Jonas Björler 両名のスラッシュメタル由来のドライヴ感が合わさっており、その後の「動」のメロデスの開花を予感させる。怪しげなメロディーを奏でるヴァイオリンから始まり、ギターの刻みでデスメタルに繋げる名曲の 1 曲目を始め、哀愁とヘヴィさをシンプルに追求し、後の方向性の萌芽となる 4 曲目が並んでいる。

At the Gates
ヨーテボリ

Slaughter of the Soul
🅐 Earache Records 🅞 1995

現在までにバンドの名と一緒に知れ渡っている 4th アルバム。攻撃的なリフの中にメロディーを仕込む刹那的な演出、叙情的な間奏を入れる美意識、スラッシュメタル／デスメタル／ブラックメタルどれとも異なる疾走感、一般的にはメロデスのアイデンティティーを確立した名盤中の名盤として扱われる。多くの模倣メロデス／メタルコアを生み出した罪深き 1 曲目はもちろん、タイミングを合わせて「Go!!」と元気よく叫びたい 2 曲目が代表曲。本作のキャッチーさは北欧に限らず、1996 年の US ツアー以降、後のアメリカのメタルシーンにも影響を与えた。そして本作発表後の翌年に解散したことも、彼らの伝説的な扱いに拍車がかかった。

At the Gates
ヨーテボリ

At War with Reality
🅐 Century Media Records 🅞 2014

前年の Carcass の復活に触発されたのか、At the Gates も当時のメンバーのまま復活を果たすだけに留まらず、なんと 19 年ぶりに 5th アルバムを発表した。サウンドに過去作ほどの斬新さはないものの、すべての音は洗練されており、デスメタルの野蛮さの中にしっかりとメロディアスな旋律が息づいている。仄かに The Haunted で培った要素も見受けられる作品だ。ダークなメロデスとしての側面を強めながらも印象的なリードギターを過去作以上に見せる 3 曲目、ミドルテンポながら緩急のあるプレイで美しいメロディーに拍車がかかる 5 曲目が素晴らしい。

At the Gates
To Drink from the Night Itself
ヨーテボリ
🔴 Century Media Records ⏺ 2018

再結成から2作目、活動を止めることなく発表された6thアルバムだ。前作の持つダークな感触を引き継ぎながら、自身のアイデンティティーに根ざした作品だ。アグレッシヴな曲もあれば、メランコリックに傾倒した曲もあり、3rdのようなバランス感覚が感じられる。代表曲「Blinded by Fear」を想起せざるを得ないリフにファンが求めたすべてが表現された2曲目、後半の哀愁メロディーの洪水に涙があふれる4曲目、ブラックメタルのような怪しげなメロディーを扱った7曲目では曲を通してダイナミックに「うねり」を表現した。メロデスオリジネイターの力作だ。なお、本作と次作『The Nightmare of Being』のリードギタリストはJonas Stålhammarが務めている。

At the Gates
The Nightmare of Being
ヨーテボリ
🔴 Century Media Records ⏺ 2021

2021年発表の7thアルバム。前作まで『Slaughter of the Soul』の路線を踏襲していたが、本作ではその安定から離れ、1st～2ndの時期を再解釈したストリングスの本格的な導入とプログレッシヴ要素の両方を取り入れた。他の北欧メロデスの巨人たちとはまた異なる、モダンでもクラシックでもない第三の路線を提示した。典型的ながらもメロデスの疾走感を知り尽くした彼ららしい2曲目を筆頭にした前半部分と、重々しいストリングスで幕を開ける6曲目からの後半では作風が大きく異なっている。今後も彼らはメロデスの形式ばった固定観念に囚われず、デスメタルの可能性を拡張し続けていく。

At the Gates のフロントマン Tomas Lindberg は社会科の先生

　もし、自分の通っている学校の先生がヘヴィメタルのミュージシャンだったらどうしよう？　なんと、At the Gates の不動のフロントマンである Tomas Lindberg は、普段は学校で社会科の教員をしているのだ。彼が学校の教員になったのは At the Gates が一時解散してからである。Tomas Lindberg はヨーテボリからヴェステルヴィークに住所を移し、Lock Up や Nightrage の活動でミュージシャンとして生計を立てようとした。しかし、思うようにうまくはいかず、ツアーの合間で学校の補助講師の仕事を始めるようになる。そこで生徒たちに教える楽しさに目覚めた彼は、教員養成課程に応募し、2010 年に社会科の修士号を取得した。ちょうど 2008 年の At the Gates の再結成の時期から 2 年後のことである。現在も教員を続けながら、二足の草鞋で活動を続けている。インタビューの中では、教師になるための経験がバンド活動にも活かされていることを、次のように語っている。「 バンド内で意見が分かれた時に、以前のよくあるロックな状況（激しいぶつかり合い）ではなく、全員で納得するまで話し合って、冷静にリフを書けるようになったよ。これは教職課程で得た経験のおかげだ」

殺人幇助、拳銃自殺したメロデス、メロブラのオリジネーター

Dissection

◉ Satanized, Dawn, Cardinal Sin, Sacramentum
🕐 1989 ⦿結成はスウェーデン、ヴェストラ・イェータランド県ストレムスタード　解散時はスウェーデン、ストックホルム
🧑 Jon Nödtveidt, Set Teitan, Tomas Asklund

デスメタルとブラックメタルの双方からリスペクトを受ける Dissection は、スウェーデンが産んだ最も偉大なバンドの 1 つである。リーダーの Jon Nödtveidt は間違いなくこのジャンルにおける天才だった。1989年ヴォーカル／ギターの Jon Nödtveidt とベースの Peter Palmdahl によって結成。他のメンバーは流動的だった。1990 年にリハーサルテープ『Severed into Shreds』を作成し、1st デモ『The Grief Prophecy』を発表した。発表時は 3 名体制なのでギターのハーモニーはなかったが、ギターの John Zwetsloot の加入によってメロディーに奥行きが生まれると、楽曲は急速に進化を遂げる。EP『Into Infinite Obscurity』を経て、No Fashion Records と契約を結び 1993 年 1st アルバム『The Somberlain』を発表。1994 年に Nuclear Blast と契約を交わし、翌年『Storm of the Light's Bane』を発表し全盛期を迎える。しかし Jon の過激な悪魔崇拝の思想に他のメンバーはついていけず、バンドは空中分解寸前でもあった。1997 年、Jon Nödtveidt が殺人幇助で有罪判決を受けると、ついにバンドの活動は止まってしまう。2004 年 Jon Nödtveidt が出所すると再び新しいラインナップでバンドを立て直した。2 年後の 2006 年 3rd アルバム『Reinkaos』を発表後、しばらくして解散を選択する。そして 8 月 13 日に Jon Nödtveidt は拳銃自殺でこの世を去った。解散後も再販や関連作品が幾度となく発表されており、2021 年は未収録音源も含めた『I Am the Great Shadow』を Darkness Shall Rise Productions が発表。

Dissection
ストレムスタード

The Somberlain 🅐 No Fashion Records 🕒 1993

No Fashion Records で最高のセールスを記録した 1st アルバム。EP 時代に正統派のヘヴィメタルで使われるようなツインリードを導入し、楽曲の幅を広げ、曲ごとの個性を色濃くする新たな方法論を確立。邪悪さと美しさは紙一重の存在であり、それは両立することを証明したメロデス・メロブラのオリジネイターの1つであり、原点にして頂点であり、魂そのものだ。なお、日本盤で曲を解説する Jon Nödtveidt の態度はとてもその後、殺人幇助で捕まる人間には思えないほどフレンドリーで一読の価値アリである。アートワークは King Diamond の傑作『The Abigail』と絵柄が似ており、リスペクトを覗かせる。

Dissection
ストレムスタード

Storm of the Light's Bane 🅐 Nuclear Blast 🕒 1995

1st と並び Dissection のもう 1 つの代表作である 2nd アルバム。「性格が曲作りに反映されているんだ」と語る Jon Nödtveidt は「キーボードは弱虫楽器」とし、本作もギターによる陰鬱な旋律に拘っている。その姿は痛々しくも美しくサウンドを添えており、静謐で精神的な死の世界を芸術の領域まで昇華しようとしている。特に2曲目はメロデス／メロブラ界隈における Metallica の「Master of Puppets」と言っても大袈裟ではなく、彼らのセンスが極まった名曲中の名曲である。今なお本作を真似た「Dissection 系」と呼ばれるフォロワーが毎年のように生まれていることからも本作の影響度は計り知れない。

Dissection
ストックホルム

Reinkaos 🅐 Black Horizon 🕒 2006

1997 年に Jon Nödtveidt が殺人幇助により活動が休止、釈放後に制作された最終作。1st や 2nd とは異なり、トレモロリフやブラストビートなどのエクストリームたる要素は鳴りを潜め、コンパクトかつ正統派メタルに通じる内容だ。しかし既存のバンドとは異なる姿に変わらない Dissection の孤高性が光っている。リーダーの Jon Nödtveidt は本作発表の後にバンドを解散し、拳銃自殺でこの世を去った。本作は今もって賛否両論の問題作だが、もとより音楽は人によって評価はいくらでも変わるものだ。本作に限っては周りの意見ではなく、己の心の声に従い判断してもらいたい。

Dissection の中心人物 Jon Nödtveidt の波乱万丈の人生

最初は弟と結成したハードロックバンド

Dissection の中心人物である Jon Nödtveidt は、その死後も高く評価されており、本書でも最重要人物の 1 人である。このコラムは、バンド紹介欄では拾えきれない Jon Nödtveidt のキャリアの人生を振り返るものだ。彼（本名は Jon Andreas Nödtveidt）のミュージシャンのファーストキャリアは 12 歳の頃に遡る。弟の Emil Nödtveidt（ベースで参加）と共に結成した、Thunder というハードロックバンドであった。オムニバス盤『Gränslös Musik』

では「Dreams」というオリジナル曲と、Whitesnake のカヴァー曲「Guilty of Love」が収録されている。声変わりしていない John の声が記録として残っている唯一の音源だが、残念ながら入手は困難だ。

そして 1988 年になると、Jon Nödtveidt は、Peter Palmdahl、Ole Öhman、Mattias "Mäbe" Johansson とスラッシュメタルバンドの Siren's Yell を結成した。同じ年にデモを 1 曲録音したが、1989 年の春に Ole Öhman が脱退。彼の後任が見つからなかったため、Siren's Yell は解散す

る。解散した Siren's Yell の元メンバー達は
数ヶ月間、何回かバンド名を変更しつつ、ド
ラマー不在で活動を続けていた。やがて、
Jon Nödtveidt はスラッシュメタルバンド
の Rabbit's Carrot のギタリストとして参加
した。そこでは、Ole Öhman もドラムで参
加していた。Jon Nödtveidt が加入したこ
とで、デスメタルからの影響をより用いる
ようになった。しかし、Jon Nödtveidt と
Ole Öhman は他のメンバーの衝突もあり、
Rabbit's Carrot に長く滞在することはな
かった。そこで「自分たちのデスメタルバン
ドを作りたい」という気持ちが芽生え始める。

Dissection の結成、Euronymous との交流

1989 年の秋に、Jon Nödtveidt は、ベー
スの Peter Palmdahl と共に Dissection を
結成することにした。1990 年にドラマーの
Ole Öhman が合流する。最初の Dissection
の布陣は、3 人のオリジナルメンバーで構成
されている。Jon Nödtveidt はファンジン
『Mega Mag』を作って、いち早くデモ音
源『Severed into Shreds』を発表し、アン
ダーグラウンドシーンで評価された。

バンドを始めたのならば、次はライヴだ。
Dissection は、ライヴショーのセッション
メンバーとして、地元のデスラッシュバンド
Nosferatu の Mattias "Mäbe" Johansson
（元 Siren's Yell のベース）をリズムギター
で採用した。Dissection は Entombed らと
共に最初のライヴを行った。Dissection は
ライヴシーンに最初の足跡を残すと、その後
すぐに地元で 2 回目のライヴを行い、シー
ンで頭角を現すようになる。1990 年末に入
ると、Dissection はスタジオに入り、最初
のデモテープ『The Grief Prophecy』を録
音した。このデモのジャケットアートワーク
は、Kristian "Necrolord" Wåhlin が描いた
ものだ。Necrolord との関係性はこの時から
始まり、アルバムカヴァーやオフィシャルデ
ザインを一任するようになる。

1991 年 4 月、Mayhem のヴォーカリス
ト Pelle "Dead" (R.I.P.) が自殺した数日
後、Dissection はスウェーデンのファル
ケンベリでのショーで、彼に敬意を表して
「Freezing Moon」を演奏した。また、デ
モ音源『The Grief Prophecy』のスペシャ
ルエディションは、Dead 本人が描いたジャ
ケットを使用している。ノルウェーのオス
ロでも多くの時間を過ごし、Jon Nödtveidt
は悪名高いブラックメタルのインナーサー
クルに参加していた。インナーサークルは
1993 年頃に解散したが、その後の活動に暗
い影を落とすことになった。

1991 年 9 月、バンドは再びスタジオ

に入り、EP『Into Infinite Obscurity』を発表。1991年のライヴは主にデモ音源とEPの曲を披露していた。他にも「Séance（Possessed）」 や、「Freezing Moon（Mayhem）」に「Evil Dead（Death）」などのカヴァー曲を披露していた。1991年12月、ノルウェーのアスキムで開催されたブラックメタルのイベントでは、MayhemのEuronymous（R.I.P.）と一緒にステージ上で「Freezing Moon」を演奏し、交流を深めていく。1992年秋になると、Jon Nödtveidt は The Black というブラックメタルに参加し、ヴォーカルとギターを短期間だが、担当するようになる。1993年に『The Priest of Satan』というアルバムを収録しており、その時は Jon Nödtveidt は Rietas という名義だった。そして Dissection の名義では12月にリリースされた『The Somberlain』が、大きな評判となった。この作品は同年8月に殺害された Mayhem の Euronymous に捧げられたものでもある。この当時、バンド内では Dissection のセカンドギタリスト John Zwetsloot との関係が悪化していた。1994年4月14日、ノルウェーのオスロで、オリジナル・ラインナップでの最後のライヴが行われると、次のメンバーは Satanized で活動していた Johan Norman が選ばれた。

待望の2nd そして欧米ツアーに

　1995年3月、Dissection は再びHellspawn／Unisound スタジオに入り、2nd アルバム『Storm of the Light's Bane』のレコーディングに臨んだ。このアルバムが発売されてからしばらくして、1995年夏に、Jon Nödtveidt と Johan Norman は新しく結成された悪魔崇拝団体 Misanthropic Luciferian Order（MLO）に参加するようになる。1995年9月、ドラマーの Ole Öhman が脱退すると、Tobias Kellgren（元 Satanized）はその後任とし

て加入した。1995年10月10日、ヨーテボリで行われた Morbid Angel とのライヴで Tobias Kellgren を紹介している。1995年11月、待望の2nd アルバム『Storm of the Light's Bane』がついに Nuclear Blast Records からリリースされた。1995年12月に行われた2週間のヨーロッパツアー（ドイツ、オーストリア、チェコ、スイス、スウェーデン）は序章にすぎなかった。1996年1月初旬、Dissection はスウェーデンの地でライヴを行い、2月には At the Gates とのイギリスツアー、3月には At the Gates と Morbid Angel との広大なアメリカツアーに出発した。そしてスカンジナヴィアに戻り、アメリカでの約20回のライヴの後、Dissection はノルウェーでは有名な Rockefeller Music Hall で、Darkthrone と Satyricon と共にライヴを行い、ヨーロッパツアーの開始を告げた。1997年、Cradle of Filth、In Flames、Dimmu Borgir と共に Gods of Darkness Tour を開催。また、ドイツのケルンで行われたライヴを収録した『Live & Plugged Vol. 2』を発表し、ライヴアルバム『Live Legacy』では、Wacken Open Air 出演時の模様をレコーディングした。こうして「World Tour of the Light's Bane」は幕を閉じた。

失踪、殺人幇助、実刑判決、そして自殺

　1997 年夏は、バンドの成功がピークに達していた時期だが、同時にメンバーの関係は悪化していた。その結果、Peter Palmdahl が脱退し、Jon Nödtveidt の弟である Emil Nödtveidt が代役を務めることもあった。夏以降、Jon Nödtveidt は失踪していたそうだが、その背景には、Johan Norman が MLO を裏切り、その報復を恐れていたことがある。Jon Nödtveidt もその一員であったため、行方をくらませることとなった。やがて、ラインナップは完全に分裂し、バンドには創設メンバーである Jon Nödtveidt だけが残された。それでも 1997 年末には、次のレコーディングの準備のために、Studio Fredman を予約していた。

　しかし、1997 年 12 月、Jon Nödtveidt が殺人幇助で逮捕、起訴され、10 年の刑期で有罪判決を受けたため、計画は破たんした。実刑判決を受けた Jon Nödtveidt は、ヨーテボリで 11 カ月間拘留された後、1998 年 11 月、クムラにある Kumlabunkern に移送された。ここには、スウェーデンの 4 年以上の受刑者がどこに収容されるか決定される前に収容される。Jon Nödtveidt は、その後、ヨーテボリから最も近いティダホルム刑務所に移された。

　ティダホルムでは、長期の囚人だけが入れる厳重な L ブロックに収監されることになった。ティダホルムは、スウェーデンで最も過酷な刑務所の 1 つであり、長年にわたって何度も殺人事件が起きている曰く付きの場所でもある。ここで Jon Nödtveidt は、昼間は刑務所で働き、夜は本を読み、アコースティックギターで練習をする日々が続いた。1993 年からノルウェーの刑務所で服役していた旧友の Bård "Faust" Eithun（Emperor のドラマーで有名）と、Jon Nödtveidt は連絡を取り続けていた。まだインナーサークルのメンバーとは、関係を切ってはいなかった。刑務所でも「サタニストは人生のピークを迎え、すべてを成し遂げ、地球の存在を超越しようとした時に、生と死についてを笑って決める。悲しんで人生を終えることは全くもってサタニックではない。サタニストは強く死ぬ。年齢でも病気でも抑鬱でもなく。不名誉よりも死を選ぶのさ！　死は人生のオーガズムだ！　だからできる限り緊張感を持って生きろ！」という言葉を残している。

　2004 年に出所すると、再び Dissection の活動を始める。しかしメンバーは入れ替わっており、ドラムに元 Dark Funeral の Tomas Asklund、ギターに Set Teitan、ベースでは Erik Danielsson や Brice Leclercq が加わった。そして 2006 年に 3rd アルバム『Reinkaos』を発表。ベースは入れ替わりが激しく、ライヴでは Watain の Erik Danielsson がセッションで参加している。バンドは 2006 年 6 月 24 日の公演を最後に解散した。そして同年 8 月 13 日に Jon Nödtveidt は拳銃自殺する。享年 31。遺書には「トランシルヴァニアへ旅立つ」という記述があった。

耳で判断するのが困難なメロデスとメロブラの違い

区別が曖昧なメロデスとメロブラ

　メロデス（メロディック・デスメタル）と
メロブラ（メロディック・ブラックメタル）
は似たようなジャンルとして扱われてきてい
る。実際、両者はとても似通っていて、耳で
判断するのは大変だ。これを区別するのは容
易ではないように思えるが、本書なりの見解
を示していきたい。先に結論から言えば、ス
ウェーデンとノルウェーでそれぞれ独自に栄
えたことで、両者の区別が曖昧なまま広がっ
ていったと考えられる。

NWOBHM のメロデス、
パワーメタルのメロブラ !?

　まずは、メロデスとメロブラを語る上
での最重要バンドであるスウェーデンの
Dissection について考えてみよう。注目すべ
きは 1st アルバム『The Somberlain』の日本
盤にて Jon Nödtveidt が語った「自分たちは
デスメタルバンド」という証言だ。当時の
彼の言葉を引用すると「昔のブラック・メ
タルからクラシック音楽までを取り入れた
新しい形のデスメタル」だと語っている。
次に 1995 年に 2nd アルバム『Storm of the
Light's Bane』については制作に関与した
Dan Swanö の証言を紹介しよう。「『Storm
of The Light's Bane』は、少し難しかった。
メンバーによってサウンドに対する考え方は
異なっていたし、ノルウェーのブラックメタ
ル・ムーヴメントに影響されていたから、お
気に入りの曲は 1st アルバムの系統に近いも
のである」と語っている。

　この 2 つの証言をまとめると、Dissection
はデスメタルを起点に、1st アルバムでは
メロディーを導入するようになり、2nd ア
ルバムではブラックメタルを導入したこと
に な る。Unanimated や Sacramentum、
Necrophobic と同様にスウェーデンにおける

メロブラは、メロデスがブラックメタルを取
り入れて派生したものと考えると自然であ
る。メロデスが NWOBHM に影響を受けて
いるのであれば、ブラックメタル化したメロ
デスであるメロブラは、パワーメタルとも相
関があってもおかしくはない。

ブラックメタルはアティテュード

　一 方 で、Satyricon や Ulver などのノル
ウェーのバンドは、デスメタルを経由せずに
直接メロディックなブラックメタルへと移り
変わった。これまでの話の前提を覆す発言だ
が、実はブラックメタルの多くはメロディッ
クなものである。その中でも、サウンドが整
えられた聴きやすいメロブラは、典型的なブ
ラックメタルよりも攻撃的なイメージは無
く、原初的なものに比べれば、恐怖感や不気
味さに欠けている。しかし、その結果より自
由な曲調を追い求めることが可能になった。
類似ジャンルのシンフォニック・ブラック
メタルも、同様のものである。Emperor の
Ihsahn が「俺にとっては音楽的なインスピ
レーションがすべてだった。ブラックメタル
というのは音楽のスタイルではなく、アティ
テュードなんだよ」と語っている。

　これはその通りで、ブラックメタルは逸脱
が起きても、内面のイデオロギーが崩れない
限り、ブラックメタルとして扱われる。やが
て、Satyricon や Ulver はメロブラの枠組み
から離れるが、そこに迷いはなかった。方向
性が変わっても、彼らはブラックメタルだと
自身を認識していたからだ。ノルウェーにお
けるメロブラは、ブラックメタルという枠組
みで、どこまで自由になれるか？　その挑戦
過程で生まれた表現なのである。

最初期にデスメタルにメロディを入れた美声デスヴォイス

Dark Tranquillity

- Septic Broiler, In Flames, The Halo Effect
- 1989 ●スウェーデン、ヴェストラ・イェータランド県ヨーテボリ
- Mikael Stanne, Martin Brändström, Johan Reinholdz, Christian Jansson, Joakim Strandberg-Nilsson

At the Gates や In Flames と同様にヨーテボリのメタルシーンの形成に Dark Tranquillity は貢献していた。
デモ音源のリリースタイミングからも、最も早くデスメタルとメロディーの可能性を追っていたバンドだ。
1989 年にギターを担当する Niklas Sundin と Mikael Stanne の両名を中心に、後からヴォーカルの Anders
Fridén、ベースの Martin Henriksson、ドラムの Anders Jivarp の 3 人が加入して本格的に活動が始まる。
Septic Broiler の名義で 2 つのデモを作成。それはよく知られる NWOBHM の影響よりもジャーマンスラッ
シュの影響が見て取れる。やがて Dark Tranquillity と名称を変え、1993 年 1st アルバム『Skydancer』を発
表。その直後にヴォーカルの Anders Fridén は脱退し、In Flames に移籍したので以降は Mikael Stanne が
ヴォーカル担当になる。1995 年発表の 2nd アルバム『The Gallery』は初期のバンドを代表する作品となっ
た。1997 年 3rd アルバム『The Mind's I』以降はクリーンヴォーカルやデジタルエフェクトが増え、ゴシッ
クメタルに影響を受ける。1999 年には日本で初めての公演を行った。2000 年発表の 5th アルバム『Haven』
から Martin Brändström が専任のキーボードとして加入し、メンバーの流動は一旦落ち着く。6th『Damage
Done』7th『Character』は中期の代表作として知られる。その後もキャリアを重ね、2020 年 12th アルバ
ム『Moment』を発表。2021 年に Anders Iwers と Anders Jivarp が脱退し、創設メンバーは Mikael Stanne
のみとなった。

Septic Broiler
ヨーテボリ

Enfeebled Earth
🅐 Independent 🅑 1990

メロデスのジャンルでしばしば語られるデスメタルとNWOBHMの融合、その最初の試みを果たした作品がDark Tranquillityの前身であるSeptic Broilerのデモだ。オールドスクールなデスメタルの中に、突如として挿入される中音域のリードギターやデスメタルらしからぬドライヴ感のあるリフ、ツインリードのソロは今日当たり前のように感じるメロデスの構成要素を満たした内容といえる。そしてデスメタルとメロディーを結びつける最後の要素として、当時のジャーマンスラッシュの疾走感が必要だったことも窺える。並列したジャンルが先入観なくクロスオーヴァーを試み融合していく、その過程を追体験できる重要資料だ。

Dark Tranquillity
ヨーテボリ

Yesterworlds
🅒 Century Media Records 🅑 2009

2009年に発表した初期音源集。1991年のデモ音源と、1992年のEP『A Moonclad Reflection』、そして名曲「Punish My Heaven」を筆頭にデモ音源を収録。当時のデスメタルがアイコンとして過激で猟奇的な歌詞のチキンレースを繰り広げる中で、彼らはそれに距離を置き、詩的で哲学的な表現を好んでいる。デスメタルからメロディックなデスメタルへ、その境界線が開かれる様子は、4〜5曲目を収録した1992年のEPから顕著だ。メロデスのプロトタイプを味わう上では、一聴の価値がある。マニアックな音源集と侮ること勿れ、デモ時代からDark Tranquillityは才能に満ちていた。

Dark Tranquillity
ヨーテボリ

Skydancer
🅐 Spinefarm Records 🅑 1993

後から振り返れば1993年はまだ小さなムーブメントにすぎなかったデスメタルとメロディーの融合が大きく動いた年だ。この1stも1993年の作品であり、デスメタルの残虐性よりも、メロディーが主役に転じた作品の1つである。荒々しいパワフルなドラムを背景に、とにかくメロディーを弾きまくるギター、曲間の隙間を埋めるベースが捻りを加えることで展開されるスタイルは、デスメタルの常識から逸脱していた。複雑な演奏が評価されている一方で、演奏は浮いており散漫であると評価も分かれた。本作ではIn Flames加入前のAnders Fridénが歌っている。一方でMikael Stanneはバッキングに徹しており、わずかにヴォーカルが入る。

Dark Tranquillity
ヨーテボリ

Of Chaos and Eternal Night
🅐 Spinefarm Records 🅑 1995

1995年発表の4曲入りEP。『Skydancer』『The Gallery』の間に誕生した本作は、Mikael Stanneをヴォーカルに据えた新体制でのプレリリースである。4曲目は1stにも収録されている曲だが、新体制で新たに歌い直している。Anders Fridénが荒々しく初期衝動を込めた歌い方をする一方、Mikael Stanneには理性と慈愛が感じられる。グロウル1つとっても双方の解釈は異なることが窺える。Toy's Factoryが出した『Skydancer』の日本盤には本EPの楽曲もすべて収録されているのでお得だ。

Dark Tranquillity
ヨーテボリ

The Gallery
🅐 Osmose Productions 🅑 1995

初期の代表作である2ndアルバム。Anders FridénがIn Flamesの活動に本腰を入れるために脱退し、Mikael Stanneがヴォーカルを担当した。1stアルバムの荒々しさは落ち着き、気品さえ感じさせる洗練したサウンドに変化。当時デスメタルやブラックメタルが激しすぎると敬遠したメタラーを引き寄せるような魅力が本作にはあった。特に1曲目はバンドの枠を超えてジャンルを代表する名曲として知られるほか、8曲目で見られるようなドラマ性が開花し、Mikael Stanneの穏やかな声はバンドの可能性を広げている。結論としてヨーテボリメロデスを完成させた最重要作品の1つである。

Dark Tranquillity
ヨーテボリ

The Mind's I
○ Osmose Productions ○ 1997

その立ち位置故に、あまり言及されることが少ない 3rd アルバム。メロディアスな
ギターが縦横無尽に楽曲を彩っていた前作に比べると、At the Gates の余波に当て
られたようにシャープで迷いのない演奏になった。Mikael Stanne のヴォーカルに
も変化が見られ、メロディック・デスメタルのカテゴリーに収まらない新たな活路
を模索していた時期になる。デスラッシュ要素と耽美なゴシック要素が静と動のよ
うに展開される 2 曲目やアコースティックギターから始まり、ゲストである Sara
Svensson のクリアな歌声と激しいグロウルで美醜を演出する 7 曲目がイチオシだ。

Dark Tranquillity
ヨーテボリ

Projector
○ Century Media Records ○ 1999

Century Media Records に移籍した 1999 年発表の 4th アルバム。本作でバンドは
Sentenced や Paradise Lost のようにゴシックメタルへ接近する。Mikael Stanne
が喉を痛め、「デスヴォイスを封印する」とまで発言したこともあり、今まで彼ら
をメロデスとして見ていたファンは、本作での作風の変化に戸惑いを隠せなかった。
映画の 1 シーンを覗き込んでいるかのような緊張感がある 1 曲目、全編クリーン
ヴォーカルで挑んだ意欲作である 4 曲目や 8 曲目、3rd アルバムを思わせる切れ味
鋭い疾走メロデスの 6 曲目が並んでいる。後年の Dark Tranquillity を語る時に本作
の路線は、たびたび言及される。

Dark Tranquillity
ヨーテボリ

Haven
○ Century Media Records ○ 2000

前作から 1 年後に発表された 5th アルバム。立ち位置としては前作の延長線だが、
アグレッシヴな楽曲はいくらか増えており、ドラマ性を生み出す部分でキーボード
の貢献度が高まった作品だ。過度なエクストリームさは本作で感じないが、原点で
あるメロデスにも立ち返ったことで、新たな武器を手にした自信がこれまでの楽
曲を新たな方向性に導いた。近年の作品にも通じるような陰陽が照らし出される 1
曲目や、クラシックとモダンが両立しうることを示した新たな名曲である 5 曲目、
メランコリックさを宿しながらも感動的に彩る中盤のハイライトである 7 曲目は、
苦難を乗り越えようとする Mikael Stanne の心情とシンクロしている。

Dark Tranquillity
ヨーテボリ

Damage Done
○ Century Media Records ○ 2002

バンドの新章開幕を告げる 6th アルバム。本作は鋭利なリフで構成されており、エ
クストリームメタル由来のアグレッシヴさを取り戻している。疾走曲こそがメロデ
スの華だというリスナーには気に入りそうな作品である。バンドの中でも最も有名
な曲の 1 つで知られている 3 曲目や、メランコリックなメロディーのリフレイン
に浸っていたくなる 5 曲目など、ライヴでも盛り上がるキラー曲が満載。これま
での歩みを昇華し、新たな武器を手にした。最近になってアートワークは Mikael
Stanne が、頭を抱えてしゃがんでいる姿を撮影したものであることが判明し、界
隈を驚かせた。

Dark Tranquillity
ヨーテボリ

Character
○ Century Media Records ○ 2005

6th アルバムと並んで人気の高い 7th アルバム。この時期は Soilwork や In Flames
がアメリカ市場の影響を受けていく中、Dark Tranquillity は隣の芝生を見ること無
く己の過去の楽曲と向かい合っていた。前作の方向性に手応えを感じたのか、本作
もアグレッシヴな楽曲が並んでいる。1st の 1 曲目を想起させる荒々しいブラスト
ビートの登場に、バンドの原点回帰を予感させる人気曲の 1 曲目、ダミ声であっ
ても愛しさを感じさせてしまうアドレナリンあふれる 3 曲目、初期の構築美と現
在の方向性の融合を見せる 9 曲目など、中期を代表する楽曲が並んでいる。本作
の評判を受けて日本の単独公演も決まった。

Dark Tranquillity
ヨーテボリ

Fiction
🅐 Century Media Records 🕙 2007

バンドが真価を発揮した 8th アルバム。本作も 6th 以降の流れを汲むサウンドプロダクションだが、4th のようなゴシックメタルへのアプローチも部分的に復活、寒々しい北欧の灰色の空が思い浮かぶ作品になっている。特に Martin Brandstrom による鮮やかなキーボードワークは、世界観の再現に今や無くてはならないほどに根幹を担っている。本作を通して静と動、美醜の対比をダイナミックに再び試みている意欲的な作品。ブラックメタルからの影響も感じられる 1 曲目、近年の作風にも通じるメランコリックな世界に浸れる 5 曲目、ドラマ性を感じさせる男女混声で進むゴシックソングの 10 曲目が魅力的だ。

Dark Tranquillity
ヨーテボリ

We Are the Void
🅐 Century Media Records 🕙 2010

キャリアでも最も陰鬱な方向性を極めた 9th アルバム。本作から Dimension Zero や Soilwork で活躍していた Daniel Antonsson がベースとして参加している。作風としては前作の延長線で「8th アルバムの Part2」でも違和感はない。結果として Amorphis のように確固たる地盤のもと新しい試みを続け音楽性を拡張するようになる。ベースの変更により Daniel 好みのヘヴィネスさが強調されたであろう 2 曲目や、計算された引き算によって心に染みるメロディーが花開く 7 曲目、美しいキーボードラインにウットリしてしまうこと必至な吹雪の中叫びが聴こえる 8 曲目では、変わらぬ美学があることを示した。

Dark Tranquillity
ヨーテボリ

Construct
🅐 Century Media Records 🕙 2013

現行の方向性を確立した 10th アルバム。8th 〜 9th までのマスタリングは Tue Madsen が手がけていたが、本作から Jens Bogren へと替わっている。Jens の輪郭のはっきりしたダークな音作りの知見が活かされ、ブラックメタルやゴシックメタルのサブジャンルの要素も違和感なく Dark Tranquillity に結びついた作品だ。ペイガンブラックにも通じる壮大さと、吐き出すかのように叫ぶ歌い方が魅力的な 1 曲目、王道に一捻りを加えて大衆的なメロデスを再定義したベテランの腕が光る 2 曲目や 6 曲目を演奏しており、メロデスの枠を超えてジャンル：Dark Tranquillity の境地へ立つ。2015 年には Loud Park 2015 に出演。

Dark Tranquillity
ヨーテボリ

Atoma
🅐 Century Media Records 🕙 2016

Katatonia と並ぶ退廃美学を追求した 11th アルバム。長年バンドに在籍していた Martin Henriksson の脱退、In Flames の在籍経験がある Anders Iwers が加入など入れ替わりがあった。4th の後にそのフィードバックを反映した 5th があるように、前作のフィードバックが本作で活かされ、近年の実験的な曲の可能性を引き出しているのが特徴だ。心地よい単音リフが登場する疾走曲である 1 曲目、サビをグロウルで歌うことで激情を響かせる 2 曲目など、新たな手応えを確実に物にした充実作だ。2020 年に Niklas Sundin は脱退するが、アートワークで次作『Moment』にもバンドに協力している。

Dark Tranquillity
ヨーテボリ

Moment
🅐 Century Media Records 🕙 2020

2020 年に発表された 12th アルバム。ギターが Arch Enemy で知られる Christopher Amott と、Andromeda や Skyfire で知られる Johan Reinholdz に変更となった。どちらもキャラクター性のあるプレイヤーだが、従来の音像を壊していない。インタビューで本作は 4th に近い作品であると語ってはいたが、前提として前作の流れを汲む作品で間違いない。ギター両名の活躍が感じられる 1 曲目は、これまでとは趣の違う泣けるギターを演出している。クリーンヴォーカルに重点を置いてゴシック／ダークな路線へと近づいた 4 曲目、一転して粗暴なグロウルを強調する 8 曲目などベテランの渋みを感じさせる作品だ。

Dark Tranquillity を例に取るメロデスバンドのロゴの変遷

　ヘヴィメタルの世界でロゴは、ビジュアルを表現する重要なパーツだ。一般的にサウンドが過激になるほど、バンドのロゴは難解で複雑になるのが常だ。メロデスバンドのロゴは、一般的なデスメタルとは違い、スタイリッシュである点が挙げられる。これはあまりにも馴染みすぎて、しばしば盲点になる部分である。

　過去にメロデスという音楽が、デスメタルのシーンで冷ややかな視線を受けていたのは、デスメタルの不文律のカルチャーに背いていたからだ。Mikael Stanne は、メロデスのパイオニアと呼ばれていることに対して、「俺がバンドを始めた唯一の理由は、他の誰とも違う存在になることだった。一緒くたにされて『ヨーテボリから来た他のバンドと同じだな』って思われるのが嫌だった。『違う！　俺たちは全然違うよ！』」と語っている。ロゴとはバンドの魂でもあり、アティテュードでもある。Dark Tranquillity を例に見ていこう。

すべての始まりである球体に描かれた Dark Tranquillity のロゴは、Mikael Stanne が手がけた。1991 年から 1993 年のごく短い期間で使用しているレアなロゴだ。オーストラリアの Pull the Plug Patches はデモ時代のパッチを作成している。

dark tranquillity

Century Media Records に移籍後の 1999 年『Projector』は、Industria というフォントを採用している。視認性のあるデザインで、海外ドラマ『The X-Files』でも使用されている。

DARK TRANQUILLITY

10 作目『Construct』以降は、小文字から大文字へロゴが替わっている。バンド名の表記も「DT」に変化し、「Less is More」を体現したデザインだ。バンドの成熟期を象徴している。

dark tranquillity

1993 年から 1999 年まで使用されたロゴ。Spinefarm Records と Osmose Productions に所属していた時代のものである。In Flames や At the Gates も（右図参照）同時期に視認性のあるデザインに切り替わった。

書籍『スウェディッシュ・デスメタル』におけるメロデスの扱い

　パブリブにて、Daniel Ekeroth 著、藤本淳史訳の『スウェディッシュ・デスメタル』の日本版が入手できるようになった。スウェーデンで発生したデスメタルシーンの動きを知るためのハードルが低くなったことは喜ばしい。なお、この書籍にはデスメタルの特徴についてまとめた文が載っているので紹介しよう。

　正確に歌詞が聞き取れない、深く唸るようなヴォーカル。ダウン・チューニングされ重量感のある歪んだギター。ツーバスが多用された高速ドラム。多くのブレイク、ストップ、テンポ・チェンジのある複雑な曲構成。変則的で捻れたリフパターン。死、流血、暴力、オカルト、ホラーをテーマにした歌詞。特徴的なバンドロゴとそれに伴うイメージ（しかし、決まったイメージや衣装がある訳ではない）。

　上記の紹介に対して、スウェーデンのメタルファンジンはヨーテボリで誕生した新しいデスメタルサウンドを以下のように表現していた。

　潤沢なメロディー、それに楽曲は正統派のサビ・コーラスで構成されている。
サウンドの輪郭は明瞭だが、ブルータルさはさほど重視されていない。ストックホルムには Sunlight Studio があったように、ここでは Fredman Studio が中心的存在である。ギターで音の壁を構築せず、ドラム・パターンにもオカズがそれほど多くはない。ヴォーカルは喉の奥から絞り出すようではなく、絶叫型である。

　もちろん、人の数ほど異論を挟む余地はあるが、それでもこの記述はヨーテボリから生まれた新しいカルチャーを、端的に言い表している。それでは、スウェーデンのデスメタルとメロデスには共通点はないのだろうか？その答えは、共に悲しみを背負うことになったある人物の死が関わっている。具体的には、1986 年に発生した Metallica のベーシストの Cliff Burton の死だ。スウェーデン南部ユングビューで起きた凄惨なツアーバスの事故を受け、著者の Daniel Ekeroth は「俺たちは皆ギターを取り、Metallica のスピードとパワー、それに Candlemass のヘヴィネスを融合させようとしたのである」と語っていた。当時の少年たちの多くがバンドを結成するようになったのも、その原点を辿れば、Cliff Burton の死が影響を与えていた。

Metallica の Cliff Burton

ヨーテボリで最大の商業的成功を果たした新世代メタルの魔神

In Flames

- ◎ Ceremonial Oath, Dark Tranquillity, The Halo Effect
- ◐ 1990 ⊕スウェーデン、ヴェストラ・イェータランド県ヨーテボリ
- ◉ Anders Fridén, Björn Gelotte, Bryce Paul, Tanner Wayne, Chris Broderick

1990 年に活動を始めた In Flames は、ヨーテボリから生まれたメタルバンドで最も商業的に成功したバンドだ。叙情的な Iron Maiden のツインリードとデスメタルのブルータリティーを融合、世界規模のメロデスブームの火付け役として今なおリスペクトを集める。ヨーテボリのデスメタルバンド Ceremonial Oath のサイドプロジェクトとして Jesper Strömblad が結成、メンバーは流動的でギターに Glenn Ljungström、ベースの Johan Larsson の 3 名体制にゲストを招くスタイルだった。こうした流動的な様子はその後のバンドの歩みを示唆していた。1994 年 1st『Lunar Strain』では Mikael Stanne、1995 年 EP『Subterranean』の Henke Forss を経て、Anders Fridén がバンドの不動のフロントマンとなる。ここ日本でも早くから人気があり、1998 年に初来日公演を行われた。バンドの転機は 5th『Clayman』のヒットでアメリカ市場の足がかりを掴んだことだ。2001 年 Slipknot のツアーサポートを経て、アメリカ制覇に挑んだ 6th アルバム『Reroute to Remain』でオルタナティヴな方向性へ舵を切り、初期の音楽と別れを告げた。8th アルバム『Come Clarity』はアグレッシヴさを宿した中期の代表作だ。順調にキャリアを積んでいたが 2010 年に Jesper Strömblad がアルコール依存症治療に専念するため脱退を表明、以降はエモーショナルなヘヴィメタルに接近する。現在、1990 年代から在籍するのはギターの Björn Gelotte と Anders Fridén のみとなる。2023 年に 14th アルバム『Foregone』を発表し、Knotfest Japan 2023 にも出演した。

In Flames
ヨーテボリ

Lunar Strain
🔵 Wrong Again Records 🔵 1994

その時々で音楽性に賛否両論はあるが、ヨーテボリ出身のバンドで最大の成功を収めたのが In Flames であること自体に異論の余地はない。本作では Dark Tranquillity に在籍していた Mikael Stanne が参加しているほか、Jesper Strömblad がドラムを演奏しているなどメンバーも流動的だった。フォークロアな旋律が多いのも特徴であり、1st 発表時の At the Gates の影響のほか、自身をスウェーデン出身のバンドであることを印象付けようとする狙いが感じられる。実際に 7 曲目ではスウェーデンの民謡を忍ばせている。激情と哀愁のハーモニーが冴える 1 曲目は 2019 年以降のライヴで再び定番となりつつある。

In Flames
ヨーテボリ

Subterranean
🔵 Wrong Again Records 🔵 1995

北欧のトラッド感とメタルの融合が進み、バンドの方向性が徐々に固まった作品として初期 In Flames を語る上では欠かせないミニアルバム。本作ではヴォーカルが Henke Forss に替わり、粗暴なデスメタルに近い歌い方で美しいメロディーとの美醜がコントラストとなる。またドラムの Daniel Erlandsson は後に Arch Enemy に移籍した。1 曲目は美しいリードギターが曲を導きながら、伝統的なヘヴィメタルの息遣いを感じさせる初期の名曲。2022 年以降再びセットリストに加わったことも界隈を驚愕させた。2 曲目も北欧のデスメタルらしい荒々しさの中に美しさが内包されており、後半のカタルシスを生んでいる。

In Flames
ヨーテボリ

The Jester Race
🔵 Nuclear Blast 🔵 1996

In Flames 初期の傑作である 2nd アルバム。ヴォーカルが Anders Fridén に変更、ギターの Björn Gelotte も加入しラインナップが固まる。音質も飛躍的に向上し、メロディーを中心に据え、激しいデスメタルと相反する涙を誘うスタイルは新たなデスメタルの楽しみ方を提示した。輸入盤と日本盤では曲順が異なっており、どちらが優れているか議論をするのも楽しい。輸入盤ではやや落ち着いた導入から徐々にギアを上げて作品を 1 つの山に見立てている印象で、日本盤ではトップスピードから徐々に起伏を生み出す波のような印象を受ける。伝統的疾走曲「Dead Eternity」や燃え上がるギターソロが魅力の「December Flower」は必聴。

In Flames
ヨーテボリ

Whoracle
🔵 Nuclear Blast 🔵 1997

刺々しいロゴから視認性の優れたロゴへ移行し、バンドがデスメタルバンドでありながらも大衆の目を意識した 3rd アルバム。前作に比べるとミドルテンポに主軸を置き、静のメロデスを追求した作品だ。ヴォーカルの Anders Fridén の表現力も磨きがかかり、ライヴを意識した曲作りも見られるのが特徴で、その後の曲作りの変化もわずかに感じさせる。リードギターは北欧の土着性も意識している。ワルツのような旋律が美しい 3 曲目や 12 曲目などアコースティックでありながらも緊張感を生む表現が目立つほど。5 曲目や 9 曲目などのヘヴィなスタイルの曲がより印象に残る二面性を描いている。

In Flames
ヨーテボリ

Colony
🔵 Nuclear Blast 🔵 1999

4th アルバムは直近 2 作の方向性から、より一歩前進したその後の In Flames のターニングポイントとなる作品。Glenn Ljungström の脱退した穴を埋めるために、Björn Gelotte はギターに専念、ドラムは Daniel Svensson が担当した。前作のようなクラシックなアプローチから、より直感的で滑らかな旋律に変わったことで、親しみやすい印象を与えている。メロデスの入門でも最初に名前が挙がる作品だ。1 曲目のツインリードはメロデスのジャンルでも最も有名なイントロの 1 つとして一般的に知られている。元 Europe の Kee Marcello が参加した 7 曲目も佳曲である。

In Flames
ヨーテボリ

Clayman
🅐 Nuclear Blast 🅓 2000

2000 年発表の 5th アルバム。アートワークにはレオナルド・ダ・ヴィンチの「ウィトルウィウス的人体図」を採用している。「Jester Race、Whoracle、Colony は三部作だったんだ」と語るように歌詞のテーマもディストピアな世紀末を示唆するものから、Anders Fridén の個人的な内面や葛藤を扱うようになった。ライヴではジャンプすることが義務付けられている 3 曲目は、In Flames のキャリアを代表する曲で知られる。アメリカ進出の足がかりとなった作品であることが感慨深いのか、2020 年にはアルバム 20 周年を記念して再録が行われた。基本的に過去を振り返らない In Flames であっても、振り返りを試みるほどの転換期となった作品だ。

In Flames
ヨーテボリ

Reroute to Remain
🅐 Nuclear Blast 🅓 2002

アメリカの市場を狙うため従来の音楽性から離れた 6th アルバム。まず Fredrik Nordström から Daniel Bergstrand にプロデューサーが交代し、北欧外の知見をサウンドに反映するようになった。ニューメタルを意識した重低音のリフ、モダンなシンセの導入、Anders Fridén の謎のドレッドヘアに賛否両論もあったが、収録曲も多く、新しい道を切り開くバンドの姿勢が評価された。4 曲目の Music Video では Soilwork のメンバーがカメオ出演しているほか、5 曲目のようなライヴでの披露を見据えた曲の強さは健在。Slipknot や Iced Earth とのツアーに帯同し、バンドは着実に次のステージへステップアップした。

In Flames
ヨーテボリ

Soundtrack to Your Escape
🅐 Nuclear Blast 🅓 2004

2004 年発表の 7th アルバム。前作に比べるとアグレッシヴかつデスメタル然した部分が戻り、Anders Fridén の表現が豊かになったことで、彼のヴォーカルとしての成長を実感する作品だ。プロモーションに多額の費用がかかったと噂されるシングル曲の 2 曲目、吐き捨てるようなヴォーカルラインとヘヴィなリフのラインが美しい 3 曲目、静寂の中から感情を爆発させる 6 曲目、本作で最もキレの良いスクリームを放つ 9 曲など、衰えることなく勢いづいた作品だ。自身のルーツを現代的に描く「Värmlandsvisan」は母国の民謡である。アメリカのビルボード 200 チャート入りを果たし、In Flames は本作でアメリカでも商業的な成功を得た。

In Flames
ヨーテボリ

Come Clarity
🅐 Nuclear Blast 🅓 2006

バンドの 2000 年代の活動を総括する 8th アルバム。アメリカのシーンを意識し、旧来のファンを切り捨てたと思われた In Flames が初期衝動に根ざした作品を発表するということで、発売前から本作は話題になっていた。結論を言えば初期の回帰ではないにしろ、アグレッシヴなリフが登場する充実作だ。メタラーの本能を刺激する激烈な疾走感で幕開ける 1 曲目はライヴでも定番の名曲であり、単音リフの中に仄かに感じるメロディーが愛おしい。その後もデスラッシュ風の刻みに Lisa Miskovsky の甘い声を重ねた 4 曲目、エモーショナルなパワーバラードである 6 曲目から先は激しい疾走曲で畳み掛ける。その勢いは最後まで途切れることはない。

In Flames
ヨーテボリ

A Sense of Purpose
🅐 Nuclear Blast 🅓 2008

2008 年発表の 9th アルバム。前作ではエクストリームメタルとして挑戦することは達成したのか、ややソフトな音像に変化し、キャッチーに叫ぶような曲が増えている。それに伴い以後は伝統的なヘヴィメタル像から離れていく傾向が続く。本作が The Used のアートワークでも知られる Alex Pardee によって描かれたことや、本作発表後に実施した Pendulum のコラボも、ジャンルの垣根を越えようとする利害が互いに一致したからこそだ。メロディックなスクリームが閉塞感を壊そうとする 1 曲目、浮遊感のあるギターサウンドとミドルテンポでもしっかり In Flames らしいセンスとサビが備わった 4 曲目が目立つ。

In Flames
ヨーテボリ

Sounds of a Playground Fading
🅐 Century Media Records 🅓 2011

バンドの創設者であり、メインの作曲者だった Jesper Strömblad の脱退を乗り越え制作した 10th アルバム。バンドは最大の危機を迎えたが、他の作品と大きな断絶はなく、前作の路線を踏襲した内容になっている。Björn Gelotte が Jesper の抜けた穴を意識したのか、メロディアスなソロの頻度が増えている印象だ。ファンの不安を払拭するスケール感の広さを見せつけた 1 曲目、なぜか観覧車の中で Music Video が撮影された 2 曲目もライヴでは定番となっているエモーショナルな曲である。メロディアスなソロがドラマチックに彩る 5 曲目など、ファンに In Flames は不沈艦であることを示した。

In Flames
ヨーテボリ

Siren Charms
🅐 Epic Records 🅓 2014

最もオルタナティヴ路線へと舵を切っている 11th アルバム。Jesper Strömblad の脱退に伴い、これまでの作品でも脱メロデスのアプローチが試みていたが、本作でその傾向が加速する。Anders Fridén はほぼクリーンヴォーカルで歌っており、メロデスを感じさせる部分はギターのリフやメロディーにわずかに残る程度だ。オープニングの 1 曲目や 2 曲目は 9th 以降の路線に地続きであり、感情に訴えるような叫びが心地よい。8 曲目は現行の路線だからこその佳曲である。本作は決して In Flames のメロデス部分を期待して聴くアルバムではない点に注意したい。Knotfest Japan 2014 にも出演を果たしている。

In Flames
ヨーテボリ

Battles
🅐 Nuclear Blast 🅓 2016

多彩な展開で開かれた作風の 12th アルバム。元 RED の Joe Rickard がドラムで加入している。前作ではいっそうのメロデス要素の減退と、オルタナ要素の増加が見られたが、本作では少なくとも「メタル」の力強さに関しては戻ってきている作品だ。従来の路線を感じさせつつメロディアスなリフにエモーショナルなサビが絡み合う 2 曲目、『Come Clarity』の「Take This Life」タイプのリフと盛り上げ方をする疾走曲の 7 曲目が並ぶ。Bring Me the Horizon からインスピレーションを受けたであろう合唱団のコーラスが印象的な 4 曲目は、アリーナ会場での披露を見据えたスケールの大きさが特徴である。

In Flames
ヨーテボリ

I, the Mask
🅐 Nuclear Blast 🅓 2019

前評判では 8th アルバムとの再来を噂されるも、結果的には前作と同路線の 13th アルバム。プロデューサーの Howard Benson の勧めもあり、前作『Battles』から Anders Fridén と Björn Gelotte がロサンゼルスのスタジオで缶詰めになりながら制作した背景がある。アートワークに描かれたキャラクターはバンドのファンを意味する「Jesterhead」から着想した「Jesterboy」と呼ばれ、彼の復讐から始まるダークファンタジー作品であるとも語られる。旧来のファンを興奮させる 2 曲目のような高揚感ある疾走曲はもちろん、現在の路線を取り入れたモダンサウンドの 3 曲目や 11 曲目が Music Video になっている。

In Flames
ヨーテボリ

Foregone
🅐 Nuclear Blast 🅓 2023

2022 年のライヴで 1999 年以来演奏していなかった「Stand Ablaze」を披露したことも本作の伏線だったかもしれない。過去への立ち返りを示唆する 14 枚目の作品となる『Forgone』は『Come Clarity』以来となるバンド側のメロデスへの再挑戦を図っている。それを祝福するように、懐かしさもある疾走曲が並んでいる。一方でこの 10 年間以上の旅路で掴んできたオルタナティヴなスタイルの総決算も本作は兼ねており、新旧のファンを引き寄せる強さがある。本作では公式のアナウンスなく脱退した Niclas Engelin に替わり、Megadeth でも演奏経験のある Chris Broderick が参加している。

Dissection と並んでメロブラの代表格として伝説を築く

Sacramentum

- ⊚ Dissection, Decameron, Swordmaster
- ◐ 1992 ⊕スウェーデン、ヴェストラ・イェータランド県ヨーテボリ
- ⊖ Nisse Karlén, Anders Brolycke, Tobias Kellgren

1992 年に結成した Sacramentum はメロデスブームの渦中にあったヨーテボリシーンでブラックメタルとの親和を試みた。Grotesque の後塵から生まれるも短命に終わった Liers in Wait の遺志を継ぎ、激しく残忍な音楽を目指したからだ。初期は Dissection と並ぶメロディック・ブラックメタルの代表格として、後期は Grotesque を継承するデスメタル／ブラックメタルとして、短くも濃い伝説を築いた。バンドはヴォーカルとギターを担う Nisse Karlén によって結成。当初は Tumulus を名乗り、ギターとドラムを兼任する Anders "Dyngan" Brolycke とドラム Mikael Rydén が加入し、1993 年にデモ『Sedes Impiorum』を発表する時に Sacramentum と改名する。1994 年 EP『Finis Malorum』が Adipocere Records から再リリースされて手応えを掴み、エンジニアに Dan Swanö を迎えた 1996 年 1st アルバム『Far Away from the Sun』を発表する。Century Media Records と契約して迎えた 2nd アルバム『The Coming of Chaos』と 3rd アルバム『Thy Black Destiny』はデスメタルとスラッシュメタルに接近し、結成当初の激しさや残忍さを表現している。2001 年にバンドは一時解散したが、2019 年に活動を再開。そして 2022 年、ついにバンドは新たなラインナップでライヴ活動を行うようになり、シーンに完全復帰。California Deathfest で 1st アルバム『Far Away from the Sun』の完全再現を行ったのを皮切りに、各国のフェスに出向いている。

Sacramentum
ヨーテボリ

Finis Malorum　　🅐 Nothern Production　💿 1994

1994 年発表の 1st EP。エクストリームなサウンドの中に正統派メタルの整合性が宿った Sacramentum の原点となる作品。デスメタルとブラックメタルの境界線が曖昧な時代であったことが凝縮されたサウンドの一言に尽きる。EP だが Dan Swanö が制作に関わっており、抜かりはない。再結成後に発表した 2020 年のリイシュー盤には、King Diamond で知られる Andy LaRocque が所有する Los Angered Recordings Studio にて録音した Mercyful Fate と Sepultura のカヴァー、生々しさが残る 1993 年に発表したデモ音源が収録されている。

Sacramentum
ヨーテボリ

Far Away from the Sun　　🅐 Adipocere Records　💿 1996

バンドを語る上で外すことのできない 1st アルバム。Dissection や Unanimated と同様に、当時のメロデス／メロブラの文脈で愛されてきた作品だ。激烈なブラストビートと荒涼かつ幻想的なギターが楽曲の中心に据えており、Sacramentum のディスコグラフィーの中で最もブラックメタルに寄せた作品だ。本作はメロデスとメロブラが双子のような関係であること、当時はジャンルに隔たりなく両立していたことを示す好例でもある。止むことのないブラストビートとドラマチックなメロディーがあふれ出す 1 曲目は言わずとしれた名曲。Necrolord による暗雲立ち込めるアートワークも美しい。再結成後のライヴも本作から選曲している。

Sacramentum
ヨーテボリ

The Coming of Chaos　　🅐 Century Media Records　💿 1997

Grotesque の後継者として覚醒した 2nd アルバム。前作に比べるとドラムがクリアになり、バンドのヘヴィネスが強調された結果、ブラックメタルからデスメタルへ回帰している。アルバムタイトルのような「混沌」はないが、前作のファンはその変化に「混乱」するかもしれない。メロディーに心得のあるスラッシュメタルを意識した切れ味のあるリフと、スピードメタルに近いドライヴ感を持っているのがポイントだ。王道のツインリードで新たな幕開けを感じさせる 1 曲目、前作の流れを汲むブラストビートに乗るメロディーが心地よい 3 曲目、6 曲目以降は特にスラッシュを意識した展開が多い。

Sacramentum
ヨーテボリ

Thy Black Destiny　　🅐 Century Media Records　💿 1999

1999 年発表の 3rd アルバム。前作の延長線上の作品だが、Dismember や Unleashed のようなスウェディッシュ・デスメタル要素が強くなり、攻撃性が高まった。ブラストビートは据え置きだが、安易なトレモロには走らず正統派のヘヴィメタルを思わせるリフが増えている。Gates of Ishtar にも通じるコード進行と、メリハリのあり展開が印象的な 2 曲目、The Haunted を思わせるデスラッシュを展開する 3 曲目など、わずか 3 年の間に多様な作品を生み出してきた。2001 年を最後にバンドは活動を止めていたが、2019 年の Dismember の復活に触発させられたのか活動再開している。

Sacramentum Interview

回答者：Nisse Karlén（ヴォーカル）

Q：バンド名が Sacramentum（宗派によって秘跡・礼典・機密などと訳される宗教用語）

ということで、これまでも謎が多いバンドでした。それを明らかにする機会をいただいて光栄です。インタビューに時間を割いていただきありがとうございます。

A：Infernal Salutations ！（直訳すると「忌々しい拝啓！」になる） Sacramentum に興味を示してくれて感謝する！

Q：まずは再結成おめでとうございます。Sacramentum が復活したと聞いてとても驚きました。ここ数年はスウェーデンのメタルバンドは再結成を繰り返していますね。それに触発されたのでしょうか？

A：Sacramentum はいずれ復活すると思っていたけど、こんなに時間がかかるとは思わなかったよ。再結成の理由はいくつかあるけど、実は 3 〜 4 年ほど前からレコーディングをしていてね。時々歌詞を書いていて、戦友 Anders Brolycke に自分が作ったものを見せていたのさ。また演奏する気にさせるかどうかの段階だったけど、彼が電話してきて「Sacramentum の再結成をどう思うか？」と聞いてきたから「その機会が今までなかったね」と答えた上で「俺が指定する条件なら」と答えたら彼は「もちろんだ……」と答えた。

Q：バンドが結成された時代、ヨーテボリはすでに In Flames と At the Gates がメロディック・デスメタルという新しいスタイルのデスメタルを発明していました。しかし、なぜ皆さんは彼らのクローンにはならなかったのでしょうか？

A：俺たちもヨーテボリの一員にはなるけど、Grotesque や Liers in Wait のようなダークなものの方が好きだった。初期 Tiamat や Treblinka、初期 Mayhem、Sarcófago、Beherit のような原初的なブラックメタルも好きだった。もちろん Grotesque や初期の At the Gates にも多大な影響を受けてはいるけど、ヘヴィメタル、スラッシュメタル、スピードメタル、デスメタル、（ごく初期の）ブラックメタルを取り入れ、Sacramentum の地獄のようなサウンドを形成している。活動初期の頃には In Flames とリハーサルを共にしていて、彼らの 2nd アルバムで「歌ってくれよ」と言われたけど、断って以来はそ

れっきりだ。俺は Sacramentum に集中しなければならなかったからさ。

Q：かつて Jon Nödtveidt は「Dissection は古いブラックメタルからクラシック音楽まで、すべてを取り入れた新しい形のデスメタル」だと語っていました。Sacramentum の母体はデスメタルで、ブラックメタルではないのでしょうか？

A：さっきの質問で答えたように、俺たちはあらゆるエクストリームなジャンルから来たし、当時はエクストリーム・パンクやグラインドコアも好きだったし気に入っていた。Jon の発言についても、それは彼自身の見方であって俺たちの見方ではないかな。

Q：1990 年代のブラックメタルについてですが、ノルウェーにはインナーサークルがありました。皆さんは彼らと交流したり、影響を受けたりしましたか？　また、Mayhemの実録映画『ロード・オブ・カオス』についてどう思いますか？

A：いや、影響は受けていないね。俺たちはいくつかのバンドと接触してたし、彼らの行動をサポートしてたけど、直接的には関わってないんだ。Mayhem の映画については未だに見ていないんだが、エンターテインメントとして見るのであれば、まともな映画でありそうだ。

Q：『Far Away from the Sun』はバンドの代表作であり、同作のアートワークはNecrolord がこれまで描いた作品の中でも最高傑作の１つです。この城のアイデアはどのようなエピソードから生まれたのでしょうか？

A：アルバムのリリースより１年ほど前かな、鮮明な夢と強いビジョンを経て思いついた。実際にあの場所を訪れ、かつて死にかけたことがあるのさ。あの城は俺の魂の象徴であり、俺の長年の友人であり兄弟 Necrolord が俺のためにしてくれた壮大な仕事だった。俺は彼のそばで数え切れないほどビールを飲み、すでに録音した『Far Away from the Sun』を聴かせた。彼に正確な絵を描かせるために曲の歌詞を用意しておいたし、彼もそれを喜んでくれたよ。彼は俺の中でも最も親しい友人の１人だし、俺は今もアートワークの原画を所有している。展覧会などで必要な場合は用意するのも心得ているよ。

Q：次のアルバム『The Coming of Chaos』と『Thy Black Destiny』では、デスメタルに強い影響を受けていますね。これは、アルバムを重ねるごとにデスメタルバンドとしてのルーツを意識するようになったからでしょうか？

A：いや、そうでもないよ。あの当時俺たちはスラッシュメタルやスピードメタルのルーツに近づきつつあって、ブラックメタルと称されるすべてがデタラメなバンドたちにはうんざりしていた。プラスチックのようにダサくて脆い（Just Plastic Lame and Weak）大多数のブラックメタルと比較されることを恥じていた。ちなみに「Just Plastic Lame and Weak」は、Darkthrone の「Too Old Too Cold」の歌詞から引用した言葉なんだ。君は気づいたかな？

Q：ベルギーの Ancient Rites や Enthroned、Old Man's Child、Rotting Christ とのツアーでの思い出はありますか？　当時のブラックメタルとは仲が良かったのでしょうか？

A：荒唐無稽な話がたくさんありすぎるくらいだ。Ancient Rites の Walter van Cortenberg（R.I.P.）は Sacramentum の音楽を賞讃してくれた。俺たちはその記憶に敬意を表し、友人であったことにも感謝している！　Rotting Christ もまた俺たちの仲間だ。本当に尊敬している！　最初は Old Man's Child について疑ってたけど、俺たちが間違ってたってことが証明されて、一緒に混沌を破壊する運命だったってわかったよ。そして、現在は Dimmu Borgir でも演奏している Galder や Jardar（Jon Øyvind Andersen）も、俺たちにとっては親しい友人さ。1997 年、俗世からの解放を選んだ我

らの兄弟 Cernunnos（Enthroned）にも、その魂に敬意を表したいよ。皆、大拍手だ！ 1997 年か 1998 年にオランダのフローニンゲンで行われたギグでの話になる。俺と Galder は、完売した素晴らしいライヴの後にパーティー気分で、ウイスキーやビールなど、目に入るものすべてをたくさん飲んでいた。ドラッグを買いに行くという素晴らしいアイデアを思いつき、すっかり酔っ払ってしまった。通りを横断する間もなく、車に轢かれそうになったよ。

とにかく 2 人とも運転手に完全に腹を立て、俺はメリケンサックで窓ガラスを叩き割り、Galder は車のボンネット、そして車の屋根の上でジャンプし始めた。言うまでもなく、その後すぐに警察が来て俺たちは逮捕されて翌日別々の房で目覚めた。何も覚えていなかったけど、ドアを開けた時に Galder が別の独房からよろよろと出てくるのが見えたので「おいおい、お前も来たのかよ！」と声を

かけた。

そしたらツアーマネージャーがブチ切れて、顔真っ赤にして怒ってるのが見えたんだ。俺は「ごめん、何をやらかしたか覚えてないや」って言ったけど、彼はただ「お前ら黙ってろ！」と言ってきた。めっちゃ怒ってて動揺してるって感じがしたね。彼は警察からの数回の電話で目が覚め、俺たちを刑務所から連れ出すことになった。ツアーに参加していたヴォーカリストの 2 人が逮捕され、そんな状態ではツアーなんて碌にできなかった……。良い思い出だよ。

Q：やがて 2000 年になると、ヨーテボリのメタルバンドはより商業的な変化を遂げるようになりました。解散に至ったのは、商業的なシーンに対する反動だったのでしょうか？

A：イエスでもありノーでもあるね。ストックホルムのグローナンド遊園地のように終わってしまったシーン全体にうんざりしていたし、メンバーの誰もがもう真剣に続けることを考えていなかった。

Q：2001 年のバンド解散後、Sacramentum のメンバーは Lord Belial と Likblek で活動されていましたね。この時期に再結成の話はあったのでしょうか？

A：Likblek では Anders Brolycke が演奏していたが、そこまで真剣ではなかった。レコード会社は Likblek のアルバムがメロディックなスタイルだと考えてリリースを許諾したが、実際の仕上がりはおよそかけ離れていた。あれは Kill のドラマーが参加した、Raw で薄汚れたブラックメタルだった。彼らはレコード会社を騙し、自分たちが欲しいものを手に入れ、そして闇の芸術家を志す真のミュージシャンなら誰もが望むことをしたのだと思う……己の魂と精神に従ってね！ そんな彼

らをリスペクトしている。俺自身もいくつかのプロジェクトに参加したけど、世間に公表するようなことは何もなかった。

Q：再結成ライヴでは『Far Away from the Sun』を全曲演奏するそうですね。オリジナルメンバーは3人でしたが、現在は5人になっています。追加メンバーはどのように探したのでしょうか？

A：再結成を受けた条件の1つに、ライヴに集中するために歌うだけというのがあって、それこそが俺からの要望だった。Nicklas "Terror" Rudolfsson は無数のプロジェクトで活躍するマルチプレイヤーでね。彼はメインバンドの Runemagick ではギターヴォーカルなんだが、再結成 Sacramentum ではドラムで参加してもらった。これで残りはパーマネントなベーシストを探すだけになった。ところが、Nicklas は重度の耳鳴りを発症したため、大音量の場所にいることができず、耳栓をしていてもドラムを叩くことができなくなってしまった。そこで、長年の友人であり、兄弟でもある Tobias Kellgren（Dissection のライヴドラマーのほか Wolf、Decameron、In Flames のライヴで活躍中）に依頼すると、彼は迷うことなく参加してくれたんだ！

Q：最近のライヴだと A Canorous Quintet と Demonical との共演も楽しみです。彼らとは長い付き合いなのでしょうか？

A：いや、再結成後のストックホルムでのライヴで初めて出会ったんだ。彼らはいい奴らだったよ。

Q：再結成後、バンドは Netherland Death Fest を含む多くのメタルフェスティバルに出演していますね。ライヴでの反応はいかがでしたか？

A：もちろん楽しくて仕方ないさ。俺たちのアルバムが彼らにとってどんな意味を持って育ったのか、そういう話をしてくれる人たちと出会えるのは最高の気分だよ。俺たちも皆と同じく、エクストリームメタルシーンの

ファンで、時には一歩先を行くこともあった。Autopsy や Dismember みたいな、昔からのヒーローたちとステージを共有できるのは、最高の瞬間さ。

Q：Setlist.fm によると過去にスウェーデンで2回しかライヴをしていないみたいですが、これは本当でしょうか？

A：いや、それは絶対に違うよ！　俺たちは数え切れないほどのライヴを行ったが、わざわざインターネット上で公開することに興味がなかっただけさ。俺らがバンドを始めたのは1990年で、当時はまだインターネットもなかった。20年以上前から古い雑誌が入っている大きな箱をいくつも持っていて、場所を取っていたけど、こいつは処分されるのを拒んでいる。近い将来、箱に入っている雑誌の記事をオフィシャルサイトで読めるようにする予定だ。

Q：Dissection の Jon Nödtveidt が自殺したことについて、どう思いますか？　そして Dissection は、Sacramentum と同じく奇しくも3枚のフルアルバムをリリースしています。どれがベストだと思いますか？

A：Jon は昔からの友達で、彼がいなくなったのは悲しい。でも、彼がこの有限な世界から抜け出したいという気持ちに共感するよ。『The Somberlain』はいつでも俺の心に刻まれているからね。

Q：最後に、ファンに向けてメッセージをお願いします。

A：Sacramentum をここまでサポートしてくれたすべての人、皆に感謝だな……。そして約束する……これは始まりにすぎない……。フェスティバルやライヴの傍ら、新しい曲を書いているんだ。最高の内容になること間違いない……。
Hail The Metal of DEATH!!!
Mori Ego Adoremus!!!

Fredrik Nordström Interview

回答者：Fredrik Nordström（プロデューサー
＆エンジニア）

Q：まず Fredrik さんはどんな音楽を聴いて
育ちましたか？　若い頃から今に至るまで、
ヘヴィメタルの作品において原点や参考とな
るようなものはありますか？

**A：実を言うと 20 歳頃までメタルの音楽に
触れたことがなかったんだ。メタルを聴く前
は、ずっとポップスを聴いていた。とあるハー
ドロックバンドで活動していた頃は、1980
年代のロック、例えば Whitesnake などの
音楽を聴いていた。当時の俺にとって最も強
烈な印象を残した曲は Accept の「Balls to
the Wall」だった。**

Q：最初は Dream Evil という自分のバンド
のためにスタジオワークを始められたそうで
すね。自分の音楽よりも他人の音楽の方をサ

ポートするようになったきっかけは、何だっ
たのでしょうか？

**A：なんだか面白そうだなと思ったからだ
よ。それで手始めに In Flames などのレコー
ディングをやって、10 年ほど経ってからよ
うやく自分のバンドのプロデュースやエンジ
ニアリングを始めようと思ったんだ。**

Q：ヨーテボリとストックホルムを比較する
と、ヨーテボリはパワーメタルというジャン
ルを経てデスメタルを映し出しているよ
うに感じます。私の推測ですが、Fredrik さ
んの早く自分のバンドで演奏したいという気
持ちが、手がけた作品にも影響を与えてメロ
ディック・デスメタル、そして「ヨーテボリ
サウンド」と呼ばれるようになりました。こ
のような意見をどう思われますか？

**A：そうかもしれないね。俺のバックグラウ
ンドは、さっき述べた通りポップスだから、**

メロディーを重視したいと思っている。メロディーこそが俺にとっては大事な要素なんだ。一方で、ストックホルムのバンドは洗練されたコード進行、例えばパワーコードのような迫力あるタイプが数多く見られるね。

Q：ここでいくつか伝説とされる作品についてぜひ説明をお願いします。

In Flames 『Lunar Strain』

A：この作品は、残酷だけど美しくて、過激なんだよ。これまでのデスメタルの全てのルールをぶっ壊してる。全部がめちゃくちゃオリジナルだった。

Q：当時の In Flames はこのようなスタイルの音楽を出すことの抵抗や音楽シーンからの反発は考えなかったのでしょうか？

A：全く考えてなかったんだよ！ 当時の俺は、レコーディング業界の新参者だったんだけど、始めてすぐに「俺は自分の作品を作るんだ」という気持ちになったんだ。「他の連中は他の連中で作品を作ってるけど、俺は俺の作品を作るんだ」ってね。30 年前の In Flames の録音のときは、とにかくたくさんビールを飲んでいた。PlayStation で格闘ゲームの『鉄拳3』に夢中になりすぎて、収録が途中でストップすることもあったほどさ。

Q：In Flames が今もバンドとして生き残っているのはなぜだと思いますか？ 新しいことに挑戦しているからでしょうか？

A：ずっと同じメンバーで活動しているバンドって、あんまり多くないんだよね。メンバーの入れ替わりがある方が面白いと思うんだ。

Dark Tranquillity 『The Gallery』

Q：有名な「Punish My Heaven」という曲ではギターとベースが異なるメロディーを奏でているのがわかりやすく表現されています。まるでクラシック音楽、バロック音楽のようです。ストックホルムのデスメタルとの一番の違いは中音域の音が聞こえる音作りだ

と思います。どうすればあのような音になるのですか？

A：それはちょっと難しいな。ずっと昔のことだから、全然思い出せないよ。

Q：例えば、1980 年代ヘヴィメタルとの相似点を思いつきますか？

A：もちろん、In Flames はそうだよ。俺たちは 1980 年代のハードロックと自分の国の伝統的な音楽で育っているからさ。

※なお、Fredrik はバンドがスウェーデンの合唱歌「Allsong」に少し似ているという通訳の意見にも賛成していた。

At the Gates 『Slaughter of the Soul』

Q：これは最も有名な作品ですね。伝説の 30 分を紐解くと「Pantera や Slayer といったアメリカのメタル、そしてインダストリアルな音をサンプリングするアイデアが出た」という証言があります。

A：バンドと話し合って、機械みたいな音を出すアルバムを作ることになったんだ。それをしっかり習得する必要があったけど、うまくいったと思うよ。時間はかかったし、これらの音を出すために何度も実験したんだ。たくさんのテイクを使ってね。これは俺にとって最も重要な作品になった。人生を劇的に変えたと思う。当時はパソコンもなかったから、すべてが手作りの音だったんだ。

Q：多くのアメリカのバンドが 2000 年以降、Fredrik さんのもとを訪れました。やはり『Slaughter of the Soul』みたいな音にしてくれ、という要望が多かったのでしょうか？

A：そうだね、けど新しい音って誰にでも合うわけじゃないよね。だから、むしろそのバンドのサウンドを大事にしたいと思ってたんだ。実験的な音作りをいつも求められるけど、プロデューサーやエンジニアが自分の音を押しつけるよりも、バンドのサウンドを最大限に引き出す方が良いと思うよ。

Soilwork 『Steelbath Suicide』
Q：アメリカのスラッシュメタルとは異なる、シャープで爽快なドラム、いわゆる「デスラッシュ」と呼ばれる音はどのように作られているのでしょうか？

A：当時の Soilwork のドラマーと俺があれこれ考えた末のコンビネーションだったんだ。レシピなんてないよ。ただ録音して、ミキシングしただけさ。芸術的な要素を大切にしながら形を作り上げて、彼らがそれで満足するかどうか、自分たちの能力を 100 パーセント出し切れたかどうか、そこが肝心なんだ。だから、自分たちで満足できたらそれでオッケーって感じさ。

Q：Metallica の『...And Justice For All』は低音が全く聞こえないことで物議を醸し出した作品です。もしバンドから低音の大幅な削減を提案された場合、その意見を尊重しますか？ それとも作品のクオリティを優先しますか？ Fredrik さんは Metallica の『And Justice for All』についてどう思いますか？

A：場合によるね。そのバンドの演奏能力によるんだ。ベースがめちゃくちゃ下手だったら、低音を抑えたほうがいい。以前言ったことがあるんだけど、ベースが全然ない曲を作ったこともあるんだよ。反対にベースをもっと効かせた方がいいって思ったら、そこははっきり言うよ。皆で話し合って、皆が納得できる解決策を出すんだ。Metallica は昔聴いていたけど、最近はあんまり曲を聴かないんだ。アルバム 1 枚聴くってことはもうしないし。それでも 1 日中音楽は聴いてるよ。Metallica はいいバンドだし、いい曲もあるけどね。

Q：スウェーデンの Peter Tägtgren と Dan Swanö は同業者であり、良き友人であり、良きライバルだと認識しています。彼らと自分の違いは何だと思われますか？

A：難しい質問だなぁ。Dan はもうずいぶん前にプロデューサー業を辞めて、自分のバンドをやってるんだよ。今はベルリンで Vinyl

盤（レコード）を作るビジネスをやってるらしいね。俺とPeter、Danの3人が一番忙しかった頃は週7日間、毎日12時間働いていて、他のことを考える余裕なんてなかったな。2人ともいい奴だったことは覚えているよ。

Q：現在、音楽の制作はインターネット上だけで行うことができます。バンドと仕事をする場合、スタジオで直接会うのとネット上でコミュニケーションを取るのと、どちらが一般的でしょうか？

A：その時々で、波はあるかな。2005年から2010年までは、自宅で録音してスタジオでミキシングだけ頼むというケースが多かったけど、最近はコロナの時期を除いて、アーティストたちはスタジオに来て直接会うことを好むんだ。今はどっちもあるね。もちろんオンラインで仕事することも結構あるよ。

Q：仕事で最もやりがいを感じるのはどんなところでしょうか？　もし、これからプロデューサーを目指そうとしている若い人へ向

けてアドバイスをお願いします。

A：俺はあんまり他人のことを気にしないで、自分の道を突っ走ってきた。そんなやり方でも間違っていなかったと思うよ。もちろん基礎的な教育は必要だけど、ただそれをコピーするだけじゃなくて、自分が満足するものを作ることが大切なんだ。自分の道を進むって良いことだよ。

Q：そしてそれを1993年からずっとやり続けていることですね？

A：ああ、その通りだ。

Q：やりがいはありますか？

A：自分でめちゃくちゃいいものができたと思う瞬間に勝るものはないね。満足感がすごいんだ。もちろん毎回そうなるとは限らないけど、例えば、Dimmu Borgirの『Puritanical Euphoric Misanthropia』を、最近改めてミキシングし直したんだ。そうしたら、2001年の仕事がよりクリエイティブになって、とても満足のいく出来になったよ。

Amaranthe

ヨーテボリ

Amaranthe 🅐 Spinefarm Records 🄯 2011

ヨーテボリ出身バンドの 1st アルバム。Dragonland の Olof Mörck と、Jake E が中心に結成。メロデスよりもエレクトロ要素のあるメタルコアとしての認識が正確である。同郷の ABBA に通じる男女入り混じった 3 人のヴォーカルを有し、フィーメールヴォーカルを Elize Ryd、グロウルを Andreas Solveström、クリーンを Jake E が担当している。このヴォーカルのコンビネーションが肝であり、キャッチーで実に親しみやすい。本書としては Olof Mörck は当時 Nightrage に作曲で参加していたので、メロデスのアプローチも心得ていた点を述べておこう。同年の Loud Park にも出演し、日本の支持基盤も固めた。

Amaranthe

ヨーテボリ

The Nexus 🅐 Spinefarm Records 🄯 2013

1st と並んで評価の高い 2nd アルバム。前作と変わらず、メタルコア／メロデス／パワーメタルが折り重なるスタイルを続けている。構造が決まっている音楽性故に、サビまでのパターン化も否めないが、前作が気に入っていれば本作も間違いない。Andreas Solveström のグロウルがアクセントで活躍する 2 曲目はメロデス好きには見逃せない。3 曲目はバンドの代表曲でゴリゴリしたメタルコアサウンド、エレクトロなアレンジが魅力的である。日本含む複数国でチャートインし、自国では 6 位と商業的にも成功した。その後もモダンメタルの最前線に立ち、4 作品を発表している。

Avatar

ヨーテボリ

Thoughts of No Tomorrow 🅐 Gain Music Entertainment 🄯 2006

ドラマーの John Alfredsson とギタリストの Jonas Jarlsby が中心となり、結成したバンドの 1st アルバム。奇抜なピエロの姿が印象的なバンドだが、当時はまだヴォーカルの Johannes Eckerström もメイクはしていなかった。その音楽性は、「言われてみれば」というレベルでヨーテボリらしさのあるリードギターが楽曲を構成する、洗練されたモダンメロデスが当てはまる。スキル面では垢抜けた様子があり、貧相なメロデスに収まりきらないスケール感もあるものの、現在までの成長を見抜くのは難しい。バンドの転機となったのは In Flames のサポートアクトとしてヨーロッパを回り、文字通り顔を売ったことが大きいとされる。

Avatar

ヨーテボリ

Schlacht 🅐 Gain Music Entertainment 🄯 2007

前作から翌年発表の 2nd アルバム。本作も前作の延長線上にある内容で、メロデスとメタルコアの両面を感じる勢い重視の作品。バンド側は「伝統的な方向性を追い求めすぎていて 自分たちのやるべきことが見えなかった」と 3rd までの作品を語っている。ヴォーカルの Johannes は大衆的なメタルを最初は毛嫌いしていたようだが、後に自身の固定観念だったセルアウトに向き合うことで、音楽面でも徐々に開かれた様子が見られるようになる。Sonic Syndicate などモダンなメロデスをなぞるものの、クリーンヴォーカルは使用しない姿勢にこの時期の彼らなりの矜持も伝わる。現在ではオルタナティヴなメタルバンドとして活躍している。

Brimstone

初期：クリスティーネハムン 後期：ヨーテボリ

Carving a Crimson Career 🅐 TPL Records 🄯 1999

パワーメタルとメロディック・デスメタルの本格的な融合は、何もフィンランドやカナダだけでなくスウェーデンでも局所的に行われていた。母国の英雄 HammerFall を思わせる暑苦しさに、ダミ声を交えたダーク・ヘヴィメタル・ヒーローが Brimstone だ。ヴォーカル以外にデス要素はなく、楽曲の構成はパワーメタルに由来している。当時としては目の付け所は悪くなく新鮮な作品であった。本作限りで解散した。この 1st アルバムは Nuclear Blast から再発されているが、ダサすぎるアートワークが不味いと判断されたのか、差し替えられている。

Cardinal Sin
ヨーテボリ

Spiteful Intents
🅐 Wrong Again Records ⏺ 1996

1996 年発表の 1st EP にして最終盤。わずか 16 分の本作は Dissection の 1st『The
Somberlain』発表後に脱退した John Zwetsloot が 1994 年に新たに結成したバン
ドのアーカイヴである。Marduk の初代ドラマーにして Dimension Zero のヴォー
カルでもある Jocke Göthberg とギターの Devo Andersson が参加。音楽性は
Dissection はもちろんだが、Devo の作曲の貢献により、Katatonia に似た憂鬱な
旋律美も堪能できる。伝説的コンピレーション作品『W.A.R.Compilation-Battle of
Pride-』にも 1 曲目が採用されたこともあり日本でもカルトな知名度を持つ。

Ceremonial Oath
ビルダル

The Book of Truth
🅐 Modern Primitive ⏺ 1993

ヨーテボリの沿岸にあるビルダル出身バンドの 1st アルバム。Desecrator から後
に現在の名前に改名。一般的には HammerFall のギタリストとして有名な Oscar
Dronjak だが、彼のキャリアのスタートがデスメタルバンドだったことを知る者は
少ない。さらに元 In Flames の Jesper Strömblad、後に Cemetary や Tiamat で活
動する Anders Iwers など在籍するメンバーは非常に豪華。その豪華さに対して、
サウンドは質素なスウェディッシュ・デスメタル。わずかにメロディーやキーボー
ドを使用しているが、革新的な成果には結びついていない。Oscar と Jesper は共
に発表の半年後に脱退している。

Ceremonial Oath
ヨーテボリ

Carpet
🅐 Black Sun Records ⏺ 1995

前作から 2 年後に発表された 2nd アルバム。前作に比べるとヨーテボリのメロデ
スに接近している。1 〜 3 曲目と 7 曲目のカヴァーを Anders Fridén、4 〜 6 曲目
を Tomas Lindberg が参加している。メロデス界隈のトップランナーが同じバンド
内で戦った本作はその資料的価値も高い。タイトルを冠する 3 曲目は二重三重に
折り重なるリードギターが美しく、5 曲目はトラッドな後半のアコースティック展
開に涙する。7 曲目の Iron Maiden のカヴァーはヨーテボリスタイルにおけるアイ
デアの源泉であることを窺えるが、悲しいほど演奏が弱い。2012 年より活動を再
開しているようなので、今後の動向もチェックだ。

Cipher System
ショーン島

Central Tunnel 8
🅐 Lifeforce Records ⏺ 2004

ヴェストラ・イェータランド県ショーン島出身バンドの 1st アルバム。結成当初は
Eternal Grief という名前で活動していた。その音楽性は In Flames や Soilwork の人
気に続けと言わんばかりの近未来系モダンメロデス。薄っすらと世界観を彩るキー
ボード、メカニカルな演奏、メタルコアのような強弱のある音作りが特徴で一部の
曲を除いてクリーンヴォーカルは使わない。大衆の方を向いてしまい易きに流れが
ちな中、原理主義な性分は Nightrage にも通じる。実家のような安心感を覚える 1
曲目や 3 曲目で気前よくスタートダッシュを切り、巧みな曲展開で縦横無尽なメ
ロディーが応酬する 5 曲目で構成力の高さも見せつける、強力な作品だ。

Cipher System
ショーン島

Communicate the Storms
🅐 Nuclear Blast ⏺ 2011

前作から 7 年後に発表した 2nd アルバム。Nuclear Blast に移籍し、Henrik Udd と
Fredrik Nordström が制作に関与している。サウンドの方は前作と変わらないモダ
ンメロデスだが、グルーヴを意識する場面が増えている。その背景にはバンドのリー
ダーである Henric Liljesand が Pantera を愛していることが影響している。Music
Video にもなったタイトル曲の 3 曲目ではパワフルなスクリームが響く。既視感
はあれど水準は高い。長らく音沙汰はなかったが、2020 年に元 Scar Symmetry の
Christian Älvestam が加入しており、今後の動向にも期待が持てそうだ。

Crown of Thorns
トロルヘッタン

The Burning   🅐 Black Sun Records 🅞 1995

トロルヘッタン出身でデスラッシュの重鎮による 1st アルバム。1998 年までは Crown of Thorns という名前で活動をしていた。メロディックな旋律を扱うヨーテボリスタイルを踏襲しながらも、スラッシュメタルの軽快な疾走感も携えており、スウェーデンのデスメタルの持つ残虐性や激しさをわかりやすくデフォルメしている。ギタリストの Marko Tervonen と Marcus Sunesson のコンビはすでに新人離れした速度で演奏しており、音質の悪さも相まってアルバムの中に悪魔が潜んでいるかのようだ。その中でも叙情メロディーのイントロから疾走へと向かう 5 曲目はまさしく当時のトレンドを行く王道のメロデス曲だ。

Crown of Thorns
トロルヘッタン

Eternal Death   🅐 Black Sun Records 🅞 1997

初期の傑作として名高い 2nd アルバム。前作以上に演奏に勢いが増し、北欧の叙情性のあるメロディーが強まった作品だ。スウェーデンのデスメタルから派生した Dark Tranquillity や At the Gates とは異なり、Possessed や Death といったアメリカのデスメタル／スラッシュメタルの影響が混ざったバンドにこそ彼らのルーツが窺える。特に冒頭のアコースティックギターのイントロの後に荒々しいリフで始まる 1 曲目は、初期 Metallica に対するリスペクトを感じさせる内容だ。ドラマチックなリードギターが曲を支配する 3 曲目も、メロディーとデスメタルが高い次元で融合したバンドを代表する曲である。

The Crown
トロルヘッタン

Hell Is Here   🅐 Metal Blade Records 🅞 1998

1998 年発表の 3rd アルバムからバンド名を The Crown としており、ヴォーカルが Johan Lindstrand に替わっている。前任と異なりデス／ブラック系のガナリ声ではなく、歌詞の輪郭がわかるスクリームが得意なタイプだ。前作よりもストレートなデスラッシュ／デスンロールを披露している。持ち前のメロディーもどこかアメリカナイズドな乾いた音だ。バンドの新たなる方向性を提示した 1 曲目は、ロックンロールのリズム感とスラッシュの疾走感が混ざり合い、ノリの良いデスメタルという地点へ到達した。2 曲目や 7 曲目は前作のメロデス要素がまだ残っており、メロディアスなギターを下地に駆け抜けていく。

The Crown
トロルヘッタン

Deathrace King   🅐 Metal Blade Records 🅞 2000

バンドの代表作である 4th アルバムはプロデューサーに Fredrik Nordström を迎えた渾身の一作だ。前作のデスンロール路線がさらに洗練され、まさにポスト『Reign in Blood』と呼べるほどスピーディーな作品。初期衝動に忠実な 1 曲目からフルスロットルで、激しいのにもかかわらず要所のリフが歯切れよく展開する。Motörhead のようなロックンロールをデスメタルの文脈で融合した 6 曲目を聴けば The Crown の真髄が堪能できる。モダンメロデスの流行が生まれる中で、The Crown はメロデスに拘らず独自路線へ歩き出すが、結果的に本作はバンドのキャリアを決定づけた。

The Crown
トロルヘッタン

Cobra Speed Venom   🅐 Metal Blade Records 🅞 2018

2018 年発表の 10th アルバム。前作でサポート参加していた Henrik Axelsson を正式にメンバーに加えている。再び激しいエンジンを身にまとった彼らは、4th の制作を陰で支えた Fredrik Nordström の力を借り、集大成とも言える作品を発表した。2nd のような叙情性と 4th の疾走感、前作までの切れ味のあるリフを兼ね備えたまさにエクストリームメタルの現在進行系だ。イントロのヴァイオリンの旋律からすぐにアートワークのように飲み込むような激流で駆け抜ける 1 曲目からすでに掴みは最高。アルバムタイトルを冠する 5 曲目はバンドを代表する新たなアンセムであり、同年の来日公演でもサビの合唱が行われた。

The Crown
トロルヘッタン

Royal Destroyer
🅐 Metal Blade Records ⏺ 2021

メンバーを変えずに迎えた 11th アルバムでは、洗練された前作とは異なる、ラフな側面を強調した音作りがなされている。結成 30 年を迎えるが、クリーンヴォーカルを取り入れ、叙情的なメロディーにアプローチを試みた意欲作だ。プロデューサーは前作同様に Fredrik Nordström が担当している。Metallica の「Motorbreath」が元ネタである 2 曲目では薄っすらとキーボードを配置させており、シンフォニック・ブラックメタルのような神秘性を感じさせる疾走曲だ。そして 9 曲目ではバンドとしても初めてのバラード曲であり、叙情的なメロデスを披露。前作と異なる方向から攻めた多様性に富む内容。

Deals Death
ヨーテボリ

Internal Demons
🅐 Independent ⏺ 2009

ヨーテボリ出身の Erik Jacobson を中心に結成されたバンドの 1st アルバム。バンド誕生のきっかけは、Erik が 2007 年にダーラナ県ボルレンゲにてロックミュージシャン向けの高等教育音楽プログラム、BoomTown Music Education を受講したことだった。当時 Sabaton に在籍していた Rikard Sundén が参加したのも、このプログラムの同級生だったからだ。音楽性はモダンメロデスを丁寧に踏襲し、キーボードの出番も多いのでフィンランドの感触に近い。浮遊感漂うアップテンポな 1 曲目は元 Children of Bodom の Alexander Kuoppala をゲストに迎えている。単音リフで切り込む 6 曲目からもわかるがフォロワー感が強い。

Deals Death
ヨーテボリ

Elite
🅐 Spinefarm Records ⏺ 2012

前作から 3 年後に発表した 2nd から Spinefarm Records に所属した。アルバムの内容は、少数の人間がすべてを支配した時に世界で何が起こるかについて語っており、独裁に対して厳しい態度を投げかけている。前作と地続きのモダンなサウンドで、クリーンヴォーカルは使用せず、グロウルのみの潔い作品。なお、バンドのヴォーカルの Olle Ekman が 2011 年に YouTube で公開した『Death Metal Vocal Exercises』はその愉快な内容が注目を浴び、180 万以上再生されてバンドの知名度アップに繋がった。同年に Bloodshot Dawn と共に初来日を果たしている。

Deals Death
ヨーテボリ

Point Zero Solution
🅐 Spinefarm Records ⏺ 2013

2013 年発表の 3rd アルバムではキーボードがよりシンフォニックな装飾を手がけるようになっている。前作と引き続きモダンメタルに精通している、元 Scar Symmetry の Jonas Kjellgren の手腕によって重厚な世界観が広がっている。アルバムのテーマも石油を使い続ける社会に対して疑問を投げている。流麗なピアノで始まる 2 曲目は、複雑なリフと一転して明るいメロディーなど Hypocrisy にも通じる荘厳さがある。浮遊感のあるサウンドと単音リフによる単なる疾走だけで終わらないドラマ性を本作では見いだそうとしているが、今ひとつ突き抜けた個性もないのが切ない。バンドは 3 年後の 2016 年に解散している。

Decameron
ソーテネース

My Shadow...
🅐 No Fashion Records ⏺ 1996

スウェーデン西海岸のソーテネース出身バンド の 1st アルバム。バンド名はイタリアの作家ジョヴァンニ・ボッカッチョの作品に由来。Johan Norman（本作には関与せず脱退）や Tobias Kellgren などの Dissection の関係者が、この時期に在籍している。作風に関してもメロディック・デスメタルでもあり、メロディック・ブラックメタルでもある二面性を持ったオールドテイストなもの。同様の背景を持つ Cardinal Sin と異なるのは長尺曲が多めに配分されていることで、バンド名通りの「人曲」たらしめる重厚感がある反面、やや散漫な印象も否めない。4 曲目は Dissection の前身 Satanized の曲で Jon Nödtveidt の名前がクレジットされている。

Dimension Zero ヨーテボリ
Penetrations from the Lost World 🅐 War Music 🅞 1997

ヨーテボリ出身バンドのEP。In Flames で活動していた Jesper Strömblad と Glenn Ljungström による新たなプロジェクトで、結成当初は Agent Orange を名乗っていた。その方向性は In Flames では使えないより過激なリフを採用したもので、At the Gates の『Slaughter of the Soul』の流れを汲むデスラッシュである。ヴォーカルの Jocke Göthberg の意向もありギターソロはほぼカットされているのも相まって贅肉ゼロのリフモンスターが誕生。強力なデスラッシュの1曲目に本作のすべてが詰め込まれていると言っても過言ではない。Regain Records の再発盤には 2001 年の初来日公演のライヴテイクを収録。

Dimension Zero ヨーテボリ
Silent Night Fever 🅐 Regain Records 🅞 2002

メンバー同士が多忙のため EP 発表から 5 年後に発表した 1st アルバム(なお Toy's Factory から出た日本盤は 2001 年 12 月に先行発売)。ギターソロを捨て去ったストイックさと、叙情メロディーが折り重なるノリの良い仕上がりで、In Flames の名残も感じられるが、異なる別バンドへと発展。1曲目はバンドを代表する名曲でイントロで腕を掲げずに聴くことはおよそ不可能である。リフの良いメロデスを聴きたかったらまず本作だ。Soilwork や Darkane における Terror 2000 のように、In Flames に対する Dimension Zero はメンバーのあふれ出る創作意欲の受け皿になっていた。

Dimension Zero ヨーテボリ
This is Hell 🅐 Regain Records 🅞 2003

圧倒的なスピード感で、すべてを置き去りにした 2nd アルバム。前作は In Flames の没アイデアを供養するようなポジションだったが、本作では明確に過激かつブルータルな方向性に振り切っている。Jesper はベースに専任しており、ギターの Daniel Antonsson は後に Soilwork や Dark Tranquillity を渡り歩いている。前作に続けて Anders Fridén がプロデューサーを務めている。焦れったいイントロが抜けた 2曲目は、バンド名を冠するアンセムであり『This is Hell』の絶叫は避けられないデスラッシュの名曲だ。息継ぎなしのノンストップで駆け抜けるデスラッシュの決定盤とも言える内容。

Dimension Zero ヨーテボリ
He Who Shall Not Bleed 🅐 Toy's Factory 🅞 2007

2007 年発表の 3rd アルバム。激しさと叙情性の両立は永遠のテーマだが、本作の内容はまさしく 1st と 2nd を折衷させたものである。Jocke Göthberg のヴォーカルが以前に比べブラックメタルに近いのは見逃せない。なお本作の発表前に初期メンバーの Glenn Ljungström は脱退している。4曲目のようなモダンなテイストでメロディアスなリフを叩きつける従来の曲もあるが、大胆にもチェロを聴かせる 6 曲目など悲哀のメロデスを意識させるものもある。終盤の 11 曲目では Annihilator で知られる Jeff Waters が参加しており、過去の In Flames を思わせる叙情性を感じさせる仕上がりだ。

Eternal Autumn マリエスタード
The Storm 🅐 Black Diamond Productions 🅞 1998

ヴェストラ・イェータランド県マリエスタード市出身の 1st アルバム。メロデスの世界観を象徴するようなバンド名からも察せられるが典型的なフォロワーとして活動していた。パワーメタルと同じくらいにスラッシュメタルのリズムに影響を受けており、軽快なリフとリフの中にメロディーをミルフィーユしている。ヴォーカルがグロウルであるという点を除けば、リフも曲構成もデスメタルの面影はない。Judas Priest を思わせるシュレッドを織り交ぜたイントロが耳を引く 6曲目は、インストながらノリの良さにあふれている。Daniel Bergstrand がマスタリングを担当している。

Eternal Lies
ヴァールヴェリ

Spiritual Deception
🅐 Arctic Music Group ⊙ 2002

ヨーテボリにほど近い西海岸のヴァールヴェリ出身バンドの 1st アルバム。ギターの Björn Johansson とドラムの Conny Pettersson が中心となり結成。本作でも収録されている、デモ曲「Leaving Only Me」「By the Hands of the Architect」「Poems」がスウェーデンのメタル雑誌『Close-up』で取り上げられ話題となった。その音楽性はスウェディッシュ・デスメタル～メロディック・デスメタルの遍歴を扱った典型的なもの。ドラムの Conny Pettersson がテクニカル・デスメタルバンドの Anata でも叩いているので、強力なエンジンを積んだボトムに支えられ、他のメロデスに比べて一歩リードしている。

Eternal Lies
ヴァールヴェリ

Burning the Nest
🅐 Chaos Records ⊙ 2018

前作発表後長らく活動休止だったが、Fatal Embrace や Ablaze My Sorrow の再始動に触発されたのか 2015 年には再結成ライヴを果たし、16 年ぶりに 2nd を発表した。前述のバンド同様に良い意味で変わっておらず、荒々しいドタバタ系メロデスを披露。Conny Pettersson のドラムは今回も素晴らしく、テクニカル・デスメタルのような粒立ちだったものでも、ブラックメタルのような手数で圧倒するものでもないが、メロデスに最適化されており楽曲を引き立てている。本作発表後に Conny が掛け持ちしているヘヴィメタルの Revengia から Andreas Stolt がギターで加入した。

Gardenian
ヨーテボリ

Two Feet Stand
🅐 Listenable Records ⊙ 1997

ヨーテボリ出身バンドの 1st アルバム。バンドの由来はアメリカのストーナーロックバンド Kyuss の曲名から。他のヨーテボリのメロデスとはやや異なり、ヘヴィメタルに重心が傾いているメロデスだ。デスメタルとスラッシュメタルの両方から影響を受けつつ、Fredrik Nordström がプロデューサーを務め、親しみやすい叙情性を身に着けている。王道ながらも哀愁を誘うリードギターが芳しい、デスラッシュスタイルの疾走曲である 2 曲目、7 曲目のような曲では彼らの影響源だと語る Nevermore のようなセンスあるグルーヴ感やリズムは彼らの個性だ。アートワークが意味不明でなければ、もう少し注目されていた可能性は十分ある。

Gardenian
ヨーテボリ

Soulburner
🅐 Nuclear Blast ⊙ 1999

前作発表後に Nuclear Blast に移籍して発表した 2nd アルバム。当時の In Flames の躍進を見ていたからかサウンド周りは洗練され、モダン化への足がかりという作品である。本作ではクリーンヴォーカルにゲストを招き、ノルウェーの古豪ヘヴィメタルの Arch から Eric Hawk と自国のスラッシュメタルの女帝 Sabrina Kihlstrand が参加している。このヴォーカルワークの多様化が楽曲の差別化に繋がる。ゴシックとは異なる清涼感のある女性ヴォーカルが新鮮な 2 曲目や、パワーバラードとしてクリーンヴォーカルの可能性を追求した 5 曲目など、すでに煮詰まりつつあったメロデスシーンを拡張しようとする野心的な作品だった。

Gardenian
ヨーテボリ

Sindustries
🅐 Nuclear Blast ⊙ 2000

前作から 1 年後に発表した最終作。前作は好評だったが「共通のサウンドがない」という自己反省もあり、本来の Gardenian サウンドを目指したと語る。本作の方向性は欧米受けを狙い Pantera を意識したグルーヴ感、KoЯn を筆頭にニューメタルに由来するヘヴィネス、その他インダストリアル／オルタナティヴな方向性へ転換した。他のヨーテボリのバンドよりも先の展開を見すぎた故に、メロデス本来の叙情性や美と醜のバランスはおざなりにされたことが、従来のファンに受けなかった原因だった。バンドはしばらくして解散している。

Miscreant
ヴェステロース

Dreaming Ice
🔴 Wrong Again Records 🔵 1994

黎明期のメロデス作品を支えた名門 Wrong Again Records 出身のバンドの中で、恐らく最も地味な存在が Miscreant だ。その音楽性は初期の At the Gates のプログレッシヴな感性を宿したメロデスながら、より複雑性が増している。この唯一の 1st アルバムの場合はむしろ散漫という方が表現の方が正しく、頼りないハイトーンのヴォーカルや展開の唐突具合など課題も多かった。レーベルメイトの Excretion や Cardinal Sin の作品が後年再発され再評価されるが、このバンドについては音沙汰がないあたり、察するところがある。しかしながら、その奇妙な世界観はメロデス黎明期の礎を影ながら支えている。

Prophanity
アリングソース

Stronger than Steel
🔴 Blackend 🔵 1998

日本のデスメタル／ブラックメタルの Amduscias とも Split を出したことがあるヨーテボリとも近いアリングソース出身バンドの唯一の作品。その音楽性は勇ましいメロディーと荒々しく疾走するヴァイキング要素を取り入れたものだが、Thyrfing や Månegarm よりも The Moaning や Ablaze My Sorrow などの No Fashion Records の音に近い。音質の悪さや演奏の危なさには目を瞑りつつ、3 曲目や 6 曲目のように疾走の中で響くメロディーは美しく、意外にもアコースティックのセンスも垢抜けていた。意外なことに、後にパワーメタルの Dragonland に加入する Nicklas Magnusson が参加した 1 枚。

Sacrilege
ヨーテボリ

Lost in the Beauty You Slay
🔴 Black Sun Records 🔵 1996

ヨーテボリ出身バンドの 1st アルバム。その音楽性は In Flames や Dark Tranquillity の影響を受けた 90 年代メロデスを象徴するスタイルだ。強いて個性を挙げるとすれば Michael Andersson という専任のヴォーカルの他に、Daniel Svensson がヴォーカルとドラムを兼任していることである。叫びながら感情豊かにグロウルを放つ Michael Andersson の歌唱と、低音を響かせる怒りに満ちた Daniel Svensson の歌唱の両方が本作を彩っている。ヴォーカル面だけでなく、楽曲面も Fredrik Nordström と Göran Finnberg という黄金の布陣で構成されており、質は高い。

Sacrilege
ヨーテボリ

The Fifth Season
🔴 Black Sun Records 🔵 1997

1st アルバムと甲乙付けがたい 2nd アルバム。方向性は変わらないが、前作でも評価された巧みな構築美を活かしてデスメタルの中にメロディーを組み込んでいる。本作発表後にヴォーカルとドラムを兼任していた Daniel Svensson がドラムとして In Flames に加入することになり、バンドは解散してしまう。この時期の彼のドラムのスタイルはバンドの楽曲の複雑さも相まって、精密でありながらも血の通った生々しい叩き方を披露している。このような叩き方が In Flames 加入後にはすっかり影を潜めてしまったのが実に惜しい。2018 年にはこれまで発表した 2 作に T シャツなどのグッズを付けてボックスセットで販売された。

Skymning
アリングソース

Stormchoirs
🔴 Invasion Records 🔵 1999

ヨーテボリにほど近いアリングソース出身バンドの 1st アルバム。そのスタイルは他のヨーテボリに倣い NWOBHM からの影響を窺わせるものだが、他のバンドに比べてより軽快なスピード感とパワーメタル要素が強いのが特徴。まるで Dark Tranquillity に Rage や Edguy のようなジャーマンメタルを混ぜた軽快さを感じられる作品だ。演奏も録音環境はお世辞にも上等とは言えないが、Iron Maiden ライクな跳ねるようなリフとメロディーを披露する 2 曲目、ジャーマンメタルの陽気さが印象的な 5 曲目など、薄幸ながらも健気な姿勢がマニアに評価される。なおバンドは次作でインダストリアル方面に転身、メロデスから早々に離れた。

Solar Dawn
Equinoctium
シェブデ
🟠 Mighty Music 🟠 2002

ヨーテボリ東北のシェブデ出身バンドによる唯一の作品。当初は Jarawynja というバンド名を名乗っていたが、後に現在のバンド名に改名。ギターの Anders Edlund が中心となり結成。メンバーには後に Scar Symmetry に加入する Christian Älvestam や Roberth Karlsson が在籍。長らくドラム不在だったが Jocke Pettersson が参加してアルバム制作を進めることができた。その音楽性は In Flames と At the Gates をお手本に、アクセントとしてクリーンヴォーカルが入っているという典型的なもの。モダンとクラシックの中間を漂う発展途上なメロデスに、スパイス程度に Edge of Sanity の先進性が含まれている。

Swordmaster
Postmortem Tales
ヨーテボリ（前期＆後期）ストレムスタード（中期）
🟠 Osmose Productions 🟠 1997

Dissection の Jon Nödtveidt の弟である Emil Nödtveidt（バンドでは Night-Mare 名義）が所属していたことで有名なバンド。EP 時代はブラックメタルに属するが、バンド側は本作を「お前の顔に突き刺す悪魔の拳のようなものさ！ スラッシュやヘヴィメタルからの影響を受けたデスメタルなんだ」と語っており疾走感のある内容だ。ドラムの Nicky Terror は同時期 Sacramentum でも活躍しており、豊かなリフを刻む本作を支えている。緩急織り交ぜクラシカルなメロディーが登場する 4 曲目の素晴らしさは言葉で表現できないほどだ。

Swordmaster
Moribund Transgoria
ヨーテボリ（前期＆後期）ストレムスタード（中期）
🟠 Osmose Productions 🟠 1999

修学旅行のようなジャケットが微笑ましい 2nd アルバム。前作のデスラッシュ路線を継承しつつ、メロディーとアグレッションの両輪に優れた作品だ。正統派メタルまでリフが近づいたのは、ギターが増えて 5 人体制になったこととも無関係ではなかった。邪悪な At the Gates という表現がよく似合う 6 曲目のようなリフが際立つ作品である。本作発表後レーベルメイトの Dark Tranquillity や Enslaved などと The World Domination Tour を敢行。やがてバンド名を Deathstars に改名し、ゴシック／インダストリアル方面へ転向するようになる。

Taetre
The Art
ヨーテボリ
🟠 RRS 🟠 1997

ヨーテボリ出身バンドの 1st アルバム。その音楽性は典型的なヨーテボリスタイルで、At the Gates や Dissection などのバンドから影響を受けた荒々しいリフと疾走感が特徴。序盤と最終曲を除けば、ひたすらスラッシュメタルにもルーツがありそうな、前のめりな疾走感が堪能できる仕上がりになっており、若さを燃料に勢い良く駆け抜けていく様子が微笑ましい。しかしながら演奏面や音質面のクオリティはお世辞にも良いとは言えないし、あまりにも類型的なサウンドで印象は乏しい。King Diamond で知られるギターの Andy LaRocque がプロデュースしている。

Taetre
Out of Emotional Disorder
ヨーテボリ
🟠 RRS 🟠 1999

前作から 2 年後に発表した 2nd アルバムは音質が劇的に向上し、メカニカルな演奏とリフの応酬に基づいたサウンドで、The Haunted や The Crown の初期作とも遜色のない仕上がりだ。Taetre は、本作にてメロデス／デスラッシュの最前線に躍り出た。ツインリードをなぞるメロデスとは異なり、楽曲の中に自然とメロディーを組み込む手法は決してフォロワーの枠に収まらない様子を見せる。この 2nd アルバムで Taetre は確かな爪痕を残した。なお、2 年後に発表した 3rd アルバムはデスラッシュ路線を極めていく。

The Cold Existence
ヨーテボリ

The Essence
🔵 Khaosmaster Productions 🔵 2006

ヨーテボリ出身。20世紀の終わりに産声を上げたバンドが、2006年に発表した1stアルバム。同名のハードコアバンドと区別を付けるため「The」が付け加えられているようだ。古典的なヨーテボリサウンドがモダン化を進めていく中でThis EndingやNightrageに連なるヘヴィネスと、切れ味の良いリフの硬派なメロデスを追求していたバンドだ。他のバンドよりもさらに低音強めのドンシャリであり、バンドのロゴから窺える時代背景もあってか、スクリームの歌唱にはメタルコアに近いところがあった。典型的、されど色褪せないストイックな単音リフのチョイスは即効性が高く、センスも良い。

The Halo Effect
ヨーテボリ

Days of the Lost
🔴 Nuclear Blast 🔵 2022

2022年発表の1stアルバム。In Flamesに在籍経験のあるメンバーによって結成し大きな注目を集めた。ヨーテボリ発祥のメロデスを蘇らせる試みだが、黎明期特有の音の悪さは払拭されJens Bogren主導の現代の水準で再現された。元In Flamesのメンバーが揃っているが楽曲の方向性はMikael Stanne所属のDark Tranquillityのファンに好まれそうな渋く滋養あふれるものが多い。バンドの印籠となる1曲目は現代的な北欧メロデスを描き、Jesper Strömbladが関わっている8曲目はノスタルジックなメロデスを描き「懐かしくも新しいメロデス」を生み出している。

The Haunted
ヨーテボリ

The Haunted
🟢 Earache Records 🔵 1998

ヨーテボリ出身バンドの1stアルバム。At the Gatesの一時解散後にAnders BjörlerとJonas Björlerの兄弟とAdrian Erlandssonが中心となり結成した。本作のヴォーカルを務めるのはPeter Dolving。At the Gatesに比べてソリッドな疾走感が支配的で、湿り気のあるメロディーは薄めの直線的な作品だ。窒息しそうな重苦しいリフを撒き散らすデスラッシュの王道とも言える1曲目、イントロから歯切れのよいベイエリアスラッシュの息吹を感じさせる気持ちよさが魅力の5曲目が並ぶ。鋭いリフで刻みながら叫び、印象的なソロで肉付けする方法論はすでに確立されている。

The Haunted
ヨーテボリ

Made Me Do It
🟢 Earache Records 🔵 2000

前作から2年後に発表された2ndアルバム。ヴォーカルとドラムが変更になっている。新たに加わったMarco Aroのヴォーカル(元Face Down)は、前任者のハードコア然とした歌い方よりもメロデスに接近している激情型だ。ドラムのPer M. Jensenはより重心低めのヘヴィな叩き方が魅力的だ。アルバムの収録曲はアートワークに描かれた連続殺人鬼について歌っている。オープニングを迎えた2曲目はSlayerをさらに過激にしたようなデスラッシュで本能を揺さぶる。わずか1分30秒にも満たないが、アルバムの中でも屈指のブルータリティーを備えた6曲目を聴けば、血湧き肉躍ること間違いなし。

The Haunted
ヨーテボリ

One Kill Wonder
🟢 Earache Records 🔵 2003

スピードメーターが壊れてしまった3rdアルバム。前作に比べて疾走曲が戻っており、At the Gatesの『Slaughter of the Soul』の路線を踏襲し、メロデスに接近しつつも現在の方向性で落とし込んでいる。絶え間なく続くリフの刃が印象的な2曲目からすでにフルスロットルで、続く3曲目はアップテンポで跳ねるようなヨーテボリテイストのリフにメロデス魂を感じさせる。10曲目ではArch EnemyとSpiritual Beggarsで活躍するMichael Amottがソロを披露しているのも見逃せない。余談だが首をロープで巻かれている人物は、アートワークを手がけたAndreas Pettersson本人によるもの。

The Haunted
ヨーテボリ

rEVOLVER
🅐 Century Media Records 🅢 2004

前作から 1 年後に発表された 4th アルバム。前作発表後に Marco が脱退し、Peter が再びヴォーカルを担っている。プロデューサーに Tue Madsen を迎えた影響か、スピーディーな部分だけでなく、ヘヴィネスを強調したリフが生み出す緊急によってバンドの新たな魅力が発見された作品である。Peter の歌唱に合わせた曲作りが、後の作風の変化にも繋がったのだと考えられる。メンバー交代を物ともしないバンドの勢いが凝縮された疾走チューンの 1 曲目、刻まれるギターの重厚なリズムに圧倒される 2 曲目、王道メロデスを丁寧に The Haunted 流に再現しており、5 曲目などのミドルテンポこそ味がある。

The Haunted
ヨーテボリ

Exit Wounds
🅐 Century Media Records 🅢 2014

その後の紆余曲折を経て、原点回帰を試みた 8th アルバム。前作の発表後、Marco Aro を再びヴォーカルに、Ola Englund をギターに、ドラムを Adrian Erlandsson に戻した新体制となった。本作は正しい原点回帰であり、初期の頃のデスラッシュに忠実である。2 曲目から怒涛とも言える、リフ良しメロディー良しスクリーム良しの台風のようなデスラッシュであり、新体制での成功を決定づけた。5 曲目のようなミドルテンポの曲ではソロがフックとなり、楽曲の強度を高めている。この年に出演した Loud Park 2014 では Marco は額に勢いよくマイクをぶつけたせいで、流血しながらパフォーマンスを行い、話題になった。

The Haunted
ヨーテボリ

Strength in Numbers
🅐 Century Media Records 🅢 2017

グルーヴ感を強化した 9th アルバム。本作は、前作で加入した Ola Englund が大半の作曲を担っており、前作の音像で中期の『Versus』や『Unseen』に近い楽曲を披露している。北欧の Slayer と言われた時期の軽快な高速ジャブを求めると、体重を乗せたブローのような本作の方向性は、水と油であった。2 曲目はお馴染みの The Haunted 節のリフでテンション上がる疾走曲だが、途中でヘヴィに落としてしまいブレークがかかる。Meshuggah の影響を感じる 4 曲目や 7 曲目はヴォーカルが Marco Aro の本家に負けない暴虐性と、カレーにおける福神漬け程度のメロディーで差別化を果たしている。本作リリースの翌年に再び来日も果たした。

Unmoored
シェブデ

Kingdoms of Greed
🅐 Pulverised Records 🅢 2000

Scar Symmetry の活動で知られる Christian Älvestam だが、彼のキャリアの中でも最も古いバンドが Unmoored だ。当初はグルーヴメタルやデスエンロールを取り入れたメロデスだったが、この 2nd アルバムから疾走方向が強化され、ブラックメタルの要素も取り入れている。その他にも 5 曲目のような涙腺を刺激する叙情メロディーとクリーンヴォーカルが交差するバラードといった多様な一面を覗かせており、クリーンヴォーカルとグロウルの切り替えは当時からお手の物だ。なお、後半の 8 曲目が終わると隠しトラックが仕込まれており、テクノアレンジされたメロデス（？）を披露。本作の制作が 2000 年と考えると斬新この上ない。

Unmoored
シェブデ

Indefinite Soul-Extension
🅐 Code666 Records 🅢 2003

最終作である 3rd アルバムにて彼らの代表作。本作では新たに Thomas "Plec" Johansson が参加。彼は後に Torchbearer にも在籍するギタリストであり、Tommy Tägtgren と共に本作では共同プロデューサーを務めている。本作では Soilwork の激しさと叙情性の両立したヴォーカルラインに Dark Tranquillity のようなゴシックかつダークな世界観を両立させており、プログレッシヴな深みが強まっている。前述のバンドが近年ようやく辿り着いたこの領域に、すでに本バンドは足を踏み入れていたことは特筆に値する。本作は Soundholic から日本盤も出たが、思うような活動ができなかったのか、現在では解散している。

南部周辺

ハッランド県・スコーネ県・エステルイェータランド県

思い出の夜を作る KB（Kulturbolaget）

ロック愛あふれる Electric Mud Records

エクストリームメタル専門の Bar、Left Hand Path

Sweden Rock Festival に出演した Arch Enemy

　スウェーデン南部で最も大きい街は、デンマークの首都コペンハーゲンと海峡を隔てて接している、スコーネ県にあるマルメーだ。北海道の都市と比較すると、旭川市と同じ30万の規模だが、それでもヨーテボリに次ぐ都市である。

　この街のライヴハウスでは、長い歴史があるKB（Kulturbolaget）が有名だ。約800人を収容する同会場は、日本では渋谷クラブクアトロや新宿BLAZEと同規模である。一方で、Malmo Live Concert は、2015年にオープンした最新鋭のコンサートホールだ。近代的な街並みと旧市街が共存するマルメーの文化を象徴しており、モダンな会場内にはホテルやBarが併設されている。

　マルメーには伝統的なハードロックBarである Häng Bar がある。クラシックに焦点を当てており、伝統的なパブ料理を扱って

いる。もし、コペンハーゲンまで足を伸ばせるのならば、Zeppelin Rock Bar の左手にある Left Hand Path に行こう。Entombed のデビューアルバムの名前を冠する、エクストリームメタル専門 Bar だ。オーナーの Michael H. Andersen は、Withering Surface のヴォーカルでもある。

　エンゲルホルムにある Electric Mud Records は、ハードロック／ヘヴィメタルを中心に扱うレコード店だ。白を基調にしたきれいな店内で、品揃えもスコーネ県では随一である。

　国内最大の野外メタルフェスで知られる Sweden Rock Festival は、エステルイェータランド県のブレーキンゲ地方セルヴェスボリで開催される。同フェスは30年の歴史を背負っており、1日あたりチケットの販売数は35000枚にものぼる（2018年情報）。

デスメタルとハーモニーの融合に挑戦したファーストペンギン

Eucharist

- 🎸 Arch Enemy, Eternal Lies
- 🕐 1989 🌐スウェーデン、ハッランド県ヴェッディンケ
- 👤 Markus Johnsson, Simon Schilling

Eucharist は結成当時に交流があった At the Gates や Dissection と同じ時期に「ヨーテボリサウンド」を発明したバンドでありながら、彼らのような成功を得られなかった不遇のバンドだ。1989 年、ギターの Markus Johnsson、ヴォーカルの Thomas Einarsson、ベースの Tobias Gustafsson、ドラムの Daniel Erlandsson によって結成。彼らはヨーテボリの南にあるヴェッディンケ出身だが「ヨーテボリサウンド」── Markus Johnsson の言葉を借りれば「Stämmor（スウェーデン語でハーモニーの意味）」の発見をこう語っている。「当時はまだ 2 つ目のギターがなかったので、家で作曲したものを実現することはできなかった。そこでカセットレコーダーで録音し、演奏すると同時に、すでに録音されているリフの上に副次的なリフを演奏したら、それらはそれぞれ少しずつ異なっていて、一緒に演奏すると、使う曲によってはとても美しく聞こえたり、とても邪悪で暗かったりした。とにかく、クラシックの作曲家がヴァイオリンやチェロを使って演奏していたように、彼らにできるのなら俺たちにもできるだろうと思った」こうして彼らが発表した 1991 年デモ『Rehearsal』、1992 年『Demo 1』は高く評価されたがすぐに解散してしまう。バンド活動の熱意を失っていた Eucharist は Wrong Again Records からの要望を受け 1st アルバム『A Velvet Creation』を発表するも解散、4 年後にメンバーの不仲を乗り越え 2nd アルバム『Mirrorworlds』を出した時もすぐに解散した。2015 年に活動を再開し、翌年に復活ギグを行う。2022 年には『The Demo Years 1989 - 1992』という名称でデモ時代の音源の再発、25 年ぶりの 3rd アルバム『I Am the Void』を発表。

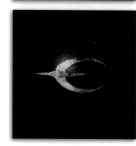

Eucharist
ヴァールベリ
A Velvet Creation
🔵 Wrong Again Records 🔵 1993

Dark Tranquillity と並び、メロデスという言葉も生まれていなかった時代にその原型を提示した 1st アルバム。バンド創設者はヴォーカルとギターを担当していた Markus Johnsson だが、後に Arch Enemy で活躍するドラムの Daniel Erlandsson の名前の方が知られている。当時 Dissection と At the Gates とリハーサルテープを共有し、互いにハーモニーの模索をしていたと言われる。しばしばバンドでは見過ごされやすい歌詞についても、哲学や詩的な表現を使われており、一般的なデスメタル像の意図的な脱却を目論んでいたのは明白。デスメタルの領域から最初に本格的なメロディーの導入を試みた本書でも最重要作品の 1 つ。

Eucharist
ヴァールベリ
Mirrorworlds
🔵 War Music 🔵 1997

1997 年発表の 2nd アルバム。Eucharist の最大の不幸は 1st 発表後に解散して継続的な活動が行えず、メロデスブームの恩恵にあずかれなかったことである。本作は前作に比べるとプロダクションも向上し、要所にハードロックの影響を窺えるなど悪くはない作品だったが、すでにシーンは飽和状態になっていた。2 曲目から躍動感にあふれた疾走感にギターソロが泣かせるようにソロを紡ぐ姿は圧巻。6 分になるインストで構成力の高さを見せつけ、オーボエを中心に据えギターは黒子に徹した 7 曲目はバンドの柔軟さが窺える。バンドは再び解散し、メロブラ化した 3rd アルバムの発表までに、四半世紀の時間を要した。

再評価される Eucharist、8 組の解散バンドと再結成ライヴ

　北欧のメロデスブームは、21 世紀に入りそのピークを迎える。膨れ上がるバブルがようやく落ち着いた頃、Eucharist のような真のパイオニアについて、再評価するようになった。長い沈黙を経て 2015 年に Eucharist が再結成すると、ヴァールベリで開催された Metal Reunion PTD3 2016 で復活ギグを行った。これは、地元の音楽団体が何らかの理由で解散したバンド 8 組を集め、そして復活させるという企画であった。

　そこで時を同じくして活動を再開した、Ablaze My Sorrow、Eternal Lies、Fatal Embrace などと共演している。そこで、Eucharist がヘッドライナーを務めた。Eucharist はギターとヴォーカルの Markus Johnsson、ドラムは Daniel Erlandsson、2nd ギターは Matti Almsenius、ベースは Tobias Bernström という布陣でライヴを行っている。Arch Enemy で多忙な Daniel Erlandsson が Eucharist の再結成にも前向きだったことは大きい。ライヴはもちろん大盛況で、完売になったという。

女性ヴォーカル参入で日本での局所的人気から世界的存在へ

Arch Enemy

- ⊙ Armageddon, The Agonist, Black Earth, Carcass, Darkane, Hearse
- ◑ 1995 ⊕スウェーデン、ハッランド県ハルムスタード
- ⊗ Michael Amott, Daniel Erlandsson, Sharlee D'Angelo, Alissa White-Gluz, Jeff Loomis

Spiritual Beggars という自身のバンドを持った Michael Amott からすれば、Arch Enemy はサイドプロジェクトの 1 つだった。日本だけの局所的な評価を受けるに留まっていたが、現在では世界で最も有名なメロデスバンドの一角としてその地位を確立している。1995 年に元 Carcass のギタリストだった Michael Amott が、Carnage で一緒に活動していた Johan Liiva と共に結成。他のメンバーは、ギターに Michael Amott の弟 Christopher Amott、ドラムに Daniel Erlandsson を迎えている。1997 年にイギリスのドゥームメタル Cathedral の前座として来日し、その時のライヴをもって解散する予定だったが、日本での熱烈な歓迎を受けて活動を続けることを決意。1999 年に『Burning Bridges』発表後、ライヴの技量不足により Johan Liiva は友好的な形で解雇される。直前まで伏せられた形で女性ヴォーカルの Angela Gossow を迎えた 4th アルバム『Wages of Sin』は、驚きと共に大きな話題となった。国際的にも知名度を上げていく中で、バンド側は Christopher Amott の度重なる脱退と復帰劇に翻弄されることになった。最終的には Christopher Amott は脱退している。2014 年に Angela Gossow は脱退を発表、以後はバンドのマネージャー業に専念すると発表された。後任のヴォーカルは Angela Gossow から The Agonist の Alissa White-Gluz が指名された。フロントマンの若返りによって、さらにバンドは人気を得るようになる。2022 年に 12th アルバム『Deceivers』を発表する。

Arch Enemy
ハルムスタード

Black Earth
◎ Wrong Again Records ◎ 1996

デビューアルバム。当初リーダーの Michael Amott は Spiritual Beggars をメインと考え、Arch Enemy はサブプロジェクトとして見ていた。本作はアンダーグラウンド臭漂う初期 3 作の中で最もデスメタルの影響が色濃く反映されており、NWOBHM に由来する In Flames や Dark Tranquillity に対してスウェディッシュ・デスメタルにルーツを持つアグレッシヴな内容。自国ではそれほど注目されなかったが、本作を「スーパーバンド」として高く評価したのは日本のメタルシーンだった。ライヴではイントロから大合唱が始まる 1 曲目はもちろん、ライヴ終盤で常に披露される 9 曲目はデスメタルの中に滅びの美を追究している。

Arch Enemy
ハルムスタード

Stigmata
◎ Century Media Records ◎ 1998

キャリアの中で最も地味な作品だが、それ故にマニアからは寵愛を受ける 2nd アルバム。Martin Bengtsson がベースで、Peter Wildoer がセッションドラマーとして参加している。本作はミドルテンポの曲が多いので地味な印象を抱きかねない。事実、1st に比べると曲も長く、ドラマチックな表現を紡ぐにあたり試行錯誤が見られた時期である。Peter Wildoer のドラムはきめ細かいフレーズに定評があり、この時期ならではの味がある。後半に Santana のギターフレーズを拝借した 7 曲目を聴けば、Arch Enemy は「デスメタルの表現の中でどれだけ感情を揺さぶれるか？」という挑戦の歴史なのだと理解することができる。

Arch Enemy
ハルムスタード

Burning Bridges
◎ Century Media Records ◎ 1999

Johan Liiva の在籍最終作でもあり、初期 Arch Enemy を代表する 3rd アルバム。リズム隊が Daniel Erlandsson と Sharlee D'Angelo に替わっている。前作、前々作のアンダーグラウンドな空気は払拭され、どの曲も印象的なリフ、メロディー、ギターソロが添えられており、普遍的なヘヴィメタルにも接近。デスメタルでありながら歌えるほどにキャッチーな 4 曲目は、ジャンルを代表するメロデスのアンセムだ。ライヴでは Johan Liiva の威厳のカケラもない猫の手ポーズがたびたび話題になる 7 曲目、初期スウェディッシュ・デスメタルシーンへのリスペクトを感じる 8 曲目にも注目したい。

Arch Enemy
ハルムスタード

Wages of Sin
◎ Century Media Records ◎ 2001

4th アルバムはバンドが日本以外からも注目を浴びるようになったターニングポイントとなる作品。ヴォーカルはドイツ人女性の Angela Gossow に交替。デスヴォイスを駆使する女性ヴォーカルは話題性十分で、プロモーション効果も相まって、メタル界隈全体に大きな影響を与えた。メロディアスな楽曲に直情的で激しいグロウルが絡み合う従来の姿がいっそう洗練されている。物哀しいピアノのフレーズから新章の幕開けを飾る 1 曲目は、アルバムのオープニングに求められる表現が詰まっている。スラッシュメタル由来の切れ味抜群なリフが印象的な 4 曲目、凍える雪の情景に思いを馳せるインストの 10 曲目などすでにメジャーシーンに向けた準備が進んでいる。

Arch Enemy
ハルムスタード

Anthems of Rebellion
◎ Century Media Records ◎ 2003

In Flames や Soilwork を筆頭にモダンメロデスが台頭する中で、Arch Enemy もまたその変化を要求された 5th アルバム。本作では Per Wiberg がキーボードとしてゲスト参加している。前作に比べるとシンプルにまとめられた楽曲と薄っすらと存在する幕のようなキーボードが印象的。メロディックなコーラスラインが美しい 4 曲目など変わらないスタイルの曲もある一方で、あえてソロを失くし一直線で駆け抜ける Daniel Erlandsson の活躍が目覚ましい 9 曲目、時代に逆らえず（？）Christopher Amott がクリーンヴォーカルで歌う 11 曲目が並ぶ。

Arch Enemy
ハルムスタード

Doomsday Machine
🅐 Century Media Records　🅞 2005

前作の反省から流行を追うのではなく、自分たちの音楽性を見つめ直した 6th ア
ルバム。3 曲目は激しい疾走と叙情的なメロディーが混ざり合い、ライヴではリー
ドギターを歌わせるバンドの代表曲で知られる。デスメタルらしからぬポジティ
ブな歌詞も最高だ。4 曲目は重々しいヘヴィネスと後半のクリーントーンのギター
の対比が美しい、前作の路線があってこそ生まれた曲だ。Rush からの影響を感
じさせるプログレッシヴなハード・ロック色の強いインストの 8 曲目など、新た
な表現を見いだそうという姿勢も感じられる。本作の発表の後、Michael の弟の
Christopher Amott がバンドを離れてしまった。

Arch Enemy
ハルムスタード

Rise of the Tyrant
🅐 Century Media Records　🅞 2007

再び Christopher Amott をバンドに引き入れ、迎えた 7th アルバム。シンプルな曲
調に回帰し、全体的にポジティブなエネルギーが感じられる。Angela Gossow の
ヴォーカルは以前よりも強いエフェクトがなく、自然体に仕上がっている。たびた
び単調という批判も受けるが、代替えが効かない存在感を保っている。1 曲目はラ
イヴでも頻繁に披露されており、掛け声に合わせて思わず叫びたくなる。7 曲目は
日本のアニメ映画『火垂るの墓』に影響を受けた反戦メロデス曲だ。2008 年には、
Studio Coast のライヴの様子を収録した『Tyrants of the Rising Sun』を発表。

Arch Enemy
ハルムスタード

The Root of All Evil
🅐 Century Media Records　🅞 2009

本作は 1st 〜 3rd までの通称 Johan Liiva 期の楽曲を、Angela Gossow 在籍時の布
陣でセルフカヴァーでまとめているアルバムだ。本作のプロデューサーは Fredrik
Nordström ではなく、5th アルバムで過去に組んだことがある Andy Sneap である。
Johan Liiva も Angela Gossow も抑揚のない歌い方なのは共通しているが、互いに
得意な音域で違いがある。本作は初期曲のダークさを払拭するように音質は向上し、
さらにチューニング（キー）も半音上がっており、Angela Gossow に合わせて楽
曲を再解釈している。ライヴパフォーマンスからも明らかだが、別作品だと思って
接する方が適切である。

Arch Enemy
ハルムスタード

Khaos Legions
🅐 Century Media Records　🅞 2011

ベテランの風格漂わせる 9th アルバム。本作では全編に渡って疾走ではなくミドル
テンポの曲を多く配置している。以前の作品でも見られた手法が多く新鮮味は無い
のだが、Angela Gossow にも歌心が備わってきたのか、あるいは楽曲が合わせに
きたのか彼女の在籍最終作にして調和が感じられる作品だ。Arch Enemy が得意と
するメロディアスな旋律を魅せる 3 曲目、ドラムのイントロだけでも期待感に満
ちあふれている疾走曲である 10 曲目が並ぶ。翌年に Christopher Amott が再び脱退、
3 年後に Angela Gossow も脱退し、今後はバンドのマネジメント業務に勤しむこ
とを発表。

Arch Enemy
ハルムスタード

War Eternal
🅐 Century Media Records　🅞 2014

バンド最大の困難を迎え、制作した 10th アルバム。本作では The Agonist に在籍
していた Alissa White-Gluz をヴォーカルとして招き、2nd ギターは Nick Cordle
が担当した。バンドの新章となるが、結論を述べれば、サウンドの若返りに成功
した傑作になった。Alissa White-Gluz はクリーンヴォーカルも魅力的だが、Arch
Enemy ではその使用を控えている。イントロから最高すぎるオープニングで幕開
ける 2 曲目を筆頭に、前半は怒涛のキラーチューン尽しである。後半も本作で頻繁
に使われるストリングスがドラマを生む 11 曲目など勢いは衰えない。Loud Park
2014 では初のヘッドライナーを務めた。

Arch Enemy
ハルムスタード

Will to Power 🅐 Century Media Records 🅓 2017

前作の流れを汲む 11th アルバムは、バンドの新たな黄金期を称えるようにオーセンティックなヘヴィメタルにグロウルを乗せた安定した作品。Alissa White-Gluz にアクセントとしてではなく明確にクリーンヴォーカルが解禁された 6 曲目など 5th アルバム以来の挑戦もある。ただ The Agonist のようなエクストリームなスイッチングではなく、バラード曲で用いられている点で異なる。従来の路線のスピードチェーンの 2 曲目、Nemesis 路線のシンプルかつキャッチーな 3 曲目、感情が爆発したような Amott 節のリードギターが冴える 5 曲目など、ドラマチックなメロデスは衰えることなく健在。

Arch Enemy
ハルムスタード

Deceivers 🅐 Century Media Records 🅓 2022

2022 年発表の 12th アルバム。バンドの歴史では意外にも Jacob Hansen をプロデューサーに起用したのは本作が初で、メジャーバンドらしく重厚で風格あるプロダクションで収録されている。Alissa White-Gluz のクリーンヴォーカルを爽やかに導入した 1 曲目を筆頭に、収録曲のうち 7 曲が Music Video が公開されていることから、メディアを意識した曲作りがされている。大きく期待を裏切るような内容ではないが、アルバムアートワークのような七変化を期待すると少し違うかもしれない。2023 年には本作のジャパンツアーも全国で敢行しており、久々の来日にファンからも熱い歓迎を受けた。

Michael Amott から考察するスウェディッシュ・デスメタルとパンク

ヘヴィメタル・ギタリスト 74 位

　Michael Amott は Arch Enemy や Spiritual Beggars の活動で知られ、北欧のメタルシーンにおいて最も影響力のある人物の 1 人である。その影響力は Guitar World による「史上最も偉大なヘヴィメタル・ギタリスト 100 人」のうち 74 位にランキングされていることからも窺える。彼のキャリアはメロデスの発展はもとより、その前日譚であるスウェディッシュ・デスメタルの背景を理解する上で、数多くのヒントがある。一般的に知られている、Carcass 所属から Arch Enemy を結成する以前のキャリアについて、振り返ってみよう。

　最初に紹介するのが、Disaccord というスウェーデンのクラストパンクバンドだ。Michael Amott は 1983 年〜 1984 年の短い期間にギターで参加しており、彼の最初のミュージシャンキャリアである。まずは前提として、1980 年代はパンクとヘヴィメタルは互いに影響を及ぼしていたことを覚えておきたい。その影響の中心にいたのが、イギリスの Discharge であった。スウェーデンのハードコアシーンの原型は Anti Cimex

が作ったとされており、Discharge のフォロワーにして、同国を代表するクラストパンクバンドである。スウェーデン内の Discharge フォロワーは、他にも Asocial や Moderat Likvidation、Shitlickers、Mob 47 が知られる。この Discharge の偉大さを象徴するものが、ディスコアとも称されるバンド特有の疾走感である。D ビートとも呼ばれる奏法は、やがてジャンルの垣根を越えて使われるようになった。

　話を戻すと、Disaccord も名前からも想像がつくように、Discharge に影響を受けた Anti Cimex の、さらにフォロワーバンドだった。バンドは各地でライヴを行うが、前述したバンドに比べれば特に有名になることはなく、活動を終えている。しかし、このバンドでの経験がスウェディッシュ・デスメタルを定義する伏線に繋がっている。イギリス人の父とスウェーデン人の母を持つ Michael Amott が、そこに関わることになるのは半ば必然であった。

Carnage、そして Carcass へ

　次に紹介するのが、Carnage である。Dismember や Entombed などのレジェンドバンドに関わる人物を輩出している。スウェディッシュ・デスメタルを語る上で、外すことのできないバンドの 1 つだ。Michael Amott、そして Dismember の首謀者で名高い Fred Estby が Carnage の作曲に関わっている。1st アルバム『Dark Recollections』は、粗く暴力的なギターリフ、呪われたような空気感、そして前述した D ビートが使用されている。この作品で Carnage は Nihilist（後の Entombed）と並んで、スウェディッシュ・デスメタルのサウンドを定義するに至った。あいにく Michael Amott が Carcass に移籍したため、Carnage はバンドとして軌道に乗る前に解散してしまう。とはいえ、やがて、脱退した Michael が Carcass に所属し、グライ

ンドコアからデスメタルへの移行に成功したのは、これまでのハードコアやパンク、デスメタルでのフィーリングに精通していたからであった。

　結論として、彼は Carnage でスウェディッシュ・デスメタルを、Carcass でメロデスの雛形を生み出した。スウェディッシュ・デスメタルの発展、そしてメロデスシーンの貢献も含めて、奇しくも求められたタイミングに Michael Amott はいた。彼がいなければ、スウェーデンのメタルシーンは今ほどの成功は得られなかった。

最先端のアプローチと特有の浮遊感でモダンメロデスを切り開く

Soílwork

- ◉ Disarmonia Mundi, Darkane, Act of Denial, Embraced, The Arcane Order
- ◷ 1996 ⊕ スウェーデン、スコーネ県ヘルシングボリ
- ◉ Björn "Speed" Strid, Sven Karlsson, Sylvain Coudret, Bastian Thusgaard, Rasmus Ehrnborn, Simon Johansson

スウェーデンのメロデスシーンでは後発だったが、その未来を見据えたサウンドで瞬く間にシーンの最前線に到達したのが Soilwork だ。唯一のオリジナルメンバーである Björn Strid は「メタルゴッド」こと Judas Priest の Rob Halford から「最先端のアプローチでヘヴィメタルを進化させている」と大きな称賛を受けたほどである。創立メンバーはヴォーカルの Björn Strid とギターの Peter Wichers の両名だ。当初は Inferior Breed を名乗り、やがて現在の Soilwork に変更する。1998 年発表の 1st アルバム『Steelbath Suicide』から新人離れした存在感を示し、翌年の 2nd アルバム『The Chainheart Machine』発表後、Dark Tranquillity のオープニングアクトとして早くも初来日を果たした。バンドの転換点は Nuclear Blast にレーベルを移して迎えた 2001 年の 3rd アルバム『A Predator's Portrait』から始まる。クリーンヴォーカルの強化、モダンメタルへの接近、より巨大な市場を狙うバンドの思惑は実を結び、2002 年作 4th アルバム『Natural Born Chaos』発表後に初のアメリカツアーを敢行した。In Flames とのツアー、2003 年発表の 5th アルバム『Figure Number Five』で確固たる音楽性を確立させ、バンドは全盛期を迎えていく。その後、創立メンバーの Peter Wichers の二度の脱退劇に見舞われるも、オルタナティヴとエクストリームの二足の草鞋を履き、その時の「最新のヘヴィメタル」を更新した。2022 年に 12th アルバム『Övergivenheten』を発表。

Soilwork
Steelbath Suicide
ヘルシングボリ
🔵 Listenable Records ⏺ 1998

結成当時は Inferior Breed という名前だったが、やがて現在のバンド名に変更。メ
ロデスの可能性を拡張し、現在もそのフロンティアを開拓するスウェーデンのメタ
ルシーンを代表するバンドである。この時期はオープニングから続く2曲目から
も窺えるように、At the Gates 直系の前のめりな疾走曲が中心だ。守離破で言えば
守の作品だが、すでにアグレッシヴで非凡なリフセンスを兼ね備えている。ドラ
ムの小技に思わず唸ってしまうタイトル曲の6曲目は、80年代のギターヒーロー
をメロデスのフォーマットで表現した曲だ。日本盤ではカヴァー曲に Deep Purple
の「Burn」が収録されている。

Soilwork
The Chainheart Machine
ヘルシングボリ
🔵 Listenable Records ⏺ 1999

初期の代表作となる 2nd アルバム。その後の作品と比較してもアグレッシヴさに
特化した作品だ。典型的なメロデスの様式に沿っているが、飽きさせずに最後まで
駆け抜けていくフックにあふれている。1曲目は研ぎ澄まされたリフが迫り来る名
曲であり、本作の方向性を端的に示している。続く2曲目も単音リフで畳み掛け
る疾走曲で、浮遊感のあるサビだけでなく、ギターソロも鳥肌級の代物だ。後のモ
ダン化の走りとなった6曲目は、後半のギターソロがアルバム全体を通したハイ
ライトとして輝く。バンド初期の人気を決定づけた快作だ。

Soilwork
A Predator's Portrait
ヘルシングボリ
🔵 Nuclear Blast ⏺ 2001

3rd アルバムは既存のメロデスの枠から離れ始めようと、早くも Björn "Speed"
Strid がクリーンヴォーカルを初めて導入した作品だ。Björn のハイトーンはバンド
の新たな武器として楽曲の多様化やメリハリを推し進め、新たなファン層を掴むこ
とに成功した。流麗なギタープレイで幕を開ける3曲目は激しいデスラッシュと
クリーンの対比でダイナミックに表現している。モダンヘヴィネスの先駆けとも言
える単音リフで展開する6曲目は、激しく美しいというメロデスの在り方をキャッ
チーにまとめており、その後の方向性を決定づけるものになった。

Soilwork
Natural Born Chaos
ヘルシングボリ
🔵 Nuclear Blast ⏺ 2002

彼らの黄金期の幕開けとなる 4th アルバム。前作に地続きの内容だが、クリーン
ヴォーカルの可能性を追い求め、キャッチーさに磨きがかかった。プロデューサー
に Devin Townsend を迎えており、特有の浮遊感がモダンメロデスの行くべき道を
示した。1曲目はモダンヘヴィネスなリフで、新時代の到来を予感させる。重厚な
シンセが楽曲を支配し、クリーンなくては楽曲が成立しないほどにドラマチックな
歌いまわしを披露した2曲目、定型的なメロデスの枠を外れつつも、アコースティッ
クギターもあるソロを取り入れたメタルとして格好いい9曲目など、バンドが最
も旬だった時期。

Soilwork
Figure Number Five
ヘルシングボリ
🔵 Nuclear Blast ⏺ 2003

5th アルバムも、4th アルバムに劣らず彼らの代表作だ。前作からさらに楽曲が
キャッチーになっており、メロデスに限らずニューメタルやポストメタルなどアメ
リカの流行を取り入れた、新たなヘヴィメタルのスタンダードを築き上げた。その
オープニングを飾る1曲目はキャッチーなリフ、コーラス、激しいスクリームが3
分半でまとまった彼らの代表曲だ。Music Video では In Flames のメンバーがカメ
オ出演していることでも知られる。猛進するようなリフで迫る3曲目はクリーン
をあえて使用しておらず、純粋な激しさのみで仕上げたドライな曲だ。Soilwork の
作品の中でも教科書のようなバランス感覚を持つ作品だ。

Soilwork
ヘルシングボリ

Stabbing the Drama
🅐 Nuclear Blast 🕓 2005

前作から2年後に発表された6thアルバムでは、新たにドラムにDirk Verbeuren
が迎え入れて制作された。従来の路線から大きく外れてはいないが、2ndのような
デスラッシュなテイストのリフと、ニューメタルを介したヘヴィネスなリフを交互
に繰り返し、ヘヴィメタルを聴く者の本能を揺さぶる内容だ。イントロから間違い
のないリフに今回も思わず小躍りしてしまう3曲目や、モダンヘヴィネスのサウ
ンドに合わせて歌うスクリームとエモーショナルな歌唱が光る5曲目などは定番
のスタイル。シンプル故に激しいブラストビートの真髄が堪能できる疾走曲の10
曲目は、本作のブルータル路線の極地と言えそうだ。

Soilwork
ヘルシングボリ

Sworn to a Great Divide
🅐 Nuclear Blast 🕓 2007

2007年発表の7thアルバム。バンド初期からの立役者であったPeter Wichersが
脱退、Daniel Antonssonに替わっている。彼には過去に在籍していたDimension
Zeroのようなデスラッシュに期待してしまうが、本作ではソロはともかく、リフ
は埋もれ気味であり、Björnの歌声が中心だ。メタルコアの咀嚼を通して、バンド
の音にも影響が出ており、歌モノメタル路線がいっそう強くなった。同時期のIn
Flamesのようにオルタナ・ヘヴィメタルへの変化を感じさせる2曲目のようなリー
ド曲もある。一方でエクストリームな路線にも理解がある5曲目、4thのようなモ
ダンメロデスの空気感が蘇った11曲目も見逃せない。

Soilwork
ヘルシングボリ

The Panic Broadcast
🅐 Nuclear Blast 🕓 2010

バンドの原点回帰となった8thアルバム。本作ではギターを務めていたDaniel
AntonssonとOla Frenningの両名が脱退、前作で抜けたPeter Wichersが復帰、
Sylvain Coudreが加わった。演奏陣の変化は、少なからず漂っていた閉塞感に小さ
な風穴を開けた。トレンドに忠実なバンドだが、従来の路線と並行してプログレッ
シヴな感触のある曲にも挑戦する、種蒔きの時期でもあった。ドライヴ感のある
リフにここ数作の煮えきらなさを払拭した1曲目や2曲目などの定番はもちろん、
モダンメロデスを求めるファンには4曲目や6曲目の荒々しいスタイルの曲が受
け入れられた。

Soilwork
ヘルシングボリ

The Living Infinite
🅐 Nuclear Blast 🕓 2013

CD2枚組という実験的なアプローチを試みた9thアルバム。前作で復帰したPeter
Wichersが脱退し、David Anderssonがその穴を埋めている。持ち前のメロディー
にも磨きがかかり、サウンドに新鮮さが戻ってきたのは、プロデューサーにJens
Bogrenを迎えたのも影響している。メロデスともメタルコアの領域に収まらない、
モダンなアプローチへ挑んだ作品だ。1枚目はドラマチックで劇的な激しさを追い
求めており、モダンなエクストリーム路線をアピール。2枚目ではエモーショナル
な方向性が強化されており、従来のインスタントなスタイルではない深みを生み出
すことに成功。次の飛躍を予感させている。

Soilwork
ヘルシングボリ

The Ride Majestic
🅐 Nuclear Blast 🕓 2015

10thアルバムでは温かみがある柔らかなサウンドスケープで、知的で深みのある
雰囲気を生んでいる。似たようなサウンドだったはずのIn Flamesとは互いに異な
る道を歩き始め、奇しくもDark Tranquillityと合流したかのような北欧の先人たる
イニシアチブを感じさせる
仕上がり。エモーショナルなリードギター、アグレッシヴなBjörnのスクリーム、
タイトな演奏から展開されるオープニングも捻りが利いている。バンドのメランコ
リックな方向性にスポットを当てた3曲目、Björnの歌唱力の底なしっぷりを感じ
させる5曲目など、新たな方向性をモノにしている。

Soilwork
Verklighten
ヘルシングボリ　　Nuclear Blast　2019

英語で「Reality（現実）」を意味する 11th アルバム。Dirk Verbeuren の弟子である Bastian Thusgaard が入れ替わる形で加入している。前作の路線を継承しながらも、より壮大な仕上がりだ。前作後に立て続けに発表した The Night Flight Orchestra を通じて、Björn の歌唱はさらなる成長を果たした。メロデスにもブラックメタルにもパワーメタルにもなりうるサウンドの可能性を感じさせる 2 曲目からすでに会心の出来である。その後もモッシュを誘発させる緩急のバランスが取れた 4 曲目、Amorphis の Tomi Joutsen が参加した 11 曲目も見逃せない。

Soilwork
A Whisp of the Atlantic
ヘルシングボリ　　Nuclear Blast　2020

2020 年に発表した EP。ギターの David Andersson の発案によりこれまでの Soilwork で最長となる約 16 分の曲、また「新体制でのインスピレーションをパンデミックによって失わせるわけにはいかない」と、従来の路線の 4 曲が収録された計 5 曲の EP となっている。本作の約半分を占める 1 曲目の表題曲に関しては、プログレッシヴロックの Genesis や Yes にマズローの欲求階層説を織り交ぜ、現代のパンデミック後の世界をアトランティスの世界になぞらえた作品。いくつかの曲で The Night Flight Orchestra で見られた AOR の要素も取り入れており、メロデスに縛られずに音楽性を拡張してきたバンドの姿勢が繁栄された作品。

Soilwork
Övergivenheten
ヘルシングボリ　　Nuclear Blast　2022

スウェーデン語で「放棄」を意味する 12th アルバム。過去数年間のバンド内の個人的な問題や、孤独などをテーマにした作品だ。メランコリックなフォークメロディーで幕開けるオープニングの 1 曲目、激しい演奏と一転して清涼感あるコーラスが印象的な 10 曲目が素晴らしい。これまで The Night Flight Orchestra とは関連性が無いことを述べていたが、本作のメロウな空気は徐々にクロスオーヴァーを予感させる。発表から 1 ヶ月後にバンドの作曲面で貢献していた David Andersson が亡くなるが、バンドは歩みを止めず Wilderun と Kataklysm と共にツアーを敢行する。

Soilwork Interview

回答者：Björn "Speed" Strid（ヴォーカル）

Q：インタビューありがとうございます。25 年もの間 1 つのバンドを続けてきたことについてどう思いますか？

A：色んなトラブルや問題に直面してきたけど、それでもなんとか続いているって感じかな。ロックスターになる夢は持ってなかったし、すべては偶然に起こったことだったけど、その運命を楽しみながら進んできたんだよ。今から 25 年前にメタルシンガーにならなかったら、俺の人生はどうなっていただろうかって考えることもあるけど、でもこのバンドで作り上げた素晴らしい遺産とメタルシーンで存在感を保ち続けていることに、本当に誇りを感じているよ。メンバーの入れ替わりは激しいけど、17 歳でバンドを始めた以上、それも仕方がないことだと思うね。

Q：1998 年に 1st『Steelbath Suicide』をリリースし、翌年には初来日、Dark Tranquillity のオープニングアクトを務め、一気に日本での人気を獲得しましたね。当時の日本のシーンはどのようなものだったのでしょうか？

A：信じられない旅だったね。日本に行く前

まで、スウェーデンの国内線にしか乗ったことがなかったんだ。たった1枚のアルバムを出して、ヨーロッパではキャンピングカーでの小さなツアーしかやってなかったのに、急に日本ツアー……本当に現実感がなかったよ。でも日本の人々やファンとの出会いは、とても特別だったね。日本に行って、たちまち日本が大好きになった。それ以来、日本はとても特別な場所になってるんだ。特に、スウェーデンの田舎でいじめられっ子だった俺が、そこで経験したことのないような感謝や優しさを受けたことは、本当に特別な思い出だよ。当時の日本の音楽シーンは、すごくエネルギッシュで、特に北欧やメロディック・デスメタル、そして腕利きのギターヒーローたち（Arch Enemy や Children of Bodom など）に注目している人が多かったんだよね。そんな中でも、俺たちはうまく溶け込めたし、日本のファンに新しい刺激も与えられたかもしれないね。

Q：Soilwork の日本での最もタフなギグを挙げるとすれば、飛行機が12時間遅れ、夜10時に始まった2008年の東京公演でしょうか？　あの夜のことを教えてください。

A：飛行機が遅れたことを知ったのは、オーストラリアのパース郊外にあるトロピカルアイランド（オーストラリアツアーが終了した場所）に行った時だったと覚えているよ。ビーチでエイと一緒に泳いでいて、すべてが非現実的だった。飛行機に乗ってから、俺たちはおそらく間に合わない、仮に間に合ったとしてもかなり遅れるだろうと覚悟していた。ファンの皆が辛抱強く待っていてくれることを祈るほかなかった。信じられないほどのストレスだったね。結局、うまくいって、ありがたいことに約8割の人が会場に残っていてくれた。すごく申し訳ない気持ちになった一方で、長く待ってくれたことに本当に感謝しているよ。

Q：直近では2019年に日本に来ましたね。その際に共演したスペインの Rise to Fall と日本の Blood Stain Child はどのような印象を持ちましたか？

A：Rise to Fall は以前から知ってたんだけ

ど、ライヴが素晴らしいって評判だった。それ以前にも一緒にツアーしたこともあって、仲良しだよ。Blood Stain Child とは初めて会ったけど、彼らもクールなライヴバンドだったね。あれは良いラインナップのツアーだったと思うよ。

Q：デスメタルにおけるクリーンヴォーカルやキーボードの使用は、ヘヴィメタルの作曲に多くの自由を与えたと思います。その意味では Soilwork は最も自由なデスメタルバンドの１つなのではないかと思います。現在、多くのメタルバンドがグロウルとクリーンヴォーカルの両方を当たり前のように使っていますが、それについてはどう思われますか？

A：そう言ってもらえると、本当にありがたいよ。俺たちも、かなり早い段階でメタルシーンの規範から自由になる必要性を感じていたんだ。強制的じゃなく、自然な変化だった。また、俺はシンガーとしての幅を広げたい、新しい表現方法を見つけたいと思っていたんだ。今では、エクストリームメタルでも、メロディックなヴォーカルを耳にすることができるけど、音楽の中で存在感を保っている人もいる一方で、無理やりそこに押し込んでいるように感じられる人もいるよね。

Q：ヴォーカリストとして、スクリームとクリーンのどちらを気に入っていますか？また、両方の声を研ぎ澄ますために、普段どのようなケアやトレーニングをしてい

るのでしょうか？

A：年齢と共に、25 歳の頃と同じようなスクリームをすることに共感するのが難しくなってきたようには感じるね。クリーンのほうが、なんとなく自然な感じがするかな。プーチンの無意味な戦争など、今の世界には腹が立つことがたくさんあるからかもしれない。俺は長年、ライヴでもスタジオでも、ただたくさん歌うことで声帯を「温かく」することを保ってきた。それ以外のことは一切してこなかった。最近はちょっと体を温めるようにして、スケールを使うようになったんだよ。

Q：オールドスクールなロックバンド The Night Flight Orchestra…イタリアンモダンメロデスの最前線 Disarmonia Mundi…ヨーテボリ発の新しいメタルプロジェクト Hespera…その他数多くのプロジェクトやバンドに参加していますね。各方面から自分の声を求められる理由について、どのように自己分析していますか？

A：世界中のバンドでセッションやゲストヴォーカルをたくさんやっているよ。俺のメインバンドである Soilwork、The Night Flight Orchestra、Donna Cannone 以外は全部プロジェクトだよ。自分自身は非常に多

様なヴォーカリストであり、メロディーを作るのも得意だと思ってる。必要であれば、たいていの音楽スタイルに合うように、自分の声を調整することもできるんだ。

Q：Soilwork はメタルコアやニューメタルに大きな影響を与えていますが、Soilwork は決してメタルコアやニューメタルではありません。その音楽の境界線はどのように考えているのでしょうか？

A：俺たちは確かに、特にアメリカのメタルコアシーンに、大きな影響を与えたと思うんだ。例えば、Killswitch Engage は長い間それを表現し続けてるわけだ。影響を受けたものを身にまといながらも、自分たちのサウンドを作り上げることができたバンドの完璧な例だね。メタルコアというのは、ちょっと変わった言葉だと思う。俺にとっては、東海岸のアメリカン・ハードコアシーンから生まれたバンドが、スウェーデンのメロデスから影響を受けたという意味なんだけど、最初は面白いものができたけど、その後は正直いえば人気は水増しされたような気もするね。

Q：多くのメロデスバンドは初期と現在でロゴが異なることが多いですね（例：At the Gates、In Flames）。Soilwork も一見するとデスメタルには見えないスタイリッシュなデザインですが、その理由は何なのでしょうか？

A：スウェーデンのバンドは常にアートに敏感で、常に進歩しようとしてきたし、決して一般的なものに見せたくないからこそ長年にわたってロゴが変化してきたんだと思うよ。

Q：Soilwork の 11th アルバム『Verkligheten』には、Tomi Joutsen と Alissa White-Gluz がゲスト参加しています。2 人のどんなところが好きで、どんなところが尊敬できるのでしょうか？

A：Tomi はこのシーンで最も深く、そして最も特徴的なグロウルボイスを持っていて、一目で彼だとわかるんだ。自分のグロウルボイスにもそんな深みがあればいいのだけどね……。Alissa も素晴らしいヴォーカリストだよ。Arch Enemy はクリーンヴォーカルをもっと歌えるようになってくれて嬉しい。

Q：進化論では、優れた個体よりも変化した個体が生き残ると言われています。スウェーデンのメタルシーンが今も盛んな中で、Soilwork が今日も生き残っているのはそのためでしょうか？ 逆に、音楽スタイルを変えないバンドについてはどう思われますか？

A：俺たちのイメージを守りつつ、それでもまだまだ主張したいことがあるんだよ。常に進化しているというのが、まだ生き残っている理由の 1 つだと思うんだ。それは間違いなく誇れることだよ。例えば AC/DC のようにあえて進化しない道を選ぶためには、非常に特別なもの、他にはないものを持つ必要があるといえるね。

Q：最後に日本のファンに向けてメッセージをお願いします。

A：俺たちの音楽の旅のためにインスピレーションを与えてくれたことに感謝している。日本のファンには「ありがとう！」と伝えたいね。

Ablaze My Sorrow
ファルケンベリ

If Emotions Still Burn
🔴 No Fashion Records ⏺ 1996

ヨーテボリから南に 100km ほど離れたファルケンベリ出身のバンドがデモ作品を経て、No Fashion Records からリリースした 1st アルバム。同時期の In Flames や Dark Tranquillity の影響を受けたフォロワーバンドと見られていた。バンドの創始者の Magnus Carlsson は「大量のシンセサイザー、プリレコーディング、その他の音を太くするような糞は、本来あるべき姿ではない」と語り、現在まで一貫してオールドスクールなメロデスを追究している。陰鬱な音楽性を象徴するアートワークは Necrolord によるもので、Ebony Tears の 1st 同様のタッチで美しい。

Ablaze My Sorrow
ファルケンベリ

The Plague
🔴 No Fashion Records ⏺ 1998

1st で歌っていた Martin Qvist が脱退し、Fredrik Arnesson を迎えた 2nd アルバム。繊細なニュアンスに長けた前任者に比べて Fredrik Arnesson は絶叫型で初期衝動を重んじている。At the Gates を模倣したデスラッシュな切れ味やプロダクションやリフから伝わるが、ドラムに関しては常にカチカチしており、残念ながら彼らは一流になれなかった。基本的に疾走重視でコーナー際を曲がりながら、じわじわと前のめりに加速していく。マスタリングは Christian Silver が担当。この手のメロデスあるあるなバンドロゴの移り変わりもあって、本作だけアルバムタイトルが筆記体ではなくなった。

Ablaze My Sorrow
ファルケンベリ

Anger, Hate and Fury
🔴 No Fashion Records ⏺ 2002

前作から 4 年後に発表された 3rd では再びヴォーカルが変更になっており、Kristian Lönnsjö が担当している。当時のモダン化の影響を受けており、音は以前に増して丸くなりキャッチーに。モダン／インダストリアルな要素があること、また Magnus Carlsson がピアノを担当している点、クリーンヴォーカルの導入などバンドの転機にもなった作品だ。やがて No Fashion Records の閉鎖と共に、メンバーのモチベーションも落ち、バンドは眠りにつくことになる。後年、当時のプロモーションに満足がいかなかったり、離れたくても違約金が払えなくて契約上 3 作までは発表せざるを得なかったことを語っている。

Ablaze My Sorrow
ファルケンベリ

Black
🔴 Apostasy Records ⏺ 2016

フルアルバムとしては、なんと 14 年ぶりの作品となる 4th アルバム。レーベルの解散やメンバーに子供ができたこともあり、2006 年の解散以降 EP を出した後は目立った動きはなかったが、2013 年に活動を再開した。メンバーは 3rd のままである。本作はこれまでの集大成を感じさせ、叙情的メロディーを重点に置いており、洗練さにはほど遠いが古き良きメロデスを復興させている。オープニングの疾走感からインターバルを感じさせないプレイに胸躍る。クライマックスの 11 曲目まで侮れない硬派なメロデスである。

Ablaze My Sorrow
ファルケンベリ

Among Ashes and Monoliths
🔴 Black Lion Records ⏺ 2021

2021 年発表の 5th アルバム。前任のヴォーカルの Kristian が咽頭がんを罹患、幸いにも手術は成功したが、以前のような声が出せないことから脱退した。本作では新たなヴォーカルを Jonas Udd が担当した。彼は深いグロウルを得意とし、ニュアンスを変えながら叫ぶ実力派だ。タイトルの『Among Ashes and Monoliths』は「何も残らない不毛の荒野」を意味しており、メロデスでイメージさせる心情風景と解釈一致。「過去 30 年近くにわたって演奏してきたメロディックなスタイルのデスメタルのエッジを研ぎ澄ますこと」を念頭に置いて制作されており、見事にその目的を果たしたベテランによる快作だ。

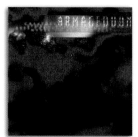

Armageddon
ハルムスタード

Crossing the Rubicon
🎧 War Music 🔘 1997

過去には Arch Enemy に在籍していた Christopher Amott によるプロジェクトの 1st アルバム。Arch Enemy 同様にメロデスの範疇だが、Arch Enemy では取り入れなかったアイデアの供養の意味合いが強く、王道を逸れたやや実験的な演奏スタイルが特徴。ヴォーカルは In Thy Dreams の Jonas Nyrén、ドラムは Darkane の Peter Wildoer が、ベースは当時の Arch Enemy のメンバーだった Martin Bengtsson が参加。3、4 曲目の特徴的な泣きのメロディーは Arch Enemy を思い起こさせる。かたや、7 曲目のようにジャズ／フュージョンを取り入れた楽曲は捻りが利いており、まさに実験場ならではという趣である。

Chaos Feeds Life
ヘーエール

...Strike upon You
🎧 Loud 'n' Proud 🔘 1999

Skyfire のメンバー 3 人が別途立ち上げたバンドの 1st EP。やりすぎなシンフォニックな装飾が印象的な Skyfire だが、本作もまた勢いが凝縮された初期衝動で生まれたような、やりすぎなメロデスを披露している。ブラストビートにスラッシュメタルのリフとハードコア風のスクリームを重ねて、元気に駆け抜ける。この若さあふれる姿はメロデス界の Ninja Magic と言えそうだ。要所でシンフォニックなアレンジが登場し、その後の音楽性の変化を予感させている。デモ音源のような作品だが強引かつ、ツボを押さえた展開が目白押し。メロデス好きであればチェックして後悔はしない。音質悪し、演奏悪し、されど曲良しの典型例だ。

Darkane
ヘルシングボリ

Rusted Angel
🎧 War Music 🔘 1999

1st アルバム。ヘルシングボリ出身。前身のデスバンドである Agretator のメンバーが参加している。メロディアスかつ硬派なデスメタルは初期の Arch Enemy に通じる。Christofer Malmström によるスラッシュ由来のリフと正統派メタル由来のソロをデスメタルに融合させる手腕はすでに完成されている。彼は、スウェーデンのメタルシーンで過小評価されているギタリストの 1 人だ。ゲストでヴァイオリンやチェロを招いている点も見逃せない。2 曲目は目まぐるしいリフのチェンジと、眩しい叙情メロディーがサビで折り重なるバンドを代表する 1 曲。2019 年には本作の 20 周年を記念してツアーも組まれた。

Darkane
ヘルシングボリ

Insanity
🎧 Nuclear Blast 🔘 2001

2001 年発表の 2nd アルバム。ヴォーカルが Andreas Sydow に変更になっている。中身は Slayer を過激に着色しつつも、モダンでテクニカルで複雑な方向性へと進化した。Agretator の頃から彼らの影響は受けており、本作で活かされている。ヨーテボリ出身ではない故の、流行に乗らない姿勢が硬派だ。2 曲目は、デスラッシュらしいシンプルさと複雑なギターワークが混ざり込んだ 2nd の方向性を端的に示した。Peter Wildoer の真骨頂であるヘヴィかつ手数の多いドラムと共に前のめり気味な 圧を感じる 9 曲目も素晴らしい。

Darkane
ヘルシングボリ

Expanding Senses
🎧 Nuclear Blast 🔘 2002

バンドの転換期となった 3rd アルバム。前作からわずか 1 年後の発表だが、すでにその音像は Soilwork に接近したモダンメロデスにも近いヘヴィネスが強調されたものになっている。バンドのロゴの変化がわかりやすい。薄っすらと乗るシンセと前のめりの疾走感は、Strapping Young Lad に通じるインダストリアルな部分の影響を受けている。イントロで溜めない方向からすでにモダン化が進んでいる 1 曲目も、荒々しいスクリームとスケールの幅が広がった新時代を感じさせる。7 曲目は以前のようなオールドテイストのデスラッシュで頭を振らずにはいられない。バンドは本作を引っ提げ、Extreme the DOJO Vol.5 で初来日を果たした。

Darkane
Layers of Lies
ヘルシングボリ
🔵 Nuclear Blast ⭕ 2005

バンドのロゴが 2nd アルバムまでのものに戻った 4th アルバム。この時期のメロ
デス／デススラッシュらしい荒々しく、グロウルとクリーンを使い分けている。「凡
百のメタルコアと俺たちは違うぜ」と変則的な刻みも見せつけるが、結局スウェー
デンの先輩格である Meshuggah のコピーになっているのが微笑ましい。2 曲目は
猛進するデススラッシュにモダンなコーラスを配置した、お約束にお約束を重ねた疾
走曲。アコースティックな導入からマシナリーに走り出す 4 曲目は初期と現在の
音楽性を結びつける曲だ。前半は勢いが良いのだが、後半に息切れしだすのも愛お
しい。

Darkane
Demonic Art
ヘルシングボリ
🔵 Massacre Records ⭕ 2008

2008 年発表の 5th アルバム。長らくヴォーカルを務めた Andreas Sydow が脱退し、
Jens Broman が加入している。また発表当時は Nuclear Blast のライセンスでリリー
スされており、正式にレーベルを移籍した訳ではなかった。前作の延長線上だが、
デススラッシュよりもエクストリームメタルとして仕上がっている。不安感を煽るシン
セが不気味な 5 曲目では、お馴染みの単音リフでもこれまでにない緩急を生んで
おり、グルーヴもキャッチーに仕上げている。7 曲目にはバンド側の Meshuggah
に対する愛が感じられるリズムを Darkane 流にまとめており、フォロワーからの
脱皮も予感させる。

Darkane
The Sinister Supremacy
ヘルシングボリ
🔵 Massacre Records ⭕ 2013

ヴォーカルがデビュー作で歌っていた Lawrence Mackrory に戻った 6th アルバム。
なお発表の合間にドラムの Peter Wildoer は Dream Theater のドラムオーディショ
ンに参加し、注目を集めた。初期のメロデスとスラッシュメタルが融合したスタイ
ル、そして中期のモダンで底抜けの良い音作りの成果が活かされた原点回帰の内容
だ。前のめり系単音リフで疾走する Lawrence の叫び声に「お帰り」という言葉し
か見つからないのだが、その後も 4 曲目や 6 曲目などクリーンヴォーカルを交え
つつも、荒々しい疾走曲が繰り広げられる。後半にもインストが用意されており、
ムードを高めているのも見逃せない。

Darkane
Inhuman Spirits
ヘルシングボリ
🔵 Massacre Records ⭕ 2022

2022 年発表の 7th アルバム。しばらくの空白はあったが 2019 年には 1st アルバム
『Rusted Angel』の 20 周年を記念した再現ツアーを行うなど、決して熱意がなくなっ
てしまったわけではなかった。本作は往年の Darkane の魅力であるダミ声とデス
声を使い分けながら、スラッシュメタルとデスメタルの隙間を駆け抜けていく曲が
目白押しとなっている。豪華なイントロから始まる 1 曲目でブランクなどない堂々
の帰還を果たし、4 曲目などドライヴのある曲では Peter Wildoer のマシナリーな
ドラムスキルの高さを改めて感じさせる。20 年の時を経ても若い頃の反骨心を貫
こうとするベテランの作品だ。

Dawn
Nær sólen gar nier for evogher
リンシェーピング
🔵 Necropolis Records ⭕ 1994

スウェーデン南部リンシェーピング出身バンドの 1st アルバム。ギターの Fredrik
Söderberg が中心となり、結成している。その音楽性は当時の Dissection や
Unanimated に通じるメロデス／メロブラの両方の側面を持つ。メンバーの人脈を
辿ると Dark Funeral や Gorgoroth に行き着くため、ブラックメタルの名盤として
扱われる方が体感として多いのだが、In Flames の EP『Subterranean』で歌って
いた Henke Forss が本作で歌っていることから選出している。叙情的なメロディー
をまるで川の流れのように、あるがままにかき鳴らし繋いでいくスタイルはそれぞ
れのジャンルの垣根を容易に越えて普遍性を宿す名盤だ。

Dawn
リンシェーピング

Slaughtersun (Crown of the Triarchy) 🅐 Necropolis Records 🅑 1998

前作に比べて焦燥感あふれるドラミングの強調がメロデスよりも、メロブラの色合いを強めている 2nd アルバム。楽曲が長くなり平均 8 分台という長尺な傾向が強まった。激情のトレモロの嵐は一聴すると起伏の乏しさでもあり、決してわかりやすくもない本作だが、何度も聴き通すことで細かい展開の妙を紐解く楽しみを味わえる。当時バンド側は 3rd アルバムの制作を発表していたが、結局音沙汰はない状態が長く続いており、多くのリスナーは再び夜明け（Dawn）が来るのを待ち望んでいる。2021 年には Cosmic Key Creations から新たなリマスター盤も発表されている。

Embraced
マルメー

Amorous Anathema 🅐 Regain Records 🅑 1998

南部スコーネ地方マルメー出身バンドの 1st アルバム。衝撃的という言葉しか見つからない。本書で紹介するメロデスの中でも「慟哭」という表現が最も合うバンドの１つである。ギターだけに限らず、キーボード奏者も２名在籍しているのが特徴。そのうち Sven Karlsson は後に Soilwork でも活躍する。バンドはノルウェーのシーンに影響を受けており、ブラックメタル、ゴシックメタル、そしてプログレッシヴメタルからの影響が感じられる。それらが絶妙な比率で抽出され、ブレンドされ楽曲の芳醇なドラマを際立たせている。イントロで涙腺崩壊必至の 2 曲目はメロデスの歴史にも残る名曲の１つに数えられる。

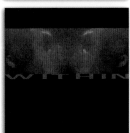

Embraced
マルメー

Within 🅐 Regain Records 🅑 2000

前作以上にプログレッシヴ化した 2nd アルバム。より洗練された印象を与えた作品だ。Dimmu Borgir や Arcturus を想起させるシンフォニックなアレンジと、Enslavement of Beauty の憂鬱なメロディーが交差する様子は儚くも美しく、メロデスというジャンルの本質へと迫っている。オープニングから複雑なリフと悲哀のメロディーが交差する緊張感あふれる 1 曲目、彼らの持つプログレ要素を非凡なセンスで美しく彩った 6 曲目、日本盤に収録された 10 曲目は思わずサビで合唱してしまう。非凡なセンスを有するバンドではあったが、惜しくも本作をもって解散している。

Fatal Embrace
ヴァールベリ

Shadowsouls' Garden 🅐 Candlelight Records 🅑 1997

ヴァールベリ出身バンドの 1st アルバム。ドイツにも同名のスラッシュメタルが存在するが、関係はない。メンバーには Lothlorien や Auberon の関係者が所属している。妙に癖のあるドラムの奏法、成熟しきれないメロディックなギター、複雑さを追い求める曲構成など、明らかにマニア向けのメロデスである。浮ついたドラムと耳に残るメロディーのマリアージュが楽しめる 1 曲目や 4 曲目を筆頭に、一筋縄ではいかない展開が続く。良く言えば予測不能であるし、悪く言えば散漫な印象も否めない。Dark Tranquillity の 1st アルバム『Skydancer』をより複雑化した作品である。本作発表後に一度解散している。

Fatal Embrace
ヴァールベリ

Manifestum Infernalis 🅐 Black Lion Records 🅑 2023

2023 年発表の 2nd アルバム。Metal Reunion PTD3 2016 にて再結成するも、本作の発表までに 7 年の歳月を要した。しかし、メンバーは当時と替わらないのが驚きである。再結成後の Eucharist 同様に、ブラックメタルの要素を取り入れている。Septicflesh のような荘厳なバンドに触発された結果、1st 時代とは似ても似つかない。実質的には新たなデビュー作となった。先行公開された「Empyreal Doom」という曲の通り、ダークな内容を扱った内容だが、隙間で紡ぐメロディーセンスには当時の面影を残す。メロデスよりもブラックメタルファンに向けられた作品。

Indungeon
ミェルビュー
Machinegunnery of Doom
🅐 Full Moon Productions 🅒 1997

ヨーテボリとストックホルムの中間であるミェルビュー出身バンドの 1st アルバム。Thy Primordial と Mithotyn のメンバーからなるサイドプロジェクトとして 1996 年の夏に結成。Bathory の「Die in Fire」のカヴァー含むデモ音源がアメリカの Full Moon Productions に見いだされる形で本作を発表。その音楽性はDismember に限らず Kreator や Nuclear Assault からの影響を語っており、スラッシュ要素が強く、アートワークに描かれているように戦争をテーマにしている。切れ味の良いビート感を織り交ぜたデスラッシュテイストなサウンドでメロディーもドライだが、曲調には合っている。11 曲目は Bathory のカヴァーを収録。

Indungeon
ミェルビュー
The Misanthropocalypse
🅐 Invasion Records 🅒 1999

レーベルの対応に問題があり、Invasion Records に移籍して発表した 2nd アルバム。またベースだった Stefan Weinerhall がギターに、ギターだった Jonas Albrektssonがベースへと互いに楽器を持ち替えている。作風はよりデスラッシュへと近づきつつ、90 年代メロデス迷宮の最深部へと迫る内容。The Crown や The Haunted と比べて音質面で課題はあったものの、2 曲目や 5 曲目のようにスラッシュメタルルーツのメロディーセンスをデスメタルに載せる方法論に成功している。余談だが、メンバーショットに写り込んでいるフォルクスワーゲンはヴォーカルの Karl Beckmann の所有物。バンドは本作限りで解散した。

King of Asgard
ミェルビュー
Fi'mbulvintr
🅐 Metal Blade Records 🅒 2010

2010 年発表の 1st アルバム。元 Mithotyn のメンバー Karsten Larsson と Karl Beckmann を中心に結成している。Mithotyn 在籍時の使われていないアイデアは流用されておらず、このバンドを結成してから新たに作った楽曲を収録している。ヴァイキングメタルの人気爆発により、Amon Amarth や Unleashed に寄せたメロデス由来のヴァイキングメタルを披露。美しい民謡メロディーが現世に蘇る 2 曲目や 7 曲目は Mithotyn 時代を懐かしむファンにとっては面影を感じる。なお Karl Beckman は本作の制作に Jan Johansson の『Jazz på svenska』に強いインスピレーションを受けたことを語る。2021 年までに 5 作を発表。

Lothlorien
ヴァールベリ
The Primal Event
🅑 Black Mark Production 🅒 1998

スウェーデン西海岸のヴァールベリ出身バンドによる唯一のアルバム。バンド名はJ.R.R. Tolkien の作品に登場するエルフの国名が由来だ。プログレメタルやパワーメタルを思わせるアートワークだが、実際は初期の In Flames と Dark Tranquillityの影響下にある構築美と叙情性を兼ね備えたシンフォニックなメロデスを披露している。同郷にして、同じ音楽性の Skyfire や Embraced に比べると、根底にあるのはパワーメタルの影響だった。ミドルテンポ主体で地味ながらも 1 曲目や 5 曲目は涙腺を刺激するには十分。本作でバンドは解散し、当時のメンバーは後に正統派メタルの Frequency を結成している。

Mithotyn
ミェルビュー
In the Sign of the Ravens
🅐 Black Diamond Productions 🅒 1997

ヴァイキングメタルといえば Bathory、Enslaved や Einherjer が代表的である。荘厳で叙事詩的な世界観を掲げ、楽曲構成の体系化によりブラックメタルの枠組みから独立した Mithotyn は同ジャンルの重要バンドの 1 つだ。その音はメロデスとブラックメタルの境界線が曖昧だったスウェーデンの背景事情と重なる。エピックなメロディーを適度な余白によって染み渡らせ、勇敢なヴァイキングたちの足跡を現世に甦らせている。この 1st はプリミティヴな音質でブラックメタルの面影が残ってはいるものの、リードギターを中心に楽曲を引き立てた一連の構成は、現在のメロデスの方法論と相違ない。

Mithotyn
ミェルビュー

King of the Distant Forest
🎧 Invasion Records 💿 1998

Mithotyn にとって最もサウンドの成熟が感じられるのが、この 2nd アルバムだ。前作は音質が悪かったが、マスタリングに Andy LaRocque を迎えることでそれを払拭した。その引き締まった音は Stefan Weinerhall が後に Falconer を結成した時も、彼と関係が続いていることからその出来に満足しているようだ。メロデスというよりは、メロブラにも通じるスクリームと疾走感が印象的な表題曲と 2 曲目を筆頭に、北欧民謡の影響を受けながらも力強いアンセムが登場する。ブラックメタルをルーツにしながらヘヴィメタルに接近する、その越境の橋渡しにヴァイキングメタルというジャンルは関わっていた。

Mithotyn
ミェルビュー

Gathered Around the Oaken Table
🎧 Invasion Records 💿 1999

Mithotyn の最終作。作品を重ねるごとに音質は向上するのが常だが、彼らの場合 3rd アルバムでは再び 1st アルバムと同程度の音質に戻っている。作風自体は 2nd からの正統進化であり、濃厚なコーラスライン、戦場を思わせる臨場感ある SE、正統派メタルへと近づいたリフパターンなどが挙げられる。旧来の扇情力あふれるメロディーラインが暴れ、転調でカタルシスを解放する 2 曲目。ガナリ声とクリーンヴォーカルが交差する 6 曲目。年老いた放浪者が己の人生を振り返る 11 曲目は哀愁漂う姿が眩しい。解散後のメンバーは Falconer と King of Asgard に分かれる。

Moonstruck
ビャアレッド

First Light
🎧 Dragonheart Records 💿 1999

南部マルメーに近いビャアレッド出身。複数かのデモの後に満を持して放った 1st アルバム。典型的な Dark Tranquillity タイプのメロデスで NWOBHM に影響を受けたであろうツインリードを鳴らしながら、哀愁一本釣りのリードギターの旋律が微笑ましい仕上がりになっている。すでにピークを迎えつつある当時のシーンを俯瞰すると彼らのサウンドは出遅れてはいたが、Autumn Leaves や A Canorous Quintet に通じるプロダクションの良さも相まって、完成度の高さは決して無視できなかった。多くのスウェーデンのバンドが新時代のスタイルに併せて音楽性の変化を余儀なくされる中、バンドはその先へは進まず、本作限りで解散の道を選んだ。

Mortum
クリスチャンスタード

The Druid Ceremony
🎧 Invasion Records 💿 1998

南部クリスチャンスタード出身。一見すると典型的な 90 年代メロデスだが、専任で Tinna Carlsdotter なる女性ヴォーカルが在籍しているのが特徴。当時のノルウェーのゴシックメタルと共鳴しながらも、シンフォニックな方向には偏らず邪悪なメロデスの強度を残している。音質は悪くはないが、5 曲目を始めとする唐突すぎる疾走展開と、何かと噛み合わせが悪い男女のデュエットには思わず苦笑いだ。後に Mortum を解散するとメンバーはパワーメタルの Supreme Majesty を結成する。この 1st の 2 曲目では Arch Enemy の某曲のリードギターを拝借しており、メロデス時代の名残を感じさせる。

Nightshade
クングスバッカ

Wielding the Scythe
🎧 Scarlet Records 💿 2001

クングスバッカ出身バンドの唯一の 1st アルバム。スイスに同名メロデスのバンドがいるほか、フランスにも同名メタルコア／デスコアバンドが存在する。Sacrilege や Taetre にも在籍していた Daniel Kvist が本作ではヴォーカルを披露し、キーボードが舞うパワーメタル寄りのメロデス。憂いを帯びたキーボードと高音のスクリームなのでマイルドな Children of Bodom といっても差し支えない。ワルツめいた異臭を放つメロディーに興奮必至の 4 曲目を筆頭に、解散後も無視できない存在感を放っていた。

Pandemonium
ルンド

Insomnia
🅐 JCM Records 🔵 2002

スウェーデン南部のルンド出身の 1st アルバム。ポーランドやイタリアにも同名の
バンドが数多く存在し、検索時は混迷極まる。このスウェーデンの Pandemonium
は Embraced や Dark Lunacy のような涙腺を刺激するようなメロディーの美しさ
に定評がある。シンフォニックなアレンジが強くてもデスメタルの強度を保ってい
る点が素晴らしい。浮遊感のあるキーボードから始まる 1 曲目のくすぐるような
旋律は彼らのれっきとした個性の 1 つで、3 曲目のような長尺な曲では立体的な演
奏で展開を積み上げており、センスの良さが窺える。

Pandemonium
ルンド

The Autumn Enigma
🅐 Prodisk Music 🔵 2006

続く 2nd アルバムは前作発表後すぐに収録されていたが、レーベルやプロダクショ
ンの課題を克服するためにリリースが 4 年空いた背景がある。同郷の Embraced
や Skyfire の例に漏れず、長尺主義からのプログレッシヴな方向性に磨きがかかっ
ているが、その完成度の高さも含めて、本作は彼らの代表作として知られる。2 曲
目や 3 曲目はいずれも長尺だが、ピアノの旋律が縦横無尽に駆け抜けてギターの
リフとユニゾンしたりオブリを奏でている。時代に翻弄されることなく自分たちの
スタイルを崩さない姿勢を買った。

Pandemonium
ルンド

Whispers
🅐 Independent 🔵 2008

前作から 2 年後に発表した 3rd アルバムは自主制作盤として発表。作風としては前
作に比べて、シンフォニック・ブラックメタルの度合いが強くなっている。Cradle
of Filth や Dimmu Borgir が辿ったメインストリームへの接近に伴い、元々の個性
だった艶やかなメロディーよりも、エクストリームな演奏が支配的と言えそうだ。
演奏面でも確かな力量を見せているが、2008 年は Carach Angren の 1st、Keep of
Kalessin の 3rd、Ceremonial Castings の 7th などシンフォニック・ブラックメタ
ルに関しては稀に見る当たり年だったため、特に本作は注目されなかった。

Pandemonium
ルンド

Monuments of Tragedy
🅐 Black Lodge Records 🔵 2019

前作発表後の度重なるメンバーの脱退により、リーダーの Thomas Ahlgren と
Jacob Blecher はバンドの休止を決定した。だがバンドは解散せず、6 人から 4 人
体制となる 11 年後、4th アルバムを発表した。レーベルは 90 年代のバンドを豊富
に再発している Black Lodge Records に移籍している。作風は 2nd まで見られる
浮遊感のあるキーボードが復活し、ブランクを感じない演奏力は 2 曲目で特に顕
著だ。Eliran Kantor の描く戦争に絶望し、銃口を加える男性というアートワークも
含め、メロデスに漂う退廃的な世界を見事に描いている。2019 年に発表したメロ
デスの中でも屈指の完成度だ。

Skyfire
ヘーエール

Timeless Departure
🅐 Hammerheart Records 🔵 2001

マニアを驚嘆させた Chaos Feeds Life のメンバーが在籍していたバンドの 1st
アルバム。イギリスの Bal-Sagoth のようにキーボードを前面に押し出してい
る。Thyrfing の Thomas Vänänen がデモを気に入った縁で、彼から紹介された
Hammerheart Records と契約した。過剰なシンセの装飾とクラシック音楽が見事
に融合した 2 曲目。バンド名を冠するドラマチックなアレンジに興奮必至なキラキ
ラ系メロデスの完成形である 4 曲目。アルバム名を冠するメロディーの眩しさ極
まる 5 曲目など、過剰さもここまで来ると天晴だ。メロディーに限った話をすれば、
Skyfire はメロデスの頂点にも君臨しうる逸材だった。

Skyfire
ヘーエール

Mind Revolution
Ⓐ Hammerheart Records　◎ 2003

Lost Horizon を想起させるシュールなアートワークが印象的な 2nd アルバム。強引な演奏が唯一無二だった 1st アルバムに比べると、2nd アルバム以降は勢いは落ち着くも、そのメロディーセンスは不変。それは、Martin Hanner と Andreas Edlund の両名が、ギターとキーボードの両方を担うからこそである。アルバムタイトル名を冠するメロディアスなギターがフィーチャーされた 1 曲目や、ストレートな疾走感が楽しめるメロデスである 3 曲目、前身バンドのデスラッシュらしい勢いが凝縮された 8 曲目など、キラキラメロデスを語る上では見逃せない。

Skyfire
ヘーエール

Spectral
Ⓐ Arise Records　◎ 2004

前作から 1 年後に発表された 3rd アルバム。全体的には前作の流れに準拠したメロディーが主役のメロデスだが、プロダクションも向上している。これまでキーボードの陰に隠れていたギターに活路が見いだされているのも特徴であり、この時期のスウェーデンのモダンメロデスの影響も受けている。緊張感のあるメロディーが新機軸となった 6 曲目や、後のプログレ要素の増大を感じさせる疾走曲の 7 曲目など、どの曲も一手間工程を増やし、深みが生まれた。本作の発表後に韓国でライヴを行っているが、日本に寄らなかったのは痛恨の極みとしか言いようがない。

Skyfire
ヘーエール

Esoteric
Ⓟ Pivotal Rockordings　◎ 2009

所属していた Arise Records が倒産し、またラインナップの変更もあった 4th アルバム。バンドのブレインである Martin Hanner がギターからベースへ転向、Johan Reinholdz が新たにリードギターへ加わり、ヴォーカルも Joakim Karlsson に変更している。以前のようなシンフォニックサウンドからプログレッシヴなアプローチが増えていて、様式美を感じさせる伝統的なヘヴィメタルの影響が見られる。往年の Skyfire 節を感じる劇的な盛り上がりを見せる 2 曲目や、以前よりも洗練された叙事詩的なアレンジに笑顔になる 4 曲目、7 曲目など曲に対する練り込みが濃くなった。2017 年には EP を発表。

Sonic Syndicate
ファルケンベリ

Eden Fire
Ⓟ Pivotal Rockordings　◎ 2005

ファルケンベリ出身バンドの 1st アルバム。結成当初は Fallen Angels という名前で活動していた。Richard Sjunnesson とその弟の Roger Sjunnesson、いとこの Robin Sjunnesson が中心となり結成。モダンメロデス以降の In Flames や Soilwork の音楽性に追従する若きフォロワーとして登場した。浮遊感を発散するシンセによる味付けやゴリゴリしたリフ、クリーンヴォーカルなどの飛び道具を積極的に取り入れている。FF6 の決戦テーマとイントロが似ている 8 曲目は彼らの外からの影響源を如実に感じられる。

Sonic Syndicate
ファルケンベリ

Only Inhuman
Ⓐ Nuclear Blast　◎ 2007

2007 年発表の 2nd アルバム。前作発表後に、Nuclear Blast 主催のバンドコンテストで 1500 ものバンドが競う中で優勝し、レーベルを移籍する。その当時バンドコンテストに送ったデモ音源は、本作の 2 曲目、3 曲目、7 曲目に収録されている。本作は、Centinex や Scar Symmetry で知られる Jonas Kjellgren をプロデューサーに迎えた盤石の制作環境になった。オープニングの 1 曲目はメロディックなリードギター、クリーンとグロウルのコンビネーションが秀逸。6 曲目はライヴでは定番のキャッチーな名曲。ポップすぎるきらいもあるが、それを補うほどにバンド側の勢いもあった。

Sonic Syndicate
ファルケンベリ

Love and Other Disasters
◉ Nuclear Blast ◉ 2008

2nd と並んで人気の 3rd アルバム。前作の方向性から大きな変更はないが、アップテンポの曲もあればバラード曲も用意するなど、ツインヴォーカル体制を活かしたバラエティ豊かな仕上がりだ。エレクトロ要素やインダストリアル要素を使うようになり、サビでの垢抜けた様子は良くも悪くもバンドの成熟を感じさせる。3曲目はアップテンポのシンセの音色からも間違いのないミドルテンポの曲であり、キャッチーな歌メロとグロウルが交差する様子がカッコいい。4曲目や7曲目のようなバラード曲からはもはやメロデスらしさよりも、オルタナティヴな感触がするあたりに後の作風の変化も感じさせる。2010 年に初来日公演を行う。

The Forsaken
ランツクルーナ

Manifest of Hate
◉ Century Media Records ◉ 2001

スウェーデン南部のランツクルーナ出身。デモが大手 Century Media の目に留まり期待の新人として本作でデビューした。レーベルメイトの Arch Enemy や The Haunted の躍進に続けと言わんばかりに売り出された彼らの音楽性は、吐き捨てスタイルのヴォーカルにスラッシュとデスメタルの両方を織り交ぜた王道のデスラッシュと言えそうだ。特にドラムの Nicke Grabowski が素晴らしく、2曲目からスウェディッシュスタイルのバタつき感が心地よいし、ブルータル・デスメタルに通じる手数の暴力と呼べる4曲目を筆頭に、他のフォロワーに比べて積んだエンジンが一味違うことを感じさせる。

The Forsaken
ランツクルーナ

Arts of Desolation
◉ Century Media Records ◉ 2002

翌年に早くも発表した 2nd は、前作以上にアメリカのメタルの影響が窺える作品だ。デスラッシュよりもオールドスクールデスメタルの影響が強くなり、ソロはメロディアスにならぬよう注意を払われ、複雑なテンポチェンジでグルーヴ感を生んでいる。従来のデスラッシュとしてオープニングを飾る1曲目は彼らの音楽性を象徴する出来だが、薄っすらと Nile のような荘厳さも見いだせる。デス／ドゥームな仕上がりの4曲目など、作風の広がりを感じさせる内容だ。日本盤のボーナストラックでは Metallica のカヴァー曲が収録されており、本作の典型的なスウェディッシュ・デスメタルからの脱却を象徴している。

The Forsaken
ランツクルーナ

Traces of the Past
◉ Century Media Records ◉ 2003

当初はデスラッシュの印象が強かった The Forsaken だが、この 3rd アルバムでは演奏技術の向上と共に、アメリカのメカニカルなデスメタルとヨーロッパのメロディアスなスタイルの折衷を目指すようになった。Hypocrisy で知られる Peter Tägtgren の兄 Tommy Tägtgren がこれまでの制作でも関わってきたが、より雑多な影響源を拾い集め、1つの方向性でまとめている。序盤は技巧的な場面が多く、カタルシスも得にくいのだが、5曲目や7曲目では調和が見られ、高品質なエクストリームメタルを披露する。やはりデスラッシュは疾走の心地よさがすべてなのだ。本作でも Metallica のカヴァーが収録されている。

The Forsaken
ランツクルーナ

Beyond Redemption
◉ Massacre Records ◉ 2012

前作から 9 年ぶりとなる 4th アルバム。発表が遅れた理由としては、バンドの中心人物であった Stefan Holm の脱退が大きい。本作ではギターに Feared Creation で活動していた Calle Fäldt を迎えている。レーベルも Massacre Records に移籍した本作は心機一転、原点回帰を目指した。レーベルメイトになった Darkane のようにメロデス要素とスラッシュ、正確なドラムに重きを置き、初期の頃を懐かしみつつ現代的にアレンジした。イントロからフライング気味の王道デスラッシュ、リフが雪崩のように降り注ぐ爆走チューンの3曲目、その後もメタラーの頭を振らせる曲がノンストップで続いていく会心作だ。

The Unguided
ファルケンベリ

Hell Frost
🅐 Despotz Records 🅓 2011

Sonic Syndicate は 4th アルバム以降従来のメロデス路線から足を洗い、モダン化を目指したが、そこで失われた音楽性を取り戻す形で元 Sonic Syndicate のヴォーカルである Richard Sjunnesson によって The Unguided は結成された。本作は 1st アルバム。初期のファンが望んだ Sonic Syndicate の生まれ変わりと言わんばかりの内容で、ギターソロが復活しているのも嬉しい限りだ。キャッチーなイントロが飛び出す 6 曲目は「Aftermath」が、複数のハーモニーが交差する 10 曲目は「Denied」を下敷きにしており、旧来のファンへのサービスが嬉しい。印象的なアートワークは中国人アーティストの Kuang Hong が担当している。

The Unguided
ファルケンベリ

Fragile Immortality
🅐 Napalm Records 🅓 2014

Napalm Records に移籍して発表した 2nd アルバム。前作の発表以降、Sonic Syndicate が活動休止になり、実質的に脱退したメンバーは The Unguided に専念する形になった。前作では Sonic Syndicate の残り香を感じさせるところもあったが、本作では The Unguided の真骨頂である様式美を追求しており、北欧の冷ややかさを持つデジタルなアレンジを背景にクリーンとグロウルが表裏一体で展開されている。イントロと共に胸に熱いものがこみ上げる Roland Johansson のクリーンが魅力的な 1 曲目や、眩しさすら感じる陽のメロデスである 9 曲目がオススメだ。

The Unguided
ファルケンベリ

Lust and Loathing
🅐 Napalm Records 🅓 2016

2016 年発表の 3rd アルバム。前作に準拠した内容だが、これまで以上にギターの技巧的な部分で変化が見られ、複雑さのある表現は前作をさらに深化した内容である。楽曲の外殻はこれまで以上に深みを帯びた 1 曲目、思わず踊りたくなってしまうアップテンポな 5 曲目、結成の背景を考えるとボーナス行きも妥当かもしれないモダンメタルコアに仕上がった 11 曲目が並ぶ。メタルコアのブームが落ち着いたにもかかわらず、再び自らのサウンドに取り入れようとした姿勢からは、以前のブームに翻弄された自分たちに 1 つの区切りを付けるためかもしれない。

The Unguided
ファルケンベリ

And the Battle Royale
🅐 Napalm Records 🅓 2017

クリーンヴォーカルが Roland Jonansson から Jonathan Thorpenberg へと替わった 4th アルバム。これまで以上にシンプルな方向性に回帰しており、激しい疾走は控えてミドルテンポを主体として「サビ」を集中した曲作りをしている。新ヴォーカルの Jonathan Thorpenberg のクリアトーンはバンドサウンドの清涼剤として刺すような空気を持っており、前任者が抜けた穴を感じさせない。従来の流れを汲んだ美しいイントロと跳ねるようなリフとドラムの疾走感とエモーショナルなサビが魅力的な 2 曲目、初期メロデスを感じさせる 6 曲目や 7 曲目などに変わらないことを貫く美学を感じられる。2018 年に初来日公演を行う。

The Unguided
ファルケンベリ

Father Shadow
🅐 Napalm Records 🅓 2020

2020 年発表の 5th アルバム。前作までこのバンドは柔らかいキーボードの音色が心地よく感じるような音作りを得意としていたが、本作ではメロデスのアグレッシヴさを取り戻し、モダンメロデス、メタルコア、グルーヴメタルの要素を The Unguided 流に解釈したバラエティ豊かな作品である。以前よりもメタルコアに接近しつつも嫌味を感じないバランス感覚に優れた 1 曲目を皮切りに、熱いリードギターが曲の中心となり中盤のハイライトへと迎える 7 曲目が並ぶ。Sonic Syndicate の 1st から 3rd までの代表曲のカヴァーが収録されているのも嬉しいポイントだ。

中部・ストックホルム周辺

エステルイェータラン県・セーデルマンランド県・ストックホルム県・ヴェステルノールランド県
・エレブルー県・ヴェルムランド県・ダーラナ県・ウプサラ県

有名な Entombed のバンドショット

アンダーグラウンドを支える Klubb Fredagsmangel

ヴァイキングメタラーのヴァルハラこと Aifur

　ストックホルムは「北欧のヴェネツィア」とも称される、スウェーデンの首都だ。北欧全体で見ても最大の都市だが、それでも人口は 100 万人には届かない。北海道の札幌市と比較すると、約半分の人口である。

　まず、ストックホルムに来たら、Entombed の十字架の前で記念撮影をしよう。共同墓地であるスコーグスシュルコゴーデンは、地下鉄からもアクセスしやすい。ここには Bathory の Tomas Forsberg、Entombed の L.G. Petrov、Mayhem の Dead など伝説的な人物が眠っている。

　郊外にある Klubb Fredagsmangel は、熱心なヘヴィメタルの信奉者が設立したメタル専門のクラブである。国内外のメタルバンドが、150 人ほどの小さなクラブでの演奏を熱望し、スケジュールは毎週末埋まっている。コロナ禍でもイベントは行われ、現地のアンダーグラウンドシーンを支えたことで急速にシーンで存在感を高めている。

　旧市街ガラムスタンに来たら、Sound Pollution で CD やレコードを探そう。残忍な音楽に関しては街一番の品揃えだ。同じく旧市街にあるルーン文字の看板が目印の Aifur は、本物のヴァイキング料理が味わえる。要予約の人気店である。

　ハードロック／ヘヴィメタルを扱う Bar はとても多い。Kelly's、Harry B James、Medusa などの老舗店の中でも、Pub Anchor が一番有名だ。ストックホルム最古の Bar であり、老若男女問わずロック好きならば楽しめる場所だ。ニンニク料理を専門に 1989 年に開業した Bröderna Olssons Garlic & Shots も人気店だ。メタルバンド Mustasch のメンバーが同店を買取り、オーナーになったことでお店の雰囲気もヘヴィになった。

ヴァイキングと北欧神話をモチーフにするストックホルムの凶戦士

Amon Amarth

◉ Scum, A Canorous Quintet, This Ending
🕐 1992 ⬤ スウェーデン、ストックホルム
👤 Olavi Mikkonen, Johan Hegg, Ted Lundström, Johan Söderberg, Jocke Wallgren

北米のメタルシーンで最も影響力のあるメロデスバンドを問われたら「Amon Amarth だ」と皆口を揃えて
証言する。ヴァイキングメタルにも属するが、ヴォーカルの Johan Hegg は「特定の宗教的教義は持たな
い」と語る。1988 年にヴォーカルの Paul "Themgoroth" Mäkitalo、リードギターの Olavi Mikkonen、リズ
ムギターの Vesa Meriläinen、ベースの Petri Tarvainen が前身バンドの Scum を結成。その 4 年後にヴォー
カルの Johan Hegg、ギターの Olavi Mikkonen と Anders Hansson、ベースの Ted Lundstrom、ドラムの
Niko Kaukinen の体制に移行し、J. R. R. Tolkien の『指輪物語』に登場する火山の名称からバンド名を拝借
して Amon Amarth を名乗るようになる。バンドの転機は 6th アルバム『With Oden on Our Side』がビル
ボードに載って注目を集めたことだ。その後 2008 年発表の 7th アルバム『Twilight of the Thunder God』
で高評価と商業的な成功を収め、勢いに乗った彼らは Loud Park 2010 で初来日を果たす。2011 年に 8th ア
ルバム『Surtur Rising』を発表。その翌年に初の単独公演を開催した。2015 年に初期からドラムを担当し
た Fredrik Andersson が脱退し、Jocke Wallgren が後継に選ばれる。2022 年に 12th アルバム『The Great
Heathen Army』を発表した。

Amon Amarth
ストックホルム

Once Sent from the Golden Hall
🅰 Metal Blade Records ⏺ 1998

記念すべき 1st アルバム。本作リリース前の 1996 年の時点では Dissection のライヴのゲストとして A Canorous Quintet と共にライヴをした、まだ地元の小さなバンドの 1 つであった。サウンドの力強さや粗暴な姿からは Entombed や Unleashed のようなスウェディッシュ・デスメタルの系譜であることが感じられる。またヴォーカルの Johan Hegg は以後の作品のような明瞭でパワフルな歌いまわしではなく、Enslaved のようなヴァイキング／ペイガンメタルの邪悪さを宿しているのが特徴だ。4 曲目や、バンド名を冠した 7 曲目といった長尺の曲が多めに収録されているのも初期作の特徴である。

Amon Amarth
ストックホルム

The Avenger
🅰 Metal Blade Records ⏺ 1999

2nd アルバムでは早くも成長を感じさせ、全体的にプロダクションが向上している。その背景には新加入の Fredrik Andersson のドラムのタイトさも関わっている（Marduk に在籍していたドラムとは別人）。熱いトレモロメロディーをグロウルをサビで爆発させるという方向性が、より明確になった作品だ。アルバムタイトルを冠する 4 曲目のヘヴィなリフとドラムの躍動感によるうねりは、他の曲よりも複雑で重厚な仕上がりである。6 曲目の「Metalwrath」では「We'll Make the False HammerFall」という歌詞の通り、HammerFall に対する確執もあったが現在では愚かな行為だとバンドは反省している。

Amon Amarth
ストックホルム

The Crusher
🅰 Metal Blade Records ⏺ 2001

3rd アルバムでは前 2 作にあった音楽性の模索の時期を過ぎ、ギターの音は現在のサウンドとも遜色が無いほどに、切れ味が増すようになった。この作品からデスメタルの音からヴァイキングメタル（メロディック・デスメタル）の方向へ本格的に舵を切った。Johan Hegg のグロウルも単調ではなく、北欧の叙事詩を歌い上げるように叫ぶ様子で抑揚を感じられるようになり、メロデスバンドが壁を超えるために必要となるヴォーカルの表現力に磨きがかかった。演奏技術の向上は顕著で、粗暴ながらもヴァイキングの姿に美しさを見いだせる 2 曲目はギターソロのドラマ性やリフの響きが行進のように響き渡る。

Amon Amarth
ストックホルム

Versus the World
🅰 Metal Blade Records ⏺ 2002

前作から 1 年後に早くも発表された 4th アルバムはアメリカでいち早く台頭した In Flames に影響を受けたのか、叙情的なメロディーが増えている。その背景には、北欧神話の最終戦争を意味するラグナロクを題材にしたということもあり、曲の中に全体的に漂う悲壮感と虚無感をメロデスのフォーマットで示した。当時のバンドを取り巻く環境といった閉塞感がドゥームで重々しいサウンドと重なったようだ。バンドの心境がサウンドに反映された危うい作品だが、この軋轢は 2003 年のアメリカツアーの手応えを経て徐々に氷解していく。速い遅いで曲を分けることなく、どの曲もダイナミックに表現しようとする意識が 3 曲目や 7 曲目からは感じられる。

Amon Amarth
ストックホルム

Fate of Norns
🅰 Metal Blade Records ⏺ 2004

5th アルバムではサウンドの粒が揃い、前作に比べてタイトな仕上がりだ。洗練されつつも一聴して Amon Amarth を感じさせる肉感的なリフが目立っており、Olavi Mikkonen は本作の制作でバンドに求められるリフの音を完成させたのではないかと筆者は思う。ヴァイキングの旅路をバンドの今後の心境と重ね、その行く末を北欧神話の戦いの神オーディーンに委ねた 4 曲目を筆頭に、後の進撃の幕開けを感じさせる楽曲がラインナップ。前作の方向性を再び持ち出しながらも哀愁を一段と感じさせる 3 曲目は高いドラマ性を帯びており、覚醒の時が近いことを予感させる。

Amon Amarth
ストックホルム

With Oden on Our Side
🟠 Metal Blade Records ⏺ 2006

バンドの反撃の狼煙を上げた 6th アルバム。Jens Bogren との化学反応を得ることで、バンドは大きな転機を迎えた。バンドの理想への追求と、ダークな世界観に美しさを見いだすメリハリのある音作りには迷いがなく、以後の Amon Amarth の躍進を 3 作に渡って影で支えている。Johan Hegg の生々しい叫びが印象的な 3 曲目の一節「Son of Odin,Thundergod.Master of War,Asator」は大合唱が必至だ。メロディックなアプローチが軽快な疾走と共に駆け抜ける 7 曲目も完成度が高い。ヘヴィメタルの持つエピックな感性を追求した快作を発表した。

Amon Amarth
ストックホルム

Twilight of the Thunder God
🟠 Metal Blade Records ⏺ 2008

シーンの前線へと進撃した 7th アルバム。勢い重視だった前作も好評だったが、本作は Amon Amarth というバンドが本格的に世界征服の狼煙を上げた作品となる。1 曲目はイントロのエピックなリフに観客は悲鳴を上げ、Johan Hegg の振りかざすトールハンマー、そしてパイロで幕を開ける Amon Amarth というバンドを代表する 1 曲。粗暴なヴァイキングの行進を想起させる勢い重視の 4 曲目、ヴァイキングたちの過酷な運命に争う姿が哀愁に満ちた 6 曲目、叙事詩的な世界観を見せる 10 曲目などこれまで以上にバラエティ豊かな作品が揃っている。本作の発表から 2 年後に Loud Park 2010 で待望の来日も果たした。

Amon Amarth
ストックホルム

Surtur Rising
🟠 Metal Blade Records ⏺ 2011

3 年の期間を経て戻ってきた 8th アルバム。Amon Amarth の公式とも言える楽曲のバランス感覚は今回も健在だが、テーマについて 4 曲目のように古典的なヴァイキングだけでなく、現代の社会的な関心をテーマとして扱うようになるといった変化が見られる。どっしりとした筋肉質な音作り、ヴァイキングのマッチョイズムにアメリカのメタルファンも唸ったのか、前作以降全米チャートにもランクインするなど商業的にも成功も掴んだ。本作はアルバムジャケットに描かれているスルトのフィギュア付きの限定盤も出回っているので要チェックだ。本作の発表から 1 年後に日本では待望の単独公演も行われている。

Amon Amarth
ストックホルム

Deceiver of the Gods
🟠 Metal Blade Records ⏺ 2013

安定期に入った 9th アルバム。前作よりもさらにメロディに磨きがかかった作品だ。もちろん、根底のデスメタルサウンドは不変かつ洗練されており、安心して聴ける内容だ。1 曲目からメロデスとして見ればパワーよし、リフよし、ソロよしの 3 拍子が揃い、ライヴでは合唱大会が開かれる。3 曲目はこれぞヴァイキングメタルと言わんばかりのミドルテンポなリフを披露。10 曲目はブラックメタルを思わせるメロディーとスケールと正統派のヘヴィメタルの合間を縫う曲であり、壮大な叙事詩を思わせる。本作の後に臨んだ Knotfest Japan 2014 では 30 分という、キャリアを考えると短すぎる時間でもフロアを大いに湧かせた。

Amon Amarth
ストックホルム

Jomsviking
🟠 Metal Blade Records ⏺ 2016

これまでも北欧神話に根付いた作品を出してきたが、10 作品となる本作ではキャリア初のコンセプトアルバムを手がけた。物語は復讐譚であり、戦いと破滅を描いた物語である。バンドの音については以前よりも刺々しさを落としていて、聴きやすい。普遍的なヘヴィメタルの魅力を持っている。市場に迎合したり安易な方向転換はせずとも、己の音を研鑽することで辿り着く境地があることを示した。作品の前後で Johan Hegg はヴァイキング衣装を扱う Grimfrost というアパレルブランドを設立した。また、スマートフォン向けゲーム『Berserker』とコラボするなど、バンドは音楽以外の領域でも存在感を示した。

Amon Amarth
Berserker
ストックホルム
🅐 Metal Blade Records 🅞 2019

新章開幕を告げる、スウェーデン生まれアメリカ育ちの骨太な音が特徴の 11th アルバム。今まで馴染みのあった、叙情的なトレモロリフは、意図的に抑えており、ミドルテンポ主体かつ縦ノリのリフに変化している。本作は、1066 年に起きた、イングランドのスタンフォード・ブリッジの戦いをテーマに採用。アートワークに描かれているのは、イングランド兵を 1 人で 40 人を制した伝説のヴァイキングの姿だ。従来のエピックなメロディーセンスを宿す曲だけではなく、クリーンヴォーカルを使用する新しい一面も覗かせている。これまでは保守的なバンドだったが、本作では柔軟な姿勢が見て取れる。

Amon Amarth
The Great Heathen Army
ストックホルム
🅐 Metal Blade Records 🅞 2022

2022 年発表の 12th アルバム。前作からアメリカ市場を意識したヘヴィネスを重視するようになり、本作もその流れを継承している。これまでのヒロイックなヴァイキング像ではなく、困難に打ち勝つメタファーとしてヴァイキングをモチーフにしており、大胆な Music Video が話題になった 1 曲目は Erick Redbeard なるプロレスラーのために書かれた曲である。7 曲目では Saxon とのコラボ曲であり、NWOBHM のアツさを取り入れつつ Amon Amarth の世界観と両立している。アートワークも KISS の『Destroyer』のオマージュであり、堅苦しさよりもファニーな要素で近年は注目を集める。

ヴァイキングメタルをデスメタルの視点から扱った Amon Amarth

ヴァイキングメタルという音楽をご存知だろうか。北欧神話とヴァイキング時代を題材にした、ヘヴィメタルのサブジャンルの 1 つである。ロックシーンでは、古くは Led Zeppelin の「移民の歌」のように、新天地に想いを馳せる航海者を題材にすることがあった。

やがて、Heavy Load や Manowar のようなヘヴィメタルバンドは、神話やファンタジーに傾倒し、その中でヴァイキングたちの生き様を歌詞に採用していた。「彼らこそが原初のヴァイキングメタル」と呼ぶ声もあるのだが、一大ジャンルとして体系化するに至ったのは、Bathory の貢献が大きい。

Bathory はサタニズムを標榜するブラックメタルから、新たな道を発見した。パワフルで壮大なヴォーカル、民族楽器の使用、そして北欧神話を反キリスト教の代替にした。1988 年発表の 4th アルバム『Blood Fire Death』と、1990 年発表の 5th アルバム『Hammerheart』の 2 作は、ジャンルの古典として知られる。北欧全土に与えた影響は計り知れない。

一方、ヴァイキングをデスメタルの視点から扱った例では、Amon Amarth や Unleashed が代表的である。Unleashed は作品によってはその濃淡は違うが、Bathory ほどキリスト教の否定を下敷きにしているわけではない。彼らのバランス感覚は、Bathory 以前に登場した Heavy Load や Manowar の価値観を引き継いでおり、メロデスでもヴァイキングメタルでは、マッチョイズムが継承されているケースが多い。

ヴァイキングや北欧神話を扱う理由が、ファンタジーへの崇拝か、はたまた反キリスト教の代替手段か、その違いがヴァイキングメタルの音楽的な定義を困難にさせている。パブリブの『ヴァイキングメタル・ガイドブック』で詳しく掲載されているのでチェックされたい。

天才 Dan Swanö が描くデスメタルとメロディーの煉獄

Edge of Sanity

- ⊙ Dan Swanö, Bloodbath, Nightingale, Diabolical Masquerade
- ⊙ 1989 ⊕スウェーデン、エステルイェータランド県フィンスポング
- ⊙ Dan Swanö

Sunlight Studios のプロデューサーとしても知られる Dan Swanö が携わった Edge of Sanity はデスメタル
をより進化させる過程でメロディーを導入し、メロデスの原型、そして欧州型のプログレッシヴ・デスメタ
ルの原型を築いた。現在の視点で見れば、メロデスとプログレッシヴ・デスメタルは明確に異なる理想を追
究している。しかし、どちらも定義が曖昧だった時代では目指す理想が同じだったことを物語っている。
1989 年に Dan Swanö を中心に結成した Edge of Sanity は初期こそデスメタルから始まる。転機となるの
は 1993 年の 3rd アルバム『The Spectral Sorrows』からだ。Carcass の 『Heartwork』と共にメロデス黎明
期を代表する本作は、ヨーテボリ界隈とは異なる姿でメロディーとデスメタルの体系的な姿を描いていた。
そして翌年発表の 4th アルバム『Purgatory Afterglow』によって 1 つの頂点を迎える。1996 年 5th アルバム
『Crimson』はコンセプトアルバムとして、1 曲だけの作品を作り、メロディーとデスメタルの融合を超え
た領域へと向かうようになる。Edge of Sanity は進化を止めることをしなかったが故にメンバー間の対立が
深まり、Dan Swanö 抜きで制作された 1997 年 7th アルバム『Cryptic』を経てバンドは解散する。2003 年
に復活すると今度は Dan Swanö がマルチプレイヤーとして『Crimson II』を発表し、バンドは再度解散する。
Dan Swanö はその後もいくつかのプロジェクトを行うが、そのサウンドにはプログレッシヴな要素が含ま
れている。Edge of Sanity のキャリアを振り返ればデスメタルにおけるメロディーは手段であり、目的では
なかった。常に Dan Swanö は新しい何かを求めていたのだ。

Edge of Sanity
The Spectral Sorrows
フィンスポング
(A) Black Mark Production (C) 1993

黎明期のメロデスを象徴する 3rd アルバム。1st や 2nd アルバムと比較してデスメタルの勢いが半歩後退するが、メロディーという大きな武器を得ることでサウンドは大きく前進した。Edge of Sanity の歩みはメロデスの主流となるルートとはやや異なり、奇しくも同年発表した Carcass の『Heartwork』と同様に、変わり種のデスメタルとしてまずは受け入れられた。きらびやかなギターのチェンジを繰り返しつつ哀愁を生み出す 5 曲目、彼らの音楽性とは縁が無さそうな Manowar のカヴァーが収録された 6 曲目、すでにメロデスの先を捉えゴシックな雰囲気を宿したノリの良い 9 曲目が並んでいる。

Edge of Sanity
Purgatory Afterglow
フィンスポング
(A) Black Mark Production (C) 1994

前作と並んでメロデス黎明期を代表する 4th アルバム。哀愁を伴うメロディーが増加し、曲の構成もシンプルになったことで、現在主流のメロデスの音へ近づく。ヨーテボリとの違いは Dan Swanö の暴力的なグロウルが、デスメタル強度を保っていること。いずれにせよ、メロデスリスナーにとっては、一番親しみやすい。1 曲目は本作の方向性を端的に示しており、デスメタルのフィールドで、滑らかなリードギターの登場は斬新だった。クリーンヴォーカルのみという掟破りを、曲の素晴らしさで黙らせる 5 曲目は、囁くような歌い方に思わず息を呑む。デスメタルにおける非常識は、メロデスの世界では常識になりうることを本作で示した。

Edge of Sanity
Crimson
フィンスポング
(A) Black Mark Production (C) 1996

革新的なアプローチで、バンドの代表作で必ず挙がる 5th アルバム。デスメタルとメロディーの追求の果てに、プログレッシヴ・デスメタルの発展にも影響を及ぼした作品。1 曲で 40 分（実際には 6 つのパートに分かれる）の斬新なスタイルはデスメタルの前衛化、芸術志向に拍車をかけた。制作の背景はジャムセッションによる曲の積み重ねのようで、プログレッシヴロックで見られる起承転結ほど優しくはない。本作は人間が繁殖できなくなった近未来を描いており、その物語が大曲の骨組みだ。Opeth のフロントマンである Mikael Akerfeldt もゲスト参加しており、互いに影響を及ぼし合っていたことが窺える。

Edge of Sanity
Infernal
フィンスポング
(A) Black Mark Production (C) 1997

バンドロゴが元に戻るも、賛否両論になった 6th アルバム。本作は、前作の大曲路線とは異なり、正統派メタルの様相が強まっている。Dan Swanö に時間がなかったため、作詞を複数名に依頼している。他のメンバーが作曲した曲は初期衝動に忠実であり、Dan Swanö の作曲した曲は憂いを帯びており、デスメタルへのこだわりも強くはない。バンド内の確執がサウンドに反映されている。他のメンバーが作曲した 2 曲目は At the Gates のテイストに大味なリフが乗る疾走曲。Dan 作曲の 11 曲目は「The Last Song」という曲名から、Dan Swanö の脱退も秒読みであったことを予感させる。

Edge of Sanity
Cryptic
フィンスポング
(A) Black Mark Production (C) 1997

前作から 9 ヶ月後に発表された 7th アルバム。バンドのリーダーであった Dan Swanö は、よりプログレッシヴな方向へ挑戦したかったようだが、他のメンバーはデスメタルへの回帰を望んでいた。Dan Swanö によればゴシック・ロックを入れることが争点だったようだ。したがって、本作は Dan Swanö が参加せずに制作された唯一の作品である。ヴォーカルは Robban Karlsson が参加しており、クリーンヴォーカルは使用していない。2 曲目や 6 曲目は Entombed のデスエンロール路線の要素も見られ、時代に合わせたようなモダンさとヘヴィな音作りは、レーベルの意向も反映されている。本作の発表から 2 年後に一度解散した。

Edge of Sanity
Crimson II
フィンスポング
🔵 Black Mark Production 🔘 2003

キャリアの代表作『Crimson』の続編と称して制作された 8th アルバム。本作もまた 1 曲で、さらにコピー対策として 44 のトラックに分かれている。ほぼすべてが Dan Swanö の手によって施されているが、セッションギターとヴォーカルの協力もあった。方向性としては 5th とは似ておらず、ソロ作品の Moontower の「II」と称した方がわかりやすい。キーボードによる装飾にはレトロな質感があり、力の入れようがこれまでと少し異なる。2001 年に死亡した Death の Chuck Schuldiner に捧げた本作をもって、Edge of Sanity は Dan Swanö の手によって二度目の眠りについた。

Edge of Sanity 以外でも活躍するマルチプレイヤー Dan Swanö

Dan Swanö はマルチプレイヤーのミュージシャンであり、プロデューサーとしてもデスメタル界屈指の才人である。Edge of Sanity 以外にも、ソロ名義の活動や、数々のプロジェクトに参加している。このコラムではその中でも有名なものを紹介していきたい。

まず、Dan Swanö のソロ名義では 1998 年に発表した『Moontower』がある。「まるで 1972 年に作られたデスメタル」というコンセプトのもと(実際には 1980 年代の後期からデスメタルは登場している)独自のプログレッシヴ・デスメタルを提示。ギターのトーンはハードロック風味で、鍵盤楽器はメロトロンを使用し、レトロな音色を響かせている。

Nightingale も当初は Dan Swanö のソロプロジェクトだったが、後に兄である Dag Swanö が合流しバンド形態で活動することになる。Edge of Sanity で見せたクリーンヴォーカルに活路を見いだした内容である。広義のゴシックロック/メタルを演奏している。

Bloodbath は Opeth の Mikael Åkerfeldt や、Katatonia の Jonas Renkse や Anders Nyström と共に結成したスペシャルなデスメタルプロジェクト。彼らがありし日に熱中した、スウェディッシュ・デスメタルを蘇らせた内容。2022 年にも作品を発表し、精力的にライヴ活動をしている。Dan Swanö はすでに脱退しているのだが、バンドの代表曲「Eaten」は彼が残した遺産で、ライヴでもよく披露している。

Diabolical Masquerade は Anders Nyström が立ち上げたプログレッシヴ・ブラックメタルのプロジェクト。Dan Swanö は当初から裏方で作品に関わっていた。どの作品も素晴らしいが、特に最終作となる 4th アルバム『Death's Design - Original Motion Picture Soundtrack』は 61 トラック収録した架空のホラー映画のサウンドトラックという野心的な作品。

スウェディッシュ・デスメタルシーン裏番長として長きにわたり君臨

Hypocrisy

- ⊖ Pain
- 🕐 1991 🌐スウェーデン、ダーラナ県ルドビーカ
- 👤 Peter Tägtgren, Mikael Hedlund, Tomas Elofsson, Henrik Axelsson

Abyss Studio のプロデューサーとしても知られ、世界中のメタルバンドの制作現場を裏で支えてきた Peter Tägtgren がリーダーを務めるバンドが Hypocrisy だ。日本ではヨーテボリ界隈のメロデスバンドが圧倒的に人気だが、国外に目を向ければ Hypocrisy は彼らと同等かそれ以上の人気を誇る。1991 年の結成当初はスウェディッシュ・デスメタルだったが、作品を重ねるにつれて徐々にメロディーを取り入れていく。3rd アルバム『The Fourth Dimension』によって 1 つの転機を迎えた。典型的なデスメタルから離れる取り組みが、やがて 4th アルバム『Abducted』や 5th アルバム『The Final Chapter』などの彼らの黄金期に繋がっていく。さらに 1996 年にソロプロジェクトであるインダストリアルメタルの Pain が始動するようになると、Peter Tägtgren のマルチな才能はデスメタル以外からも注目を集めた。2000 年以降も活動は続き、その頃に一緒にツアーしたバンドの影響を受けながら、Hypocrisy は 8th アルバム『Catch 22』や 9th アルバム『The Arrival』で音楽性を拡張していった。デスメタル、ブラックメタル、メロデス、ジャンルの枠に縛られずにあらゆるバンドとツアーを組むことが可能な、親和性の高さと幅広いバンドのコネクションが Hypocrisy の現在の立ち位置に繋がっている。Hypocrisy の歌詞にはホラーや SF、エイリアンに関する記述が多い。遡れば子供の頃に見た『未知との遭遇』や『エイリアン』から興味が始まったようだ。2021 年発表の 13th アルバム『Worship』収録の「Chemical Whore」は偶然だが、製薬業界を批判した内容が話題になった。

Hypocrisy
ルドビーカ

Penetralia
🅐 Nuclear Blast 🕑 1992

ルドビーカ出身の Hypocrisy は初期はデスメタルを演奏していたが、時代と共に
メロデスへ移り変わったバンドだ。創始者であるヴォーカル／キーボードの Peter
Tägtgren は、プロデューサーの一面を持つことでも知られる。この 1st アルバム
の音楽性はアメリカのデスメタルスタイルをスウェーデンに輸入したようなもの。
Peter が Malevolent Creation とのセッションに参加し、インスピレーションを得
たことに由来する。同時期にアルバムデビューした Entombed や Dismember とは
異なる、フロリダの風が本作を彩る。なお、5 曲目はレーベルの検閲を受けており、
「God is a...」の中に本来は「Lie」が入るはずだった。

Hypocrisy
ルドビーカ

Osculum Obscenum
🅐 Nuclear Blast 🕑 1993

同年のヨーテボリシーンの盛り上がりに押されてしまい、語られることの少ない
2nd アルバム。中盤で Venom の「Black Metal」のカヴァーが披露されるように、荒々
しいイーヴルな感触が強い。「良くも悪くも」という言葉が悪い意味で働き、その
曖昧さ故に日の目を見ない作品の 1 つである。王道のデスメタルながらも徐々に
何かを掴みかけているのは、ダークなキーボードの旋律からも窺える（しかし本作
で革新的な結果には至ってない）。ヴォーカルを務める Masse Broberg は本作の後
に脱退し、初期の Dark Funeral で歌うことになる。

Hypocrisy
ルドビーカ

The Fourth Dimension
🅐 Nuclear Blast 🕑 1994

この 3rd アルバムから Peter Tägtgren がヴォーカルを引き継ぎ、バンドのロゴも
簡素なものに変更。バンドにとっても心機一転の思惑も強く、メロディアスかつミ
ドルテンポの曲が増えている。しかし Peter は、「プロダクションの弱さが気に入
らなかった」と後に語っている。2 曲目は Carcass に通じる開放感のあるリフチェ
ンジでメロディアスに展開し、機敏のあるギターのソロが見事だ。4 曲目はイント
ロで勝利を確信する荒々しさが活きたバンドを代表する曲だ。タイトル曲である
12 曲目は最もドゥームに沈んだミドルテンポの曲ながら、滲み出るメロディーの
バランス感覚が後年の作品にも劣らない。

Hypocrisy
ルドビーカ

Abducted
🅐 Nuclear Blast 🕑 1996

4th アルバム。1st 〜 2nd アルバムでヴォーカルを務めた Masse Broberg は神話や
宗教に興味があったが、Peter Tägtgren は宇宙人の誘拐をテーマに曲を書いた。作
風は現在の基準ではメロデスに該当するも、ヨーテボリを指しておらず「メロディッ
クなデスメタル」を求める層に届いている。2 曲目はデスメタルの荘厳さと重厚な
メロディーラインが色褪せない、疾走曲だ。3 曲目はドライヴ感のあるトレモロリ
フを撒き散らし、残忍さを表現する。12 曲目はなんとクリーンで歌うバラード。
Peter が提示したもう 1 つの才能は Pain で活かされる。

Hypocrisy
ルドビーカ

The Final Chapter
🅐 Nuclear Blast 🕑 1997

バンド復活の狼煙を上げた 5th アルバム。本作は方向性こそ従来どおりだが、スピー
ディーな曲とスローの曲がより顕著に別れたバラエティに富んだ作品だ。キーボー
ドをより全面に出し、雰囲気を醸し出す 4 曲目はスローかつドゥームな曲であり、
クリーンヴォーカルも多い。9 曲目ではブラックメタルに近い初期衝動が宿った激
しいスクリームを披露する。プロデューサーとしての Peter Tägtgren は多面
的にジャンルを映し出していて器用だ。11 曲目では Razor のカヴァーを披露して
おり、彼らの原点が窺える。当時 Peter が多忙なのもあってかバンドは本作で活動
を辞めたかったようだが、レーベルとファンの熱意を受けて活動を続けていた。

Hypocrisy
ルドビーカ

Hypocrisy
🅐 Nuclear Blast 🅞 1999

1999 年発表の 6th アルバム。当初は『Cloned』というタイトルを予定していたが、心機一転生まれ変わったことをアピールするため、セルフタイトルを採用した。Peter だけでなく、他のメンバーも作曲に関わっている。雑多な印象も否めないが、ジャンル：Hypocrisy をこの上なく体現している。同郷の Therion を想起させるシンフォニックな演出で始まる 1 曲目は破格のスケール感。一転して軽快な切れ味鋭い 2 曲目は荒々しい。5 曲目はクリーン主体の曲で哀愁のリードギターが涙を誘うなどバラエティ豊かだ。楽曲ごとに異なる振れ幅がバンドを孤高の存在に押し上げた。

Hypocrisy
ルドビーカ

Into the Abyss
🅐 Nuclear Blast 🅞 2000

Hypocrisy のキャリアの中でも、ストイックな姿勢が評価された 7th アルバム。前作が心機一転という名で従来の集大成を制作したとすれば、本作は 2nd のようなデスメタルに原点回帰した作品になる。当時 Peter がデスメタル／グラインドコアの Lock Up でヴォーカルをしたことも関わっていると推測され、スピードメタルのような 2 ビートをベースにドタバタとした疾走を繰り広げる曲と、サイバーデスメタルと化したスローテンポのメロデス曲が並ぶ。Peter は「前作はレコーディングに 2 ヶ月を要した」と語るが、本作は 5 週間で仕上げている。ブルータルで初期衝動あふれる内容だ。

Hypocrisy
ルドビーカ

Catch 22
🅐 Nuclear Blast 🅞 2002

従来のファンからは賛否両論になった 8th アルバム。In Flames のモダン化の波、Slipknot の台頭に触発された作品だ。タイトルの由来はジョセフ・ヘラーの小説だが、当時のモダン化の流行と自身の音楽性の葛藤、ジレンマの意味合いが強い。デスメタルにしてはパワー控えめ、バンドなりの商業主義への迎合が感じられる。前のめりに疾走していくデスラッシュの 1 曲目こそ仕上がりはカッコいいが、ニューメタル調のダンサブルなリフに真顔になってしまう 4 曲目や KoЯn のように不協和音を取り入れた 6 曲目は微妙で、全体の手応えも今ひとつ。当時の流行の音の導入は Hypocrisy にとって相性が良くなかった。この年にドイツの Fleshcrawl と初来日公演を実施。

Hypocrisy
ルドビーカ

The Arrival
🅐 Nuclear Blast 🅞 2004

2004 年発表の 9th アルバム。前作の反省を活かし、4th や 5th のようにエイリアンをモチーフにした愛すべき Hypocrisy 像で戻ってきた。しかし音楽性の模索は続いており、当時一緒にツアーしたバンドの影響を受けた作品だ。Peter の歌唱は Children of Bodom の Alexi Laiho を思わせる高音域のスクリームを取り入れた一方で、Soilwork のようなモダンなテイストのリフを使い、キャッチーになった。2 曲目は新たなキラー曲として受け入れられた。5 曲目のようなヘヴィさを追い求めた曲が中盤で緊張感を生み出し、7 曲目以降のライトな路線を際立たせている。

Hypocrisy
ルドビーカ

Virus
🅐 Nuclear Blast 🅞 2005

長年バンドを支えた Lars Szöke がバンドを去ったため、新たに Immortal でもドラムを叩いている Horgh が加入した 10th アルバム。本作はキーボードの使用は控え、より 3 人のアンサンブルを意識しており、新たな門出と共に最高傑作の声もある。「これぞスウェディッシュスタイル」なメロウかつ攻撃的なリフ、薄っすらとクワイヤを挿入する 1 曲目は最速かつ最高の曲の 1 つ。オールドテイストで筋肉質なリフとメロディーのハーモニーを感じる 3 曲目は、Exodus の Gary Holt が参加している。Hypocrisy では珍しいネオクラシカルなアプローチを試みた 8 曲目は、新鮮な発見がある。

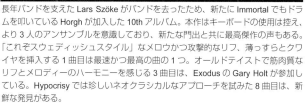

Hypocrisy
A Taste of Extreme Divinity
ルドビーカ
🔵 Nuclear Blast ⏱ 2009

2009 年発表の 11th アルバム。前作の手応えを受けてか、現状のスタイルを追い求めることを選んでいる。ヘヴィネスでデスメタルに根ざしたメロデスを披露しているが、一部ブラックメタルに近い演奏も見られる。1 曲目からたぎるようなリフでスタートし、変わらぬ Hypocrisy 節と壮大な演出ですでにクライマックス。バンドの勝ちパターンをよく再現している 2 曲目も、甘いメロデス好きでは火傷しそうな厳しさを見せており、合間に仕込んだ演出がベテランらしめている。同じスウェーデンのバンドと比較しても、Hypocrisy はそのスタイルの一貫性が評価されていることを物語る作品である。

Hypocrisy
End of Disclosure
ルドビーカ
🔵 Nuclear Blast ⏱ 2013

前作から 4 年後に発表された 12th アルバム。本作は 9th の時同様に Peter の趣向が反映されており、エイリアンや UFO をテーマにしている。それに伴い、デスメタルの生々しさが前作に比べると弱い。典型的なメロデスと呼ばせない雑多な影響には、Peter のサブプロジェクトの Pain でのフィードバックもありそうだ。怪しいメロディーがベールのようにサウンドを彩る 1 曲目、リフが Exodus の某曲に似ている 3 曲目もチェックだ。冒頭が CBS のテレビ番組『The 4400』のオマージュから始まる 5 曲目は、宇宙人に拉致された人々を歌ったもので、Peter のエイリアンフリークならではの曲。

Hypocrisy
Worship
ルドビーカ
🔵 Nuclear Blast ⏱ 2021

8 年ぶりの帰還となる 13th アルバム。実際には 2019 年にはほぼ完成したようだ。手がけた作品が積み重なるにつれて、その影響を飲み込んでいくバンドだったが、前作に比べて音楽性には大きな変化は見当たらない。それを象徴するのが宗教的な崇拝という意味よりも、自身の歩んできた 90 年代のデスメタルに対する崇拝を意味する 1 曲目。そして 4 曲目は息子の Sebastian Tägtgren が作曲したもので、Hypocrisy の音楽に潜むブラックメタルの要素を再発見している。なお 2 曲目は医者と製薬会社が手を組んでいることを告発した歌詞が話題を呼んだが、コロナ禍よりも前に本曲は完成していたとのこと。

Hypocrisy Interview

回答者：Peter Tägtgren（ヴォーカル＆ギター）

Q：Hypocrisy は 30 年、Pain は 25 年の歴史があります。どちらも、息子さんが生まれる前に立ち上げたことになりますね。これまでの長いキャリアを振り返った時の気持ちはいかがですか？
A：いろんな学習の過程だったと言えるかもしれないね。曲の書き方を学んだり、ビジネスに対処する方法を学んだり。そう、常に勉強してきたんだ。まさに学習の過程であり、

成果と言えるね。
Q：Hypocrisy の出身地のルドビーカはストックホルムとヨーテボリの中間に位置していて、ノルウェーのオスロにも近いです。中間地点に生まれたことが、今の Hypocrisy の音楽スタイルの原点にも繋がると思っていますが、いかがでしょうか？
A：ルドビーカはオスロとストックホルムのちょうど中間、まぁ実際にはちょっと北にあるんだが、俺はすごく奥まったところに住んでいてね。それがデスメタルにどう影響しているかはわからないけど、1970 年代、

1980 年代、1990 年代とずっと音楽を聴いて育ってきた。まぁ自分自身が育ったものに影響を受けることが良いのか悪いのかはさておきね。Hypocrisy を始めた時期そのものよりも、それ以前の過去の出来事に影響を受けている。当時のストックホルムで何が起こっているのか、そしてヨーテボリについても Hypocrisy が始まった時には考えもしなかった……森の中に住んでいたからさ。

Q：Hypocrisy 結成前に渡米しており、1st アルバムと 2nd アルバムには当時のアメリカのデスメタルシーンの影響が感じられますね。両方の地を見てきたということで、アメリカのデスメタルとスウェーデンのデスメタルの違いについて教えてもらえますか？

A：1988 年から 1991 年までアメリカに住んでいたけど、その頃はデスメタルが爆発的に流行り始めた時期でね。バッファロー出身でフロリダに移ったバンドもいたけど、ほとんどの物事がフロリダ周辺で始まったんだ。最初の 2 枚のアルバムは、アメリカンスタイルのデスメタルに影響を受けているね。スウェーデンや北欧のデスメタルとアメリカの違いだが、スカンジナヴィアのほうはもう少し原始的だと思う。アメリカはより複雑でテクニカルだね。

Q：なるほど。これはあくまで私見ですが、アメリカのデスメタルといえば、恐怖と死体への愛がイメージされます。しかし、ヨーロッパのデスメタルを見ると、恐怖と死体愛だけ

がデスメタルの価値観とは限りません。これは音楽に限りませんが、アメリカとスウェーデン、あるいはヨーロッパで文化の違いを感じることはありましたか？

A：正直なところあまりない。歩けるようになった頃からアメリカの映画を見て育ってきたから、そういう意味ではあまり大きな違いも感じなかったかもね。

Q：スウェーデンに戻ってからは、ヨーテボリでメロディック・デスメタルが爆発的に流行しました。NWOBHM に影響され、毎日新しいバンドが誕生していた当時のヨーテボリのシーンをどのように見ていましたか？

A：これも正直なところ、ヨーテボリのシーン自体を見ていなかったよ。At the Gates の『Slaughter of the Soul』が唯一ヨーテボリから登場した中で自分も注目したアルバムかな。他のバンドが何をやっているのかとか、そういうことは気にせずに自分のことをやっていた。そんな感じだよ。

Q：『Abducted』は、Hypocrisy の物語における第 2 章の始まりです。作品のテーマにエイリアンを取り入れたことで、他のデスメタルバンドとは異なる精神性を持っています。当たり前のことをお尋ねしますが、エイリアンを信じますか？　地球以外の惑星に生命が存在するかどうかは、未だ不明な点が多々ありますが、どんな考えをお持ちですか？　また、NASA のアポロ 11 号は本当に月へ到着したと思いますか？

A：もちろん、地球以外の惑星にだって生命はいるに決まってるよ。銀河は何兆もあるし、きわめて稀な確率で俺たちだけが存在するなんてありえない。月に人類が行ったことがあるかどうかは……俺はあると信じてるよ。でも NASA とかそういう公的な組織ではなくて、普通の人間には理解できない秘密の宇宙計画で行われたんじゃないかと思ってるんだ。

Q：私も学生時代、SF ドラマ『X- ファイル』をよく見ていました。あなたにとってのベストドラマは何でしょうか？　他の SF 映画やドラマにも興味があり、Netflix を利用しているのでしょうか？

A：『X- ファイル』は、1994 年から 1995 年に見た時には本当に良いエピソードがいくつかあった。1970 年代からエイリアンというテーマにのめり込んでいたから、エイリアンについて描かれたエピソードはいつも最高だった。映画版もとてもよかったと思うよ。映画版の『X- ファイル』は確か 3 作か 4 作やっているけど、どれも本当によかった。想像力がかきたてられる感じがたまらないね。

Q：Netflix についてはどうでしょうか？

A：Netflix でいいものを見たことがないんだ。

Q：韓国の SF ドラマ『静かなる海』は好みではありませんか？

A：『静かなる海』か……まあまあだったかな。いい話だよ、まぁいかにもって感じだけど。

Q：前作『End of Disclosure』から『Worship』を発表するまでに、8 年ものインターバルが空きましたね。とはいっても、宇宙の歴史の中ではわずかな誤差かもしれません。『Worship』で新たに取り入れたテクニックを教えてもらえますか？

A：特にない。何も新しいことはないと思う。ただ、自分のスキルが何なのか、どうやって曲を書くかの工程は完全に把握している。そして、同じ材料で書くことで、少しずつ賢くなり良くなったと思うんだ。このアルバムでは、あえて新しいものを作ろうとはしなかった。むしろ今まで以上に Hypocrisy らしい作品にしようとしたんだ。

Q：これまで世界中のバンドをプロデュースしてきましたね。当時、担当していたバンドの影響が Hypocrisy のサウンドに反映されることはありませんか？　担当したバンドの中で、思いがけず商業的に成功したバンドはいましたか？

A：俺がプロデュースやレコーディングを手がけたバンドには、何もないところからビッ

グネームになった連中がたくさんいたよ。もちろん、それは俺のおかげじゃなくてバンドの努力の賜物だし、たまたま適切な時期に適切な場所にいただけさ。俺とレコーディングを始めるまでの Dimmu Borgir は平凡なバンドだったかもしれないけど、その後は爆発的に売れた。俺がレコーディングしたものと、それ以前のアルバムのサウンドは同じバンドとは思えないほどだよね。

Amon Amarth も最初に出した EP は別のスタジオで途中まで行ったんだけど、そこで大トラブルに陥ったので俺に電話を寄こしてきて、エンジニアをやってくれないかと頼んできた。その結果、現在の彼らは本当に素晴らしい成功を収めているよね。彼らのために曲を書いたわけではないし、俺は手柄を立てたわけではなく、彼らがより良いサウンドを得られるようにと手助けしただけさ。もし自分に影響を与えたバンドがいるとしたら……そうだな、1980 年代半ばに聴いていて本当に楽しかった Celtic Frost や Destruction などのバンドとも仕事ができたんだ。他にも影響を受けてきたバンドと一緒に仕事ができたケースがあるよ。例えば Possessed も 1980 年代によく聴いていたけど、彼らの 2018 年の復活アルバム『Revelations of Oblivion』も俺がプロデュースして、エンジニアも務めたんだ。

Q：Sabaton についてはどうでしょうか？

A：実は、俺の兄（Tommy Tägtgren）が最初に Sabaton のレコーディングを手がけたんだ。Sabaton の初期のデモやアルバムを作ったんだよ。その後、Sabaton は俺のところで何枚もアルバムを作って素晴らしい結果を残しているのさ。

Q：Fredrik Nordström はスウェーデンのプロデューサー業界において仕事仲間であると同時に商業的な競争相手でもあります。どのような点で Studio Fredman より優れていると思いますか？

A：世界中のプロデューサーは皆、自分のス

タイルを持っているんだ。それは好みの問題だと思う。彼は彼のやり方で音楽を制作し、俺は俺のやり方で音楽を制作する。そのやり方が間違っているということはないんだ。俺の答えとしては「皆同じことをやってくれるけどプロセスが違う」ということさ。

Q：常にプロデューサーとして、またバンド活動も同時に行っています。バランス感覚を保つ秘訣は何でしょうか？

A：もうあんまりプロデューサー業はやらないかな。同じ材料で何度もケーキを焼いたような感じで飽きちゃったんだよ。もうお腹もいっぱいだし。今は、違ったものや俺が尊敬できるものを探してるんだ。それと同時に自分たちのバンドを持つのもいいかもしれないな。1990 年代からずっとバンドのレコーディングを手がけてきたけど、その後は 1 人で曲を書いたりしてたから、何かしら影響を受けたんだよ。今でも影響は受けてるはずさ。レコーディングの現場でね。

Q：残念ながら、前回は日本の他の都市には来ることができませんでしたが、近いうちに来てくださいね。日本には宇宙人博物館があります。ぜひ、遊びに来てください。

A：全く知らなかったよ！ 前回は 2019 年に行ったからそんなに前じゃないんだけどね。あれ 2018 年だったかな？ いやいや 2019 年だったね。いずれまた日本へ行けると良いんだが。

Q：最後に、日本のファンに向けてメッセージをお願いします。

A：ニューアルバムの完成を楽しみに待っていてほしい。日本は俺にとって、本当に特別な場所でね。ユニークで素晴らしい君たちの国に戻りたくてたまらないよ。できるだけ早いうちに戻りたいと願っている。

A Canorous Quintet
ストックホルム

As Tears
🅐 Chaos Records 🌐 1995

ストックホルム出身のバンドが複数のデモを経て発表した 1st EP。元 Amon Amarth で知られるドラマーの Fredrik Andersson が若い頃に作曲で携わり、この バンドでギタリストとしてキャリアをスタートしていたことを知る者は少ない。前 身となる A Canorous "Quartet" が解散、5 人組になって復活したので A Canorous "Quintet" に名称を変更。当初はデモ音源にする予定だったがシーンで好評となり、 Chaos Records から EP として発表した。アコースティックギターからインスピ レーションを受けたという逸話で知られるように、センチメンタルな古典メロデス の調べはこの時点でも強力。本作は Dan Swanö によるプロデュース。

A Canorous Quintet
ストックホルム

Silence of the World Beyond
🅐 No Fashion Records 🌐 1996

EP から 1 年後に発表したバンドの代表作にして名盤の 1st アルバム。伝統的なメ タルを重んじ、ツインリードのハーモニーで美しさを表現、疾走とスローテンポが 対等に重きを置いた、緩急のある展開が聴きどころだ。ブラックメタル寄りのテン ポの 3 曲目は激アツのトレモロで涙が避けられない。一転してメロウなクリーン トーンのギターが登場する 4 曲目は前半こそゆったりとしたテンポだが、後半では 嵐のように激しく展開しカタルシスを解放する。すでに Dan Swanö が有名となり、 多忙だったので本作は Hypocrisy の Peter Tägtgren にマスタリングを依頼している。

A Canorous Quintet
ストックホルム

The Only Pure Hate
🅐 No Fashion Records 🌐 1998

1st アルバムの存在感に、押され気味な扱いの 2nd アルバム。1st アルバムは自己 の内面をポエティックに描く方向性だったが、本作は音がパワフルになりデスメタ ルらしくなっているのが特徴。これまで部分的に用いられていたキーボードは本作 では出番がない。1st の Dissection のような猛進さとメロディアスな旋律が絡み合 う 2 曲目も、ヨーテボリ出身のバンドとは異なる味わいを生んでいる。後半では エピックな世界観で魔法の物語が 3 部に渡って描かれている。本作発表後に解散し たが、後述する This Ending とは異なるバンドとして 2016 年に再始動。

A Mind Confused
ストックホルム

Anarchos
🅐 Near Dark Productions 🌐 1997

ストックホルム出身。HM-2 を歪ませたバズソーリフに At the Gates や Gates of Ishtar のラフな疾走感を兼ね備えたバンドだ。メロディーはリフとトレモロの 中に巧妙に仕込んでおり、切れ味のあるデスメタルこそが根本にあることが窺 え、硬派な仕上がりとなっている。同じメロデスでもヨーテボリとは違う味付け は、Dismember のドラマー Fred Estby のプロデュースによる微妙な調整によるも の。この 1st アルバムで解散となるが、後年フィンランド語で「極夜」を意味する Kaamos という後継バンドを新たに結成。Kaamos ではメロディーラインを削ぎ落 とし、粗暴で前のめりのスウェディッシュ・デスメタルを演奏している。

Bleeding Utopia
ヴェステロース

Demons to Some. Gods to Others
🅐 WormHoleDeath 🌐 2012

スウェーデン中部のヴェステロース出身。自らもスタジオとレーベルを所有する ギターの Andreas Moren が中心となり結成。この 1st には 2003 年から 2010 年ま でに Andreas が作曲したものを中心に収録。その音楽性は At the Gates や Amon Amarth などデスメタルの質感を求めつつ、甘すぎないメロディーを一匙加えた硬 派なサウンド。一昔前のメタルコアにありそうなアートワークからも窺えるが、単 なる懐古主義でもなく、The Black Dahlia Murder のようなドライヴ感のある単音 リフもある。硬派なリフと裏打ちの重量感のあるドラムで攻める 2 曲目、メロデ ス／メロブラを共に感じつつ叙情的な方面へ挑戦した 6 曲目が並ぶ。

Bleeding Utopia
ヴェステロース
Darkest Potency
🔵 Bleeding Music Records 🔵 2014

2014 年発表の 2nd アルバム。基本的な方向性は変わらず、本作の前にヴォーカルとドラムが相次いで脱退しており、本作では David Ahlen がベースとヴォーカルを兼任し、アメリカ人ドラマーの Kevin Talley がサポートで参加。もっともメンバーチェンジによるサウンドの影響は少なく、むしろ Dying Fetus や Six Feet Under で知られる Henrik Wenngren のドラムのエンジンは楽曲の説得力を上げるに至っている。ゴリゴリの単音リフにヘヴィメタルの気持ちよさを体現している 2 曲目や、無慈悲になぎ倒すように疾走する 4 曲目など、メロディーにもデスメタルにも余念のない仕上がりだ。

Bleeding Utopia
ヴェステロース
Where the Light Comes to Die
🔵 Black Lion Records 🔵 2019

Black Lion Records に移籍後、発表した 3rd アルバム。Joakim Bergros の脱退に伴い、新たにギターを Kristian Gustavsson とベースの Iiro "Ipe" Jarva を迎えた 5 人体制での発表になった。メンバーチェンジに伴い、サウンドもよりダークに変化している。一部の曲ではブラックメタルのようなアプローチにいっそう近づいた。その中でも 3 曲目は冒頭で David Ahlen のおならの音がなんとカットされずにそのまま収録されている。The Black Dahlia Murder への愛が実ったのか Ryan Knight がゲストでソロを披露している。

Carnal Forge
サーラ
Testify for My Victims
🔵 Candlelight Records 🔵 2007

サーラを拠点とする Carnal Forge は In Thy Dreams の後継バンドである。Carcass の『Heartwork』の曲名に由来する同バンドはデスラッシュバンドという認識が一般的だが、メロデスと遜色ない作品もある。Candlelight Records 移籍後のリリースとなる 6th アルバムは攻撃的な部分よりも、テクニカルな方向へと進むようになる。特に Jens C. Mortensen のメロディー混じりのスクリームが象徴的。やはりデスラッシュの真髄は 3rd アルバム『Please... Die!』に軍牌が上がる。一度は解散したが 2019 年にはデスラッシュ路線へ回帰した復活作を発表。

Carnal Grief
アルボガ
Out of Crippled Seeds
🔵 Trinity Music Hong Kong 🔵 2004

ストックホルムから西に 60km ほど離れたアルボガ出身。デモ時代には HammerFall や In Flames でベースとして在籍していた Johan Larsson が参加していたが、この 1st アルバム発表前に脱退済だ。その音楽性はスウェーデンの地では珍しく Carcass からの影響を強く受けたスタイルを得意とする。安易にメロディックに走るわけではなく、まずデスメタルありきの硬派さを提示している。お世辞にも音質は良くないし貧相でもあるが、剥き出しのサウンドを好む層もいる。線の細いリードギターの貧乏臭さに涙があふれる 2 曲目や、スラッシュテイストなリフに Carcass の面影を感じる 5 曲目が並ぶ。

Carnal Grief
アルボガ
Nine Shades of Pain
🔵 GMR Music Group 🔵 2006

前作に比べると音質や演奏力も比較的向上した 2nd。Arch Enemy の初期 3 作に通じる適度なデスメタルと、耳に残るキャッチーなツインリードギターが持ち味の作品。すでにメタルコアが市場を席巻していた時期で、サウンドは 10 年遅れである。しかし、クリーンヴォーカルの採用といったモダンな方向には意地でも靡かない姿勢は安心できる。交互にソロが展開する 1 曲目はオープニングとしてふさわしい出来。単なる疾走だけでなく、緩急をつけて盛り上げるものもあり、4 曲目のように叙情的な旋律が印象的な曲もある。現在は活動停止中のようだ。

Centinex
へーデモラ（前期）アーベスタ（後期）

Reflections
🅐 Diehard Music 🔘 1997

スウェディッシュ・デスメタルの黎明期に産声を上げたダーラナ郡へーデモラ出身（後期はアーベスタ）の Centinex は 1st 〜 2nd の時期はダーティーなスウェディッシュスタイルを披露していた。以前からソロにメロディーを取り入れる様子は確認できるが、メロデスが強調される転機になったのはこの 3rd アルバムからであろう。Hypocrisy のベースである Mikael Hedlund のプロデュースにより、キーボードの導入とメロディー主導のリフを中心にした作曲スタイルは Edge of Sanity や Hypocrisy、Necrophobic を想起させる内容へ転身。シーンの中心にあったヨーテボリスタイルとは距離を置いていたが、故に持ち前の残虐性が強い内容。

Centinex
へーデモラ（前期）アーベスタ（後期）

Reborn Through Flames
🅐 Repulse Records 🔘 1998

Repulse Records に移籍後、発表した 4th アルバム。メロデスのブームに接近した前作とは異なり、スラッシュメタルの軽快さを背景にデスメタルを組み合わせた以降のデスラッシュ路線の先駆けといえる内容だ。ドラムマシン時代の最後の作品でもあるのだが、均一化された音は生々しさよりも無機質な味わいが強くなり、感情的な Mattias Lamppu のヴォーカルと相性も良く、違和感は少ない。メロディアスなリフに吐き捨てヴォーカルを重ねた 2 曲目、ブラックメタルの邪悪さにインスパイアされた 7 曲目も素晴らしいが、何より Kreator の初期の名曲をカヴァーした 5 曲目こそ、当時の彼らにとって目指すべきデスメタルの姿だったかもしれない。

Centinex
へーデモラ（前期）アーベスタ（後期）

Hellbrigade
🅐 Repulse Records 🔘 2000

2000 年発表の 5th。本作からドラムに Kennet Englund が加入し、ヴォーカルは Johan Jansson に入れ替わっている。Peter Tägtgren をプロデューサーに迎えたのは 1996 年の 2nd 以来だが、プロダクションの質は大きく向上、音数の暴力のような疾走重視のデスラッシュと、ミドルテンポの曲ではメロデスを両立させた中期の代表作だ。オープニングである疾走曲の 1 曲目の中にもギターの肉盛りにキーボードを使用していたり、8 曲目でも荘厳なクリーンヴォーカルを取り入れる場面もあるのだが、演奏の力強い説得力で調和を実現しているのが見事。なお、本作のアートワークはドイツの写真家 Hermann Claasen の作品を加工したものを使用している。

Centinex
へーデモラ（前期）アーベスタ（後期）

Diabolical Desolation
🅐 Candlelight Records 🔘 2002

Candlelight Records に移籍した 6th アルバム。以後の Centinex は At the Gates 影響下のデスラッシュ要素が強まっていくが、本作はその過渡期でありながら切れ味の良い演奏にキーボードによる装飾が印象的な作品だ。部分的にシンフォニック・ブラックメタルの影響を受け、貫徹と荘厳さを兼ね備えている。2 曲目や 3 曲目のドタバタした疾走曲は期待通りだが、何よりタイトルチューンの 5 曲目は叙情メロディーと部分的に取り入れたシンフォニックサウンドによってドラマ性がこれまで以上に強調された。ピュアなデスラッシュを望む上では不純物とも言われかねない賛否両論の変化だが、彼らなりに時勢を見ながら選んだ選択肢なのであった。

Desultory
ストックホルム

Into Eternity
🅐 Metal Blade Records 🔘 1993

1989 年に始動したストックホルム出身バンドが 1993 年に発表した 1st アルバム。名プロデューサー Tomas Skogsberg を招いた本作のサウンドはローファイなスウェディッシュ・デスメタルの系譜だが、極端なダウンチューニングはせずミックスもクリア。あの当時、ストックホルムの地で最もメロディーとデスメタルの融合に成功していたと言っても過言ではない。2 曲目や 4 曲目は 80 代後期の邪悪なスラッシュメタルの残り香が漂うが、一転して 3 曲目はスウェディッシュ・デスメタル由来のメロデスであり、長尺のギターソロとベースが絡み合う姿が美しい。この 1 枚の中だけでもいかにバンドが過小評価されてきたかがわかる。

Desultory
ストックホルム

Bitterness 🅐 Metal Blade Records 🅞 1994

前作からわずか 1 年後に発表した 2nd アルバム。すでに 1st とは別バンドと思う
ような変化がいくつか見られる。前作のようなスラッシーなリフは使用せず、メロ
ディーが中心となり、曲の輪郭を整えている。これは恐らくヨーテボリからの影響
であろう。ミドルテンポの曲も増えており、歌い方もグロウルから少し歌詞が読み
取れる程度のスクリームに変化。曲の雰囲気は初期の Dark Tranquillity に通じ、仄
かな美しさを持つのも特徴。なお、3rd ではデスンロール路線へと向かってしま
い、一気に人気が冷え込み、そのまま解散した。2009 年に活動を再開し、初期の
路線に沿った 2 枚の作品を発表している。

Dismember
ストックホルム

Massive Killing Capacity 🅐 Nuclear Blast 🅞 1995

Entombed と並びスウェディッシュ・デスメタルの代表格である Dismember も時
代の流れに逆らえず、デスメタル／メロデスに至る時期があった。この 3rd は、プ
ロダクションも正統派メタルに近いものに変化。歌詞もゴアやスプラッターは使わ
れなくなった。もちろん、それまで培ったデスメタルの鎧は残っており、メロディー
はその鎧の装飾にすぎない。強固でヘヴィな Dismember のリフは本作でも健在だ。
しかし、急激な音楽性の変化は、スウェディッシュ・デスメタルの凋落と重ねる論
調もあり、従来のファンからは賛否両論の作品だった。

Dismember
ストックホルム

Death Metal 🅐 Nuclear Blast 🅞 1997

そのものズバリのタイトルで勝負に出た 4th アルバム。当時 Dismember はレーベ
ルから「デスメタルは死んだ、もう売れない」と言われていたが、「今までも、そ
してこれからもそうであり続ける」という皮肉めいた決意表明のために、本作を
『Death Metal』と名付けたようだ。アルバムの曲もそれを象徴するように、ストッ
クホルム発祥の荒々しい様式とメロディックな様式の両方を担うスタイルを披露。
オープニングを飾る 1 曲目も、以前に増してメロディアスで後半の流れは激アツ。
だからこそ Nuclear Blast から「In Flames みたいなの頼むよ」と言われたであろ
う 11 曲目の存在も際立つ。

Dismember
ストックホルム

Hate Campaign 🅐 Nuclear Blast 🅞 2000

Dismember にはたびたび Nuclear Blast から売れ線のパワーメタルへ作風を変える
ように指示があったようだが、それには従わず 5th アルバムでオリジネーターとし
ての存在感を示すようになった。ベースに Arch Enemy に在籍経験のある Sharlee
D'Angelo を迎えている。アグレッシヴかつ音圧強めの曲が増えており、自身のア
イデンティティーが強調されている。7 曲目はツインリードのハーモニーと単音リ
フのカッコよさに震える。8 曲目は歌詞のテーマから Slayer の「Angel of Death」
にインスパイアされた節が見受けられる。

Dismember
ストックホルム

Where Ironcrosses Grow 🅐 Karmageddon Media 🅞 2004

2004 年に発表された 6th アルバムは、Nuclear Blast から離れてのリリースとなった。
前作発表後にレーベル、メンバーのパーソナルな問題も相まって、活動を縮小し充
電を余儀なくされた。スウェーデンの Cannibal Corpse を名乗るような強固な意志
を感じる作品だ。原点回帰を感じさせる 2 曲目では、都会的な雰囲気をまとう。5
曲目の歌詞では、デスメタル／ドゥームメタルの Autopsy の崇拝を語る場面がある。
Dismember は 1st アルバムが人気だが、自分たちの初心に戻ってきたことも踏まえ、
本作はファンの中でも人気の高い作品。

Dismember

The God That Never Was
🅐 Regain Records 🅒 2006

Sins of Omission でも活動していた Martin Persson を迎えて制作した 7th。ドラマーの Fred Estby の指揮のもと制作され、これまで以上に無駄を削いで凝縮した作品だ。バンドの象徴である HM-2 サウンドを背景に、ツインリードのハーモニーと疾走感、どの曲からも迷いのなさが伝わってくる。ついにデスメタルの先人たちの名を曲名に採用して直接的なオマージュとトリビュートを披露する 4 曲目、オールドスクールなデスメタルだけでなく 1980 年代のメインストリームなヘヴィメタルの影響を感じるインスト曲の 7 曲目も必聴。Dismember というデスメタルの背景には、多様なヘヴィメタルの趣向が隠されていることに気付かされる内容。

Dismember

Dismember
🅐 Regain Records 🅒 2008

セルフタイトルの 8th アルバム。バンドの実質的な司令塔であったドラムの Fred Estby が家庭環境を理由に脱退、新たに Thomas Daun が加入している。上記の背景もあってか、以前よりもセルフオマージュしている傾向が強い。その半面、前作よりもメロディアスな旋律が減っている。これは軽快な疾走感と沈むようなドゥームのバランス感覚を追い求める上では仕方ないのだが、テンポが以前までの初期衝動的な感覚ではなく、精巧さを追い求めている。バンドは 2011 年に活動休止するが、やがて Scandinavia Death Fest 2019 にて初期メンバーでライヴ活動を再開している。

Dispatched

Motherwar
🅐 Music for Nations 🅒 2000

Dispatched は 1991 年から活動を始めていた古参のバンドであり、Daniel Lundberg が唯一のオリジナルメンバーである。Running Wild や Helloween の影響を語るように、メロデスを装っているのだが、実際にはジャーマンメタル影響下の作品である。日本ではアルプス一万尺で知られる「Yankey Doodle」のフレーズを引用した曲があることから、リーダー Daniel のクラシック好きな一面が窺える。Europe の「The Final Countdown」のカヴァーは、Norther のヴァージョンよりも疾走感がある。Europe をカヴァーすること自体、Dispatched のほうが一足早い。

Dispatched

Terrorizer (The Last Chapter...)
🅐 Medusa Productions 🅒 2003

ドイツの Medusa Productions から発表した 2nd アルバム。Mika Jussila や Anders Fridén が制作に関わっているようだが、まずプロダクションは劣悪というほかない。Abyss Studio で収録した 1st アルバムの方がマシという不思議な作品。しかし Dark Moor の 1st や Dies Irae で耳を鍛えた往年のクサメタラーであれば、受け入れることも可能だ。メロスピ的な疾走曲の 7 曲目やケルティックなアプローチを試した 8 曲目など、1st アルバムとは違う路線の模索が見られた。本作をもってバンドは一時解散するが、2021 年に復活し、2022 年に『Warfare』を発表した。

Dominion Caligula

A New Era Rises
🅐 No Fashion Records 🅒 2000

ストックホルム出身。元 Hypocrisy の Masse Broberg が、Dark Funeral 加入後に行動を共にしていた Matti Mäkelä と Robert Lundin と共に新たに結成したバンドだ。実はメンバーの多くは 1992 年に EP を発表後に、解散した Obscurity というカルトデスメタルの関係者である。この唯一のアルバムの音楽性はブラックメタルではなく、デスメタルの重量感を宿したメロデスに該当する。地中海を思わせるリフやキーボードの装飾と共に、ドゥーム重視のスタイルを披露している。ブラックメタルとは正反対のスタイル故にか、さほど大きな注目を浴びることはなく、現在も再発されていない。

Ebony Tears
ストックホルム

Tortura Insomniae
🅐 Black Sun Records 🅔 1997

ストックホルム出身バンドの 1st アルバム。初期の At the Gates や In Flames に確かにあった北欧トラッド要素を掘り下げ、ヴァイオリン奏者がゲスト参加しているのが大きな特徴である。1 曲目は仄かなゴシック要素とスラッシュ系のバタバタ感が勢い良く、3 曲目はまさにギターとヴァイオリンのユニゾンが堪能できるミドルテンポの曲であり、事前にハンカチが必須だ。女性ヴォーカルの挿入で美と醜を照らし出す様子はメロデスの 1 つの完成形を提示。7 曲目は、当時としては前衛的かつテクニカルなイントロで彼らの技量の高さが感じられる。邦題「眠れぬ夜の物語」という文言に偽りなしのメランコリックな作品だ。

Ebony Tears
ストックホルム

A Handful of Nothing
🅐 Black Sun Records 🅔 1999

Ebony Tears は作品によってその姿を変えてきた。前作から 2 年後に発表された 2nd アルバムでは正式メンバーが 2 人だけとなり、ドラムとヴァイオリンをサポートで賄っている。バンドのロゴからも窺えるが、前作までの叙情メロデスが嘘のようにデスラッシュに転換した。とはいえ、元の演奏力とアレンジが優れており、違和感のない仕上がり、かつ前作で物足りなかった音質面が改善されている。2 曲目はまさに At the Gates に捧げると言わんばかりの疾走曲であり、鋭利な単音リフで切り刻まれそうだ。すでに廃盤になっているが、デスラッシュを語る上では外せない作品の 1 つなので、ぜひチェックしたい。

Ebony Tears
ストックホルム

Evil as Hell
🅐 Black Sun Records 🅔 2001

初期作と甲乙付けがたい傑作と評価される 3rd アルバム。前作以上にデスラッシュの色合いが増しており、Björn Engelmann によるマスタリングによって機械的で無機質な感触が強まった。この時期のメロデスの流行をある意味露骨に反映させた作品だ。しかし、その品質自体には疑いはなく、ハードコアの影響も窺える筋肉質な作風になっている。正統派メタルの要素を残しつつも、デスラッシュとしての激しさを追い求めた 2 曲目を筆頭に無慈悲な疾走感を極限まで追究している。惜しくもバンドは本作リリースの翌年に解散したが、初期も後期の作品も現在では評価されており、市場でもプレミアがついている。

Eternal Oath
ストックホルム

Righteous
🅐 Greater Art 🅔 2011

1991 年にストックホルムで結成したバンドが、2002 年に発表した 2nd アルバム。作品ごとに傾向が異なり、2nd アルバムは彼らのメロデスの要素が最も表現されている作品である。Studio Fredman にて収録された本作は、耽美でミドルテンポ主体のメロデスを提示。ゴシックメタルの趣も感じられ、8 曲目に Paradise Lost のカヴァー曲を披露している。その後の作品の歩みでは実際ゴシックへの傾向が強まっている。シーンでもやや存在感は薄いが、当時 At the Gates や Ablaze My Sorrow と共演もしていたようだ。バンドは一度解散したものの 2011 年に再結成し、復活作を発表。

Excretion
ストックホルム

Voice of Harmony
🅦 Wrong Again Records 🅔 1995

自ら「排泄物」を名乗るストックホルム出身バンドによる唯一のアルバム。同じ学校のアメフト部に所属していたメンバーが集まり、結成したようだ。カルトデスメタルの Stigmata と共に演奏するためヨーテボリを訪れた際、デモ音源が Wrong Again Records の目に留まり、Studio Berno で本作を収録したようだ。ヨーテボリ界隈と比較される直線型のメロデスで荒削りな部分もあるが、それ以上にメロディーと刹那的な演奏に心打たれる隠れた逸品。7 曲目「Suicidal Silence」は彼らの希死念慮を綴った恐るべき名曲の 1 つである。2016 年のコンピレーションアルバムは、デモ音源 3 つが収録された豪華仕様で発売された。

Eyes Wide Open
Aftermath
カールスタード
🔺 Independent ⚪ 2013

ストックホルムとヨーテボリの中間で「太陽の街」と知られるカールスタード出身。ヨーテボリのメタルバンドがアメリカ市場で揉まれ、その回答としてメタルコアが生まれたが、さらにその回答としてスウェーデンから生まれたモダンメタルが Eyes Wide Open だ。その音楽性はアメリカ市場を狙った In Flames の『Reroute to Remain』以降の路線を丁寧に踏襲したサウンドであり壮大さと適度なヘヴィさ、キャッチーなクリーンヴォーカルでアリーナ会場を狙う大胆さを見せる。彼らのバランス感覚はすぐに界隈でも注目を集めるようになる。

Eyes Wide Open
And So It Begins
カールスタード
🔺 Independent ⚪ 2017

前作から 4 年後に発表した 2nd アルバム。2016 年に The Unguided とのツアーの直前にヴォーカルを務めた Patrik Fahlin が脱退し、ギターの Erik Engstrand がヴォーカルに転向した。ヴォーカル変更による大幅な影響はなく、むしろ前述のツアーを乗り越える形でバンドの結束力は一段と増したようだ。キャッチーなモダンメロデスの 1 曲目から熱いコーラスによるステージングが目に見えるようだ。6 曲目のような起伏を織り交えた曲などは、エクストリームの心地よさをわかりやすい形で提示している。11 曲目のアルバムタイトル冠するインスト曲など、計算された設計により完成度は一段と高くなった。

Eyes Wide Open
The Upside Down
カールスタード
🔺 Independent ⚪ 2019

3rd アルバムでは新たにドラムに Lucas Freise を迎えて制作された。方向性に大きな変化はないが、初期のヨーテボリフォロワーからの脱却と Killswitch Engage や Trivium などのバンドに連なるような大衆性を意識したキャッチーなスタイルに磨きがかかった。ダンサブルなモダンメタルを提示する 2 曲目、彼らの中ではヴォーカルワークに最も「エモみ」が強くなった 5 曲目、訴えられてもおかしくないメインメロディーに思わず失笑な 6 曲目など、爆発的に跳ねるような曲はなかったが、すでに安定した作品を提供している。

Eyes Wide Open
Through Life And Death
カールスタード
🔺 Arising Empire ⚪ 2021

2021 年発表の 4th アルバムは、前作で固まったバンドの方向性をさらに推し進めたものだ。作曲スタイルも今まで以上に自然になったと語っている。2 曲目ではストリングスとヘヴィメタルの組み合わせをキャッチーにまとめている。そしてエクストリーム方面も抜かりなく 10 曲目は往年のメロデスファンに好まれそうな疾走曲だ。本作から自主制作盤ではなく、新鋭気鋭のレーベル Arising Empire から配給されているため、以前の作品に比べて流通面も改善されており、入手しやすい。なお、アートワークに描かれたキャラクターはバンドのマスコットだが、今の時点ではまだ名前も決まっていないようだ。

Frantic Amber
Burning Insight
ストックホルム
🔺 Independent ⚪ 2015

ストックホルム出身バンドの 1st アルバム。ギターの Mary Siebecke が結成し、デンマーク人ダンサーの Elizabeth Andrews と、日本の浜松出身の Mio Jäger が合流し活動が始まる。ドラムの Mac Dalmanner を除けば、メンバーはすべて女性という特異なバンドである。しかし、女性という枕詞を使用せずとも、高いレベルの作品だ。オールド、モダンの垣根を越えた普遍性なメロデス像を提示している。アルバム名を冠する 2 曲目はインドで起きたレイプ事件を題材にした楽曲。4 曲目はスティーブン・ホーキングの「将来、機械が世界を支配するかもしれない」という言葉から着想を得た SF チックな楽曲である。

Frantic Amber
ストックホルム

Bellatrix　　　　　　　　　　Ⓐ GMR Music Group　◎ 2019

2019 年に発表した 2nd アルバム。アルバム名はラテン語で女性戦士を意味し、歴史に名を残した女性の戦士たちを扱うコンセプトアルバムである。前作から演奏面が大きく向上したことで、テーマに負けない説得力とバンドのアイデンティティーを確立。Music Video にもなった 4 曲目は戊辰戦争の渦中に散った婦女隊を題材にしており、中野竹子の壮絶な生き様に触れている。Whispered とは異なるベクトルの、スウェディッシュ・デスメタルの血が通う和風メロデスの佳曲だ。なお、アートワークに描かれている女性は、6 曲目に登場するモンゴル帝国の皇女クトルンである。バンドは 2023 年 6 月に待望の初来日公演を行った。

Guidance of Sin
ストックホルム

Soulseducer　　　　　　　　　　Ⓐ Mighty Music　◎ 1999

A Canorous Quintet のメンバーが並行して活動していたバンドが Guidance of Sin である。本作は 1st アルバム。サウンドの先鋭化が進んだ A Canorous Quintet の 2nd アルバム『The Only Pure Hate』とは異なり、彼らの原初的なメロデスに再び回帰しようとする内容。ゴシックメロデスやメロディック・ドゥームに通じる重たい雰囲気で、疾走よりもスローで荘厳な空気感がある。メロディーの表現もメロデスの文脈からは少々逸れたところにあるが、それがまた個性となっている。即効性はないかもしれないが、当時の陰鬱した空気感が如実に反映されている内容で、A Canorous Quintet の 1st『Silence of the World Beyond』と同じ方向を描きながらも、また少し趣が違う。

Guidance of Sin
ストックホルム

6106　　　　　　　　　　Ⓐ Mighty Music　◎ 2000

アルバムタイトルの数字が意味深な 2nd アルバム。前作に比べると疾走感が戻っているだけでなく、デス声が入ったオーセンティックなヘヴィメタルの方向性に変化していて、Motörhead のカバー曲も収録している。いい意味で大衆的な作風は A Canorous Quintet とも後述の This Ending とも異なる半面、悪く言えばすり寄ったような印象も否めない。フィンランドのゴシックメロデス・ムーブメントとも共鳴を見いだせそうな 3 曲目や 5 曲目など、流麗なメロディーと正統派の演奏にグロウルが自然と響く演奏面はさすがだ。バンドは本作発表の後に解散、メンバーは The Plague を経て This Ending を結成する。

Hearse
ストックホルム、ヘルシングボリ

Dominion Reptilian　　　　　　　　　　Ⓐ Encore Records　◎ 2002

Arch Enemy を脱退したヴォーカルの Johan Liiva と彼の古巣のバンド Furbowl に参加していたドラムの Max Thornell を中心に、ギタリストの Mattias Ljung が加わり結成したバンドの 1st。その音楽性はパンキッシュな疾走感にメロディーを織り交ぜた Entombed の後継者たるデスエンロールスタイルのメロデス。デスメタルよりもハードコア由来の淀んだ声質が魅力の Johan Liiva が本作では Arch Enemy よりもバラエティー豊かに歌っており、ギターのメロディーも負けず劣らずの品質。一方でシンプルな激しさが魅力の Arch Enemy に比べれば実験的な趣もあり、玄人向けの内容となっている。

Hearse
ストックホルム、ヘルシングボリ

Armageddon, Mon Amour　　　　　　　　　　Ⓐ Candlelight Records　◎ 2004

あまりにもダサすぎるアートワークが印象的な 2nd アルバム。アルバムタイトルは 1959 年公開の映画『Hiroshima, Mon Amour（邦題：二十四時間の情事）』に由来する。Entombed や Carcass の『Swansong』に代表されるストレートなロックンロールの要素を継承している。他のスウェーデンのメロデスに比べればサウンドのデス要素は Johan Liiva のヴォーカルに頼っており、モダン化著しい当時のシーンから見ても異端ではあった。しかしながら 6 曲目に代表するように、メロデスでしばしば見過ごされた部分を再評価した独自の路線が活きているのも事実。その後も大きく路線を変えることなく 3 作を発表。

Hyperion
ストックホルム

Seraphical Euphony
🅐 Black Lion Records ⬤ 2016

ストックホルム出身。2007 年結成で、その名はギリシャ神話の太陽神ヒューペリオンにちなむ。その音楽性はメロデスとメロブラの中間を攻める 90 年代の黄金期を現代に反映させたもの。Dissection や Marduk、Emperor はもちろんのこと、ヒロイックなスタイルには Blind Guardian の影響も受けている。作曲の要はドラマーの Anders Peterson であり、彼がクラシック音楽の愛好者で鍵盤奏者も兼ねていることがメロディーの充実に繋がっている。エクストリームメタルの美しさと激しさが調和した本作はエンジニアを務めた Diabolical の Sverker Widgren の手によってさらに洗練され、1st ながら 2016 年を代表する新人の作品となった。

Hypocrite
ストックホルム

Edge of Existence
🅐 Off World ⬤ 1996

ストックホルム出身バンドの1st。Johan Haller と Niclas Åberg の両名が中心に結成。結成は 1989 年と古く、当初はアメリカのスラッシュメタルバンドのフォロワーとして活動していた。やがて、Electrocution とのスプリット盤を経て、本作はイタリアのレーベル Off World に見いだされる形でデビューした。その音楽性はアメリカのメタルを血肉にしつつも、典型的な 90 年代のメロデスフォロワーと言えそうだ。Entombed の L-G Petrov や Therion の Thomas Vikström が参加しており、ゲスト陣が妙に豪華。2000 年に No Fashion Records から再発されている。

Hypocrite
ストックホルム

Into the Halls of the Blind
🅐 No Fashion Records ⬤ 1999

1999 年 発 表 の 2nd ア ル バ ム。1998 年 に No Fashion Records に 移 籍 し、Dismember の Fred Estby のプロデュースのもと、Das Boot スタジオにて制作された。前作に比べて、起承転結の意識が強まり、メロディーやリフなどもキャッチーになった。メンバー 2 人が掛け持ちしている Mörk Gryning とメロディーの使い方に似たところはあっても、表面的な激しさを追い求める作風ではなく、叙情的であることを貫くようになった。この美意識を象徴するのが、ハーディーガーディーやニッケルハルパがメロディーを奏でる 2 曲目や 5 曲目である。現在のバンドの動向は窺い知れず、解散したと思われる。

Imperial Domain
ウプサラ

In the Ashes of the Fallen
🅐 Pulverised Records ⬤ 1998

ウプサラ出身。1994 年結成であることが確認されており、ヨーテボリシーンの活況に便乗する形で 1998 年に本作でデビュー。しかしながら、そのスタイルはフィンランドのメロデスシーンに近く Sentenced や Gandalf など正統派メタルの影響が残っている。楽曲はミドルテンポ主体でリフは適度にメロウだが、そこで見られる手癖の多くはヘヴィメタル由来である。デスヴォイスで歌っている以外に本バンドからデスメタル由来の残虐性は感じない。1998 年はすでに Soilwork がデビューし新たなメロデスの可能性を追い始めていた。そのことを考慮すると、当時から見てもそのサウンドは実に典型的なもので、驚きは得られなかったと見られる。

Imperial Domain
ウプサラ

The Ordeal
🅐 Konqueror Records ⬤ 2003

ロゴがスタイリッシュになり、モダンかつプログレッシヴなアプローチを試みた2nd アルバム。本作から本格的にオルタナ風味のクリーンヴォーカルを取り入れるようになり、音質面も多少改善された。演奏は凝るようになり、起伏を伴うものに変化、しかし全体的にリフの軽さは否めず、ヴォーカルもただ叫んでいるだけという批判もありそうだ。それでも 3 曲目など Amorphis の 3rd 以降の路線に向けたアプローチを狙うなど、着眼点そのものは決して悪くなかった。その後バンドが一時解散すると、ドラムの Alvaro Svanerö らは Lou Siffer & The Howling Demons というメタルバンドを新たに結成する。

Imperial Domain
ウプサラ

The Deluge
🔺 Inverse Records ⏺ 2018

フィンランド大手の Inverse Records に移籍してなんと 15 年ぶりに発表した 3rd
アルバム。ヴォーカルを務めた Tobias v. Heideman が亡くなったため、Lou Siffer
& The Howling Demons のヴォーカルの Andreas Öman を新たなフロントマンとし
て起用している。Amorphis や Sentenced に通じる叙情的かつミドルテンポ主体の
スタイルに戻っているが、当時と比べても展開や技術も格段に向上しており、フォ
ロワーの枠に収まる内容ではあるものの、充実の復帰作と言えそうだ。コロナ禍の
2020 年には現在のラインナップで配信ライヴも行っており、今後の活動にも期待
が持てる。

In Thy Dreams
サーラ

The Gate of Pleasure
🔺 War Music ⏺ 1999

サーラ出身の 1st アルバム。そのスタイルは、At the Gates の 4th アルバムに連な
る、典型的なメロデスである。しかし、タイトルで「快楽の扉」と銘打つ通り、疾
走感あふれる展開に定評があり、数多くのメロデスマニアに恍惚の快感をもたら
した。Gates of Ishtar や、Ebony Tears のファンには特にオススメだ。日本盤は
Soundholic から発売され、1997 年に発表された EP『Stream of Dispraised Souls』
も収録されており、お買い得感がある。2001 年に 2nd アルバムを発表した後、バ
ンドは解散し、メンバーは Carnal Forge の活動に専念した。

In Mourning
ファールン

Shrouded Divine
🔺 Aftermath Music ⏺ 2008

ダーラナ地方のファールン出身。ヴォーカルの Tobias Netzell とその兄の Christian
Netzell、ベースの Pierre Stam が学生時代に出会い結成。本作は複数のデモを発表
して迎えた 1st アルバム。その音楽性は Opeth を下敷きに Mastodon や Be'lakor か
ら影響を受けたダークなプログレッシヴ・デスメタル。同時期にデビューした In
Vain と比べるとブラックメタルからの影響は希薄で、3 名のギターがいる影響もあ
り、演奏は重厚でシリアス。3 曲目、5 曲目、7 曲目はデモ時代の再録だが他の楽
曲と違和感なく溶け込み、変拍子を活用しながら静と動を行き交うスタイルはこの
時点ですでに完成していたことがわかる。

In Mourning
ファールン

Monolith
🔺 Pulverised Records ⏺ 2010

前作が偶然ではないことを示した 2nd アルバム。よりプログレッシヴとメロディッ
クな路線を推し進めた作品だ。本作のコンセプトはベースの Pierre Stam によるも
ので前作『Shrouded Divine』で描かれたジュリアという少女が溺れて自ら命を絶っ
たことと、それを観察するカササギの生と死から着想を得ており、モノリス(建造物)
は避けられぬ運命のメタファーとして描かれている。彼らの代表曲の 1 つである 4
曲目は、跳ねるようなテンポやトライバルな要素を交えつつ、メランコリックなデ
スメタルを描き Opeth フォロワーからの巣立ちを予感させた。2020 年に Agonia
Records から本作は再発されている。

In Mourning
ファールン

The Weight of Oceans
🔺 Spinefarm Records ⏺ 2012

レーベルを Spinefarm Records に移し、前作から 2 年後に発表された 3rd。Tobias
Netzell が October Tide に参加した影響が反映されたのか、ルーツの 1 つである
ドゥームの要素が戻ってきた。深淵を覗き込むようなスローテンポがメランコリッ
クな楽曲を引き立たせている。本作には海が嫌いな男が自身の恐怖心に打ち勝つた
めに大海原へと冒険するという物語があり、ドローン風味の演出で幕開ける代表曲
の 1 曲目からその世界観を発揮。潮の満ち引きのように緩急のあるプレイを演出す
る 2 曲目や 7 曲目、そして嵐の前のような静けさを演出する 6 曲目など音楽性がいっ
そう高まった。本作の物語は 5th アルバム『Garden of Storms』でもって完結する。

Internal Decay
ストックホルム

A Forgotten Dream
⏚ Eurorecords ⏺ 1993

ストックホルム出身。同時期に発表された Eucharist や Desultory のアルバムが後年再評価される中、同様の高い品質を持ちながら日の目を見ないバンドもいる。Internal Decay はこの 1st のみを残して解散したバンドだが、1993 年発表のこの 1st でキーボードが装飾ではなく積極的に据えた作曲をしている点、専任のリードギターによるメロディーラインや女性ヴォーカルの導入など、その先進性は埋もれるには惜しい輝きを持つ。Dismember や Entombed 同様に Sunlight Studios での収録で、分離の取れた音像も好印象。ロシア発の非公式再発盤を除いて現状は再発されておらず、オリジナル盤の入手は困難であろう。

Katatonia
ストックホルム

Dance of December Souls
⏚ No Fashion Records ⏺ 1993

Tiamat や Opeth と並びスウェーデン暗黒界隈の玉座に座るのが Katatonia だ。デス／ドゥームからゴシックへ、近年ではオルタナメタルへ変容していくが、そのデビュー作は Dan Swanö のプロデュースもあり、メロデスに近い音楽性を披露している。Black Sabbath 由来のシンプルなリフに、邪悪なヴォーカルと美しいキーボードが彩るスタイルは時代を考えると先進的だった。ヴォーカルの Jonas Renkse がドラムも兼任していたために、リズムは極力シンプル。だからこそ、いっそう優しいギターのメロディーが際立つ仕組みだ。バンドの思想は DSBM やポストブラックに影響を与え、ジャンルを超えた古典として今も君臨する。

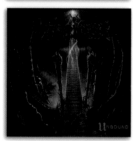

Merciless
ストレングネース

Unbound
⏚ No Fashion Records ⏺ 1994

Merciless は 1986 年に結成し、スウェーデンのデスメタルシーンに早くから貢献したが、過小評価されているバンドの 1 つだ。2nd まではデスメタルとスラッシュメタルの両面が楽しめるバンドとして親しまれてきたが、No Fashion Records に移籍したこの 3rd アルバムから Dan Swanö によるレコーディングの影響もあってか、メロディーも楽しめるように進化した。タイトル曲である 1 曲目は間違いのない名曲で、4 曲目のような長尺曲もメロディーが曲の起伏を育むことで、展開に説得力が生まれている。本作をもって一度解散するが、1999 年に再結成しアルバムを 1 つ出している。

Miseration
ストックホルム

Your Demons - Their Angels
⏚ Rivel Records ⏺ 2007

Divine Fire や Essence of Sorrow などパワーメタルバンドに在籍していた Jani Stefanović と Christian Älvestam によるプロジェクトの 1st. 音楽の方向性はこれまでの活動バンドの例に漏れずモダンなメロデス。Fear Factory を筆頭とするインダストリアルな感性も備えており、他のプロジェクトに比べ無機質なデスメタルに近づいた。迫りくるグルーヴ感やシンフォニックなアレンジなどバラエティ豊かな反面、どのような方向性を示していくべきかの迷いが、この 1st にも感じられる。後の 2 作はメロデスの枠を超えてブルータルなデスラッシュに変貌し、カルトな評価を得ている。

Moaning Wind
カールスタード

Visions in Fire
⏚ Corrosion ⏺ 1997

カールスタード出身。バンド名は Succubus、Malignum、Capricorn など何度か変更しており、本作が Moaning Wind としての唯一のフルアルバムになる。ヨーテボリのメロデスのブームに乗じたバンドであることに疑いはないが、より哀愁を重んじており、正統派メタル由来のドゥームにも接近している。Sentenced の叙情性を手本にした 6 曲目や 8 曲目など、ツインリードの哀愁は中々のものである。そして Fredrik Nordström のプロデュースも功を奏し、一定の水準はクリア。その後のアルバムリリースはないが、ギターとベースの 2 人はストーナーメタルの Sparzanza で活動している。

Necrophobic
ストックホルム

The Nocturnal Silence
🅐 Black Mark Production 🕒 1993

ストックホルム出身。1989 年にドラマーの Joakim Sterner とギタリストの David Parland を中心に結成し、バンド名は Slayer の曲名から拝借している。Dissection や Unanimated など似たような音を扱うバンドが解散に伴い、伝説上の存在として扱われる中で、現在でも現役で活動を続けるバンドだ。この 1st はデスメタルとブラックメタルの稜線を練り歩きながら、互いの要素が影響し合い、やがて細分化していくメタルシーンの瞬間を切り抜いた重要作。現在まで一貫して変わらないその音作りはこの時点で完成しており、禍々しいサウンドは時代の移り変わりを反映させていた。

Necrophobic
ストックホルム

Darkside
🅐 Black Mark Production 🕒 1997

前作から 4 年ぶりに発表した 2nd であり初期の傑作。初期から在籍していたギターの David Parland が Dark Funeral に専念するために脱退、新たに Sebastian Ramstedt が参加。本作からさらにブラックメタルに接近した内容で激しさ、邪悪さが宿っておりメロデス／メロブラを完成させた作品の 1 つ。Dissection の Jon Nödtveidt はヴォーカルで 8 曲目に参加している。本作はアートワークも高く評価されており、後年 Sebastian Ramstedt はインタビューにて 2018 年作『Mark of the Necrogram』2020 年作『Dawn of the Damned』は本作を起点とする 3 部作であると語っている。

Opeth
ストックホルム

Orchid
🅐 Candlelight Records 🕒 1995

ストックホルム出身バンドの 1st アルバム。ヴォーカルとギターを兼任する Mikael Åkerfeldt が中心となって結成。言わずとしれたプログレッシヴ・デスメタルの大御所だが、その 1st を紐解いてみると Edge of Sanity の Dan Swanö が制作に関わり、80 年代の NWOBHM 由来のツインリードがグロウルと併せて披露されている。デスメタルにメロディーを添えて曲を作ることが、当時はプログレッシヴ（先進的）な行為であった証拠だ。今日では一般的になっているグロウルとクリーンヴォイスの歌唱を、曲の静と動の演出に使う手法を筆頭に、デスメタルの可能性を文字通り拡張させた本作の衝撃は計り知れない。

Sarcasm
ウプサラ

Stellar Stream Obscured
🅐 Hammerheart Records 🕒 2022

1990 年結成、中部の町ウプサラ出身で初めて登場したデスメタルバンド。長らく知られざる存在だったのは、再結成した 2015 年に至るまでデモ音源や EP のみでフルアルバムを出していなかったためである。本作は再結成後に発表した 4th アルバム。まるでタイムカプセルから発見されたかのように No Fashion Records のバンドを思わせるデスメタルとブラックメタルの曖昧さ、メロディーのハーモニーを生み出している。方向性も変わることのないバンドであり、スウェディッシュ・デスメタルの再評価によって注目を集めている。生々しくも爽快感のある当時の面影を残した作品だ。

Scar Symmetry
アーベスタ

Symmetric in Design
🅐 Metal Blade Records 🕒 2005

Cipher System で歌っていた Christian Älvestam や Centinex でギターを演奏していた Jonas Kjellgren など、経験豊富なメンバーによって結成されたバンドの 1st アルバム。Soilwork に近いモダンなメロデスで、グロウルとクリーンヴォイスを使い分け、楽曲にメリハリを持たせている。簡単に書いているが、実に自然に変化するので、2 人で歌っているのかと勘違いしてしまう。キーボードの装飾からはパワーメタルにも通じる柔らかさがあり、キャッチーかつタイトな仕上がりだ。5 曲目は本作のキラーチューンで、後半のキーボードの嵐に興奮必至だ。

Scar Symmetry
アーベスタ

Pitch Black Progress
🔵 Nuclear Blast ⭕ 2006

Nuclear Blast に移籍後、発表した 2nd アルバム。前作に比べると、アグレッシヴ
なパートとしっとりと感じさせるパートがさらに明瞭になり、Christian Älvestam
の表現力も高まっている。強引とも中途半端にも捉えられかねないグロウルと、ク
リーンの表現を意味のある形で落とし込めるのは充実した楽曲が並んでいるからこ
そ。プログレッシヴな作風を反映した 4 曲目のような複雑な曲もあれば、6 曲目の
ようなクリーンヴォーカル主体の曲もある。8 曲目のような 7 分台の曲では作品の
叙事詩的な展開美だけでなく、ギターの表情豊かなプレイにも注目したい。

Scar Symmetry
アーベスタ

Holographic Universe
🔵 Nuclear Blast ⭕ 2008

前作から 2 年後に発表された 3rd アルバム。路線としては以前の作品に準拠してい
るが、歌メロをさらに重視するようになった作品だ。歌メロも大切な要素だが、そ
れと同じくらいギターの貢献度が高いのも特徴だ。ポップすぎず、マニアックすぎ
ない絶妙なバランス感覚を保っているのは、メンバーのビジョンが一貫しているの
も大きい。1st を思わせるパワーメタル風のギターサウンドと激しすぎるドラムの
アンバランスが心地よい 8 曲目、アルバムタイトルを冠する 10 曲目は壮大な宇宙
を感じさせるもので、流麗なギターが実に良い仕事をしている。ポップな仕上がり
のみに甘んじることなく、ヘヴィメタルの矜持を持った作品だ。

Scar Symmetry
アーベスタ

Dark Matter Dimensions
🔵 Nuclear Blast ⭕ 2009

バンドの転機となった 4th アルバム。Christian Älvestam が脱退し、グロウル担当
の Roberth Karlsson とクリーンヴォーカル担当の Lars Palmqvist の 2 人が新たに
加わった。両方の声に精通したヴォーカルを採用しなかったのは、喉の負担が大き
いため、ライヴでの運用を見越しての選択だった。両名とも与えられた責務を十分
に果たしており、パワーダウンはほとんど感じない。作風は 2nd の頃に近く、前
作ほど近未来な感触は薄まっている。エキサイティングな疾走曲の 1 曲目や、メ
ロディアスなコーラスが登場する 4 曲目は会心の出来だ。重かったバンドの空気
感も、本作を通じて絆が深まった。

Scar Symmetry
アーベスタ

The Unseen Empire
🔵 Nuclear Blast ⭕ 2011

日本盤では「スウェーデンが誇る双頭猛禽獣」と紹介された 5th アルバム。前作に
比べるとグロウルとクリーンヴォーカルのハーモニーを意識させるような楽曲が増
えており、2 人だからこその余裕さが感じられる。その上で無機質な刻みの中に温
かみを感じられるメロディーが宿る。ここに来てサウンドにさらに深みが増してい
る作品だ。叙情メロデス好きのツボを熟知しているイントロから、勝利を革新する
モダンメロデスの王道を突き進むキャッチーさに振り切った 1 曲目、ツインリード
の調べから始まる Roberth Karlsson の真骨頂とも言える力強い歌唱力とメロディー
が交差する 7 曲目が並ぶ。

Scar Symmetry
アーベスタ

The Singularity (Phase I: Neohumanity)
🔵 Nuclear Blast ⭕ 2014

2014 年発表の 6th アルバム。本作から AI をテーマにした 3 部作が始まり、その最
初の作品になるようだ。Jonas Kjellgren の脱退に伴い、Per Nilsson のみがギター
を担当しているが大幅な影響はなく、一筋縄でいかないアレンジが本作でも多数見
られる。以前からプログレッシヴメタルのアプローチがたびたび見られたが、本作
はその影響が強い。『Awake』期の Dream Theater を想起させるダークな中に清涼
感を潜ませている 3 曲目、イントロの美しい調べに涙が落ちる 4 曲目などドラマ
チックな内容。本作から 5 年後の 2019 年には初来日公演を行った。2023 年には
本作の続編となる『The Singularity (Phase II: Xenotaph)』を発表。

Sins of Omission
ストックホルム

The Creation
🅐 Black Sun Records ⏺ 1999

ストックホルム出身。A Mind Confused、Thyrfing、Raise Hell などに在籍していた
メンバーが新たに結成した 1st アルバム。制作に Anders Fridén が関わり、過去に
At the Gates も在籍した Black Sun Records 所属という関係性が示すように双方の
要素を受け継ぎつつ、稀に登場する優劣付けがたいクリーンヴォーカルが華を添え
る。ギターの Martin Persson と Toni Kocmut の双方のプレイはパワーメタルのア
プローチを好んでおり、初心者でも聴きやすい。Fredrik Nordström のマスタリング、
アートワークは Necrolord という力の入れようで、日本盤もすみやかに発売された。

Sins of Omission
ストックホルム

Flesh on Your Bones
🅐 Black Sun Records ⏺ 2001

2001 年発表の 2nd ではメンバーが大きく替わった。Toni Kocmut が脱退し、ギター
は Mattias Eklund、ヴォーカルは A Canorous Quintet を辞めたばかりの Mårten
Hansen、ドラムは Jani Stefanović が参加している。古典的なヘヴィメタルから
着想を得たリフ重視のメロデスは今回も健在。ライヴの定番曲だった Slayer の
カヴァーに加え、Soundholic から発売された日本盤には Judas Priest の「The
Sentinel」のカヴァーを追加収録。本作リリースの翌年には Amon Amarth と
Vomitory、オランダの Callenish Circle と共にヨーロッパツアーに出た。現在は解
散している。

The Bereaved
オースブロ

Daylight Deception
🅐 VIC Records ⏺ 2009

エレブルー県オースブロ出身バンドの 2nd アルバム。日本にも同名のバンドがい
るが、こちらは「The」がついている。1st アルバムまでは At the Gates の余波で
生まれた典型的なデスラッシュだったが、この 2nd アルバムから Soilwork や In
Flames の作風に触発されたモダンメロデスへと変化する。ヴォーカルはアメリカ
人シンガーの Travis Neal が新たに加入。元々は Divine Heresy に所属し、モダン
／テクニカル／グルーヴの真髄を熟知したシンガー故に、メロデスとメタルコアの
境界線をきれいに埋めている。前作の疾走感とネオクラシカルなギターソロが挿入
された 1 曲目は、最高のオープニングだ。

Therion
ストックホルム

Symphony Masses: Ho Drakon Ho Megas
🅐 Megarock Records ⏺ 1993

ストックホルム出身バンドの 3rd アルバム。シンフォニックメタルのパイオニアだ
が、その評判を決定づけた 5th 『Theli』以前の本作は初期 Therion、そしてメロ
デスを語る上でも重要な作品だ。2nd までのデスメタル然とした姿勢は据え置きで、
キーボードの存在感が大きい。リーダーの Christofer Johnsson を除くメンバーが
入れ替わり、ゴシック／ドゥーム／ NWOBHM ／クラシック／民族音楽を取り入
れたバンド最大の実験作だった。メロデスという言葉が定着する前のメロディーと
デスメタルが共存する姿がアーカイヴされている重要作品。

This Ending
ストックホルム

Inside the Machine
🅐 Metal Blade Records ⏺ 2006

A Canorous Quintet のメンバーが再集結した、ストックホルム出身バンドの 1st ア
ルバム。結成当初は The Plague と名乗って活動していたが、紆余曲折を経て This
Ending 名義に落ち着いた。そのスタイルはインダストリアルな感触のあるモダ
ンメロデスに該当する。競合多数の状況で、Amon Amarth にも当時在籍していた
Fredrik Andersson のドラムの躍動感に助けられている部分は大きい。4 曲目のよ
うな縦ノリの主体の機械的なドラムが多く、メロデス要素のある Fear Factory の
ようにも聞こえるが、まだまだ成長途中の時期であった。

This Ending
ストックホルム

Dead Harvest
Ⓐ Metal Blade Records ○ 2009

2009 年発表の 2nd アルバム。方向性は前作から変わってはいないが、現代的なメロデスバンドに接近した作品である。音質面が改善されたようで、バンド側も自信を持っているようだ。廃炉になった原子炉で撮影された Music Video からも窺えるが、バンドの描く終末思想がいっそうメッセージとして重みが増した。ヴォーカルワークも野太く、前作よりも力強い咆哮である。飾り気もなく無骨だが、迫りくるようなリフの重みが 4 曲目では感じられる。6 曲目はブラストビートで駆け抜けながら A Canorous Quintet の頃の邪悪さも追い求めており、初期のファンなら目を細めるはずだ。

This Ending
ストックホルム

Garden of Death
Ⓐ Apostasy Records ○ 2016

Apostasy Records に移籍し、2016 年に発表した 3rd アルバム。昨今のオールドバンドたちの再結成に触発されたのか、本作は This Ending の音像で A Canorous Quintet の音楽性を再現したものに近い。結果的には Mårten Hansen のヴォーカルに吐き捨てスタイルは相性が良く、待ち望んだ時間にふさわしい充実作になっている。爽快なトレモロリフとブラストビートが登場する 2 曲目は、演奏の技術力が上がった現在の水準で披露され、B 級臭さは皆無。デスメタル／ブラックメタルの垣根の無い時代の音を再現した 9 曲目は古典的ながらも容易に真似はできない。バンドは 2016 年に A Canorous Quintet 名義での活動も再開すると発表した。

This Ending
ストックホルム

Needles of Rust
Ⓐ Black Lion Records ○ 2021

2021 年発表の 4th アルバムでは創立メンバーの 1 人である Fredrik Andersson が多忙のために脱退、ギターの Peter Nagy がドラムに転身している。本作は前作同様にデスメタル／ブラックメタルの垣根を越え、古典的な演奏を現代の音像で蘇らせている内容だ。トレモロリフにブラストビートの動の演出だけでなく、アコースティックな展開も鮮やかに演出するなど、メロデスの激しさ／美しさを両立させている。クラシックとデスメタルの融合を現代に蘇らせる 2 曲目は Dissection のようだ。7 曲目では Dark Funeral の初代ヴォーカルの Paul "Themgoroth" Nordgrim がゲストで参加、邪悪なトレモロリフが深淵へ誘う。

Unanimated
ストックホルム

In the Forest of the Dreaming Dead
Ⓐ No Fashion Records ○ 1993

1988 年に活動を始め、スウェーデンのデスメタルシーンの最古参の 1 つである Unanimated。デスメタルとブラックメタルの境界線に立つバンドの 1 つとして知られる。1991 年のデモ時代にすでにキーボードを使用していた先進性も見逃せない。それでも当時は異端故に、ステージ横や後ろに隠れて披露しなければならなかったエピソードがある。メロディーの発露は Tiamat の『Sumerian Cry』と Paradise Lost のデモ『Frozen Illusion』、ブラックメタルの影響は Bathory に由来している。この 1st アルバムがリリースされた 1993 年という時代も鑑みると、非常に早い時期からデスメタルとメロディーの可能性に挑んでいた。

Unanimated
ストックホルム

Ancient God of Evil
Ⓐ No Fashion Records ○ 1995

1st と並び評価の高い 2nd アルバム。Dan Swanö がエンジニアとして参加しており、サウンドがいっそう洗練され、バンドの方向性が定まった作品だ。邪悪さよりもメロディアスな旋律が支配的であり、Dissection と比べてより繊細なトレモロリフを、そして At the Gates のような大胆な疾走を披露している。彼らの代表曲でもあり、北欧メロデスの美醜を兼ね添えた 1 曲目はもちろん、荒涼した大地を思わせるシンセの使い方が巧みな 4 曲目、この時期のバンドに多かったアコースティックなインストを中盤に据えるなど、前作の多様性を掘り下げた作品だ。その後のメロデスのブームにも乗るかと思われたが、本作発表の翌年に活動を停止してしまった。

Unanimated
ストックホルム

In the Light of Darkness
🅐 Regain Records 🅞 2009

前作から 14 年ぶりに発表した 3rd アルバム。その背景には音楽的方向性に留まらず他バンド活動が忙しくなったり、ベースの Richard Cabeza のテキサスへの移住、その後の暴行事件など前途多難であった。再結成第一弾となる本作は、従来の路線を踏襲しつつ、Bathory や Hellhammer のようなブラックメタル第一世代の邪悪さをさらに拡張させた作品になっている。インタビューでは 6 曲目は 2nd 発表の直後に制作した曲で、8 曲目が再結成後に最初に書いた曲であると語る。本作リリースに伴って過去作の再発が決まり、再結成の活動も順調かに見えたが、2011 年には長年バンドを支えたドラマーの Peter Stjärnvind が脱退してしまう。

Unanimated
ストックホルム

Victory in Blood
🅐 Century Media Records 🅞 2021

2021 年 発表の 4th アルバム。ドラムに Anders Schultz、ギターに Jonas Deroueche を新たに迎えた 5 人編成で制作された。本作は前作以上に 90 年代のメロデス／メロブラの黄金期を蘇らせている。新たな発見はないが、その品質の高さで 2021 年を代表するメロディックなデスメタルであることは間違いない。表題曲の 1 曲目のイントロから疑念は確信へと変わるが、3 曲目や 6 曲目のようなテンポを落とした曲でも緊張感を失わない古豪のカリスマを感じる。前作に引き続き元 Dissection の Set Teitan が、新たに Unleashed の Fredrik Folkare がギターでゲスト参加している。

Uncanny
アーベスタ

Splenium for Nyktophobia
🅐 Unisound Records 🅞 1994

アーベスタ出身バンドの唯一の作品となる 1st アルバム。中心人物は October Tide や Katatonia で知られる Fredrik Norrman。スウェディッシュ・デスメタルの名盤として知られ、メロディーを伴うデスメタルへの貢献も大きい。多くのスウェディッシュ・デスメタルがデスエンロールか、あるいは焼き直しを選んでいた中でメロディーによって楽曲に多様性を得た Uncanny は、Merciless 同様に新たな道を提示した。Dan Swanö による整ったサウンドとは裏腹に、クラストパンクの S.G.R. の元メンバーも在籍していたため G-ANX のカヴァーも収録。本バンドが背負う物語はスウェディッシュ・デスメタルの変遷を知ることに繋がる。

Without Grief
ファールン

Deflower
🅐 Serious Entertainment 🅞 1997

ファールン出身。In Flames の 1 つのピークたる『The Jester Race』をミイラにして標本にしたようなサウンドが特徴のバンドだ。本作は 1st アルバム。1997 年という時代背景を考えると同じようなスタイルのバンドが登場している中、彼らは日本盤帯記載の「北欧の最終兵器」のタタキに劣らない演奏能力の高さで、廃盤と解散を経て現在では神格化もされている。表題曲を筆頭に、静と動の表現の展開美や凝った曲構成から放たれる帯記載の「感動の美旋律」は優良誤認ではない。8 曲目のインストはロシア音楽家セルゲイ・ラフマニノフの楽曲で、当時 15 歳の少年 2 名がゲストで参加し、ピアノとチェロを披露している。

Without Grief
ファールン

Absorbing the Ashes
🅐 Serious Entertainment 🅞 1999

2nd アルバム。1st に比べると 2 年の間にモダン化が進んでおり、正統派メタルの力強さをサウンドに宿している。例えるならばその対象は In Flames から Arch Enemy に移ったかのような印象。演奏のスキルにも長けていたが、適度に楽曲をスリム化し、まとまりの良い方向性へと変化している。崇拝するフォロワーの対象が変わってしまったので、賛否両論が出たあたりは Ebony Tears と通じるところがあるが、本作も劣らずの充実作だ。長く廃盤になっており、中古市場でも見つけることが難しかったが、2016 年に GS Productions より 200 枚限定で 1st と 2nd の両方が入ったコンピレーションが発表されており、マニアへの救済措置が取られた。

北部周辺

イェヴレボリ県・イェムトランド県・ヴェステルノールランド県
・ヴェステルボッテン県・ノールボッテン県

一日中楽しめる Guitars – The Museum

ノールランドで一番のメタルフェスを宣言する House of Metal

Folkets Hus は「人民の家」を意味し、様々な催しに使われる

街の大通りにある Bittens Rockbar

　スウェーデン北部の最大の都市はヴェステルボッテン県のウーメオーである。ウーメオー大学を中心にした学園都市で、13 万人の人口のうち 3 割が大学生である。北海道の都市と比較すると、小樽市や北見市よりも少し多いくらいである。

　ウーメオーに来たら、絶対に訪れるべき場所が Guitars – The Museum だ。Yngwie Malmsteen は大量のストラトキャスターを所有していることで有名だが、双子の Åhdén 兄弟はそれを上回る蒐集家である。1950 年〜 1960 年代に製作された何百本ものヴィンテージギターはすべて兄弟が個人所有しているものというから驚きだ。これだけのギターが展示されている博物館は世界でも類を見ない。

　Folkets Hus はウーメオーでは代表的なコンサート会場である。そしてメタルのイベントは House of Metal が有名だ。2007 年から続く同フェスは、オールジャンルのメタルバンドを扱い、国外のバンドも出演するほどに名が通っている。2023 年の目玉は、ノールボッテン県ルーレオー出身の Gates of Ishtar による会場限定の復活ギグだ。

　中心街から少し離れた場所にある Be-Bop-A-Lula Land は、ロックを中心にしたレコードショップで、地域の音楽文化を支えている。ウーメオーは学生の街なので Bar は多い。だが、本格的なロック Bar を探すのであれば、遠出になるがヴェステルノールランド県ヘルネサンドにある Bittens Rockbar に行こう。創業当時から愛されてきたピザと、豊富な種類のビール、そしてライヴフロアが併設されている。

Auberon
ウーメオー

The Tale of Black...
🔵 Black Mark Production 🕐 1998

北部ウーメオー出身バンドの 1st アルバム。Naglfar に短期間在籍していた Fredrik Degerström と、5th 『Harvest』 にてベースを弾いていた Morgan Lie（なお Auberon ではドラムを担当）が在籍している点を除けば、ヨーテボリメロデスのブームに乗っかった典型的な 1990 年代メロデスと言えそうだ。スラッシュメタル由来のテンポの危なっかしさが独特の緊張感を生んでいる。メロデスに噛み合うとは言いがたい陽気なクリーンヴォーカルがサビに登場する点が数少ないバンドの特徴でもあり、注意ポイントと言えそうだ。バンドの青臭さに釣り合わない、貫禄ある魔法使いの老人は Necrolord が描いたもの。

Auberon
ウーメオー

Crossworld
🔵 Black Mark Production 🕐 2001

1st の時点では類型的なメロデスだったことを反省（?）してか、2nd ではモダン化に留まらずデスエンロール的なアプローチ、さらにはキーボードも導入し、SF ファンタジーをテーマにした路線変更を実施。数あるモダンメロデスの中でも、とにかく癖の強いメロデス作品に仕上がっている。At the Gates 風のリフにキーボードで装飾した 2 曲目のようなモダンメロデスもあれば、6 曲目はパワーメタルのファンにこそウケそうなスペースオペラを披露。やりたいことが多すぎてとっ散らかった印象も受けかねないが、Arcturus のような前衛的なバンドを目指していたと捉えられそうだ。バンドは解散しておらず、2017 年には EP を発表している。

Amsvartner
ウーメオー

Dreams
🔵 Blackend 🕐

ウーメオー出身。しばしばメロデスの世界では花形のギターに比べて軽視されがちなベースの可能性に迫った作品である。NWOBHM の象徴たる Iron Maiden のベーシスト Steve Harris に大きな影響を受けている。本作発表前の EP ではブラックメタルだったが、この 1st ではヨーテボリのメロデスに接近している。そしてニッチな需要にも応えることで現在でも異彩の作品として知られる。例えば 6 曲目は文字通りファンキーなスラップで始まる疾走曲であり、大胆なアレンジは既存のメロデスにはない高揚感と陽気さを生んでいる。9 曲目に至ってはメタルとジャズを組み合わせたインスト曲であり、流行りのカフェで流れていても不思議ではない。

Divine Souls
クラムフォシュ

Embodiment
🔵 Scarlet Records 🕐 2001

ヴェステルノールランド県クラムフォシュ出身バンドの 1st。ギターの Mikael Lindgren を中心に結成、メロデスブームにあやかっていることに疑いようはなく、その音楽性は In Flames フォロワーという説明で十分だ。『The Jester Race』『Whoracle』『Colony』の楽曲のパッチワークだが、演奏自体は本家と同程度にはしっかりしている。執念深くリードギターを鳴らす様子が健気で、叫ぶ様子がかつての In Flames を思い出させる 2 曲目、正統派メタルにデスヴォイスが宿った王道テイストなメロデスの 6 曲目など既視感は否めないが、それも彼らの作戦のうちだ。

Divine Souls
クラムフォシュ

The Bitter Selfcaged Man
🔵 Scarlet Records 🕐 2002

翌年に発表した 2nd。方向性は前作と変わらず、軽快な疾走感と叙情的なメロディーを得意としている。あえて言えばウィスパーボイスやピアノのアレンジを行うようになったが、それ自体も In Flames の進化を追体験しているもので、特に新たな発見はない。あまりにも典型的なフォロワーバンドだが、Soundholic から日本盤デビューを果たすなど、日本のメロデスブームがこの時期バブルのように膨らんでいたことを示すアーカイヴでもある。2004 年に解散してしばらく音沙汰はなかったが、近年では以前在籍していたメンバーがスウェディッシュ・デスメタルの Carnal Savagery を結成、こちらも見事な Dismember ／ Autopsy フォロワーだ。

Embracing
I Bear the Burden of Time　　　　　🅐 Invasion Records 🅞 1996
ウーメオー

スウェーデン北部のヴェステルボッテン県ウーメオー出身。Matthias Holmgren が
結成したバンドの 1st アルバム。Matthias は Naglfar の『Vittra』にてドラムを叩い
た経験がある人物だが、この Embracing ではヴォーカルやキーボードも兼任して
いる。北欧メロデスの世界では Embrace（抱擁）という単語を使ったバンドは他
にも Embraced や The Embraced が存在する。実際に Embracing のプログレッシ
ヴなアプローチは、同じスウェーデンの Embraced と被る点があるが、テストで
問われた際はキーボードの在籍が一名で、ゴシック要素が薄く、オールドスクール
なバンドの方を Embracing だと覚えよう。

Embracing
Dreams Left Behind　　　　　🅐 Invasion Records 🅞 1997
ウーメオー

前作の 1 年後に発表した 2nd アルバム。ダサいアートワークと貧乏臭い音を引き
継ぎつつ、クリーンヴォーカルの解禁やプログレッシヴメタルのアプローチを試み
ている。Symphony X や Dream Theater の影響を受けているのは確かで、ドラム
の叩き方は一般的なメロデスとは距離を置き、ジャズやフュージョンの手法に近
いのが特徴。タイトルトラックでは淡いサウンドで描かれるプログレッシヴなメ
ロデスを生み出した。なお、Matthias Holmgren は表の世界ではソフトウェア会社
Morningdew Media の社長として、DTM 向けのプリセットや iOS 向けのパズルゲー
ムを制作・販売している。

Fission
Crater　　　　　🅐 Napalm Records 🅞 2004
シェルレフテオー

ヴェステルボッテン県シェルレフテオー出身。ヴァイキング／フォークメタルで
知られる Vintersorg でドラムを叩いていた Benny Hägglund によるプロジェクトの
1st。彼は楽曲を制作後 Vintersorg の Andreas Hedlund にヴォーカルを依頼してい
る。そのスタイルはメロデス／デスラッシュを丁寧に踏襲したものだが、楽曲に抑
揚の効いたクリーンヴォーカルを取り入れているのが特徴。曲調はモダンながらエ
ピックな情緒は残っているという作風になっているため、本作はデスラッシュファ
ンよりも Vintersorg のファン向けに作られている。その後も 1 作を発表。

Gates of Ishtar
A Bloodred Path　　　　　🅢 Spinefarm Records 🅞 1996
ルーレオー

ここ日本でもカルトな人気を誇るルーレオー出身バンドの 1st アルバム。バンド名
はメソポタミアの神に由来する。Dissection と At the Gates の両方の影響を受けた
サウンドで、特にバンドで印象的なのは Oskar Karlsson のドラムだ。パワフルで
躍動感ある彼のリズムによって、ギターとヴォーカルがより素晴らしいものに仕上
がっている。9 曲目に W.A.S.P のカヴァーを収録しているのも伝統的なヘヴィメタ
ルへのリスペクトがある故だ。ブックレット上では録音日は 1996 年 1 月 20 日～
30 日と記載されているが、ギターの Andreas Johansson は「同年 1 月 20 日～ 2
月 2 日まで収録し、リリースは 6 月 1 日に決定した」と異なる認識を示している。

Gates of Ishtar
The Dawn of Flames　　　　　🅐 Invasion Records 🅞 1997
ルーレオー

Invasion Records 移籍後に発表した 2nd アルバム。ドラムが Oskar Karlsson から
Henrik Åberg に、ベースが Niklas Svensson から Danjel Röhr に替わっている。前
作はフィンランドで収録されたが、本作はスウェーデンで収録されており、制作に
Dan Swanö が関わっている。彼はワンポイントリリーフでキーボードも披露して
おり繊細かつ透明感のある音を出している。特にタイトル曲の 5 曲目はイントロ
からして涙があふれる。後半の貧乏くさいピアノメロディーと、汚いグロウルが折
り重なる極上のシンフォニーを演出する。なお、カナダのスピードメタル Exciter
の 3rd のアートワークに似ていると、話題にもなった。

Gates of Ishtar
At Dusk and Forever
ルーレオー　　Invasion Records　1998

1年ずつ着実に活動してきたバンドの最終作となる 3rd アルバム。中心人物の
Mikael Sandorf 以外のメンバーが脱退。新たにギターとして Urban Granbacke が
加わり、前作でバンドを離れたドラムの Oskar Karlsson が復帰した。1曲目はイ
ントロから掴みが十分、夕焼けの眩しさが身に染みる叙情メロディー／コード進行
に小躍りする名曲。At the Gates らしさのあるツカツカしたドライヴ感にシンセを
駆使した 6 曲目の演出も嫌味がない。日本盤は Mötley Crüe のカヴァー曲を追加収
録している。2023 年に 2nd と共にアナログ盤で再発されたヴァージョンのアート
ワークは、2017 年のリマスター盤を踏襲している。

Julie Laughs Nomore
When Only Darkness Remains
ユースダール　　Serious Entertainment　1999

ストックホルムから北へ約 300km に位置する人口 1 万人の街ユースダール出
身。バンド名の由来は Candlemass の曲名にちなむ。当初は Dio、W.A.S.P.、
Motörhead にインスパイアされたメタルを演奏していたが、やがて Paradise Lost
や Type O Negative に感化されてダークなメタルに傾倒していった。本作は 1st ア
ルバム。ゴシックメロデスに属し、叙情的なメロディーにグロウルとクリーンヴォー
カルを巧みに使い分けたヴォーカルの Danne Carlsson の貢献は非常に大きい。当
時の「デスメタル化した Blind Guardian や W.A.S.P.」という評価は彼の声質が
Hansi Kürsch や Blackie Lawless に似ていることも関係している。

Julie Laughs Nomore
From the Mist of the Ruins
ユースダール　　Vile Records　2001

Vile Records から発表した 2nd アルバムは、パワーメタルの要素があるメロデス
における 1 つの答えとして識者から高く評価されている作品だ。1st に比べると演
奏面はブラックメタルの疾走感が強くなり、曲全体の演奏はブルータルな方向で引
き締まっている。Danne Carlsson と Benny Halvarsson の両名のヴォーカルは深い
グロウルからハイトーンに至る表現を丁寧に歌い上げている。多様なヴォーカルラ
インが迫るという点や、複雑な演奏は Into Eternity に通じるところもある。しかし
ゴシックメタルや正統派メタルのノリが加わることで差別化を果たしており、本バ
ンドでしか得られないカタルシスがある。

Meadows End
Ode to Quietus
エーンヒェルツビーク　　Independent　2010

冬季パラリンピック発祥の地とも言われるエーンヒェルツビーク出身。ベースの
Mats Helli とギターの Jan Dahlberg が中心となり、1998 年に結成。2010 年のこ
の 1st に至るまでデモの発表はあったが、10 年以上の間隔が空いている。その音
楽性はシンフォニックなアレンジが増えた Dark Tranquillity のようだ。Therion や
Skyfire のような仰々しく煽るものではなく、メロデスの逞しさを際立たせる作り
をしている。本作収録の 6 曲目は、メランコリックなメロディーを織り交ぜつつ
もメロデスの激しさを披露しており、初期の代表曲としてバンドが最初にリスナー
から注目を集めた曲だ。

Meadows End
The Sufferwell
エーンヒェルツビーク　　Independent　2014

続く 2nd アルバムでは、Oscar Nilsson をマスタリングに招き、飛躍的にバンドサ
ウンドが向上した。シンフォニック・メロデスと呼ぶべき美しさと、悲哀のグロウ
ルを織り交ぜドラマ性に磨きがかかっている。一方でシンフォニックな音を響かせ
るために、テンポ感はマイルドになっている。メロデスであることを忘れてしまう
美しい調べと、ヘヴィメタルのゴリゴリ感が表裏一体に迫る 3 曲目。ブラストビー
トの雨と泣きのリードギターが潤う猛進系のアップチューンである 10 曲目。メロ
ウな旋律が淡くメロデスを彩る 11 曲目は従来の路線をいっそう深化させた 7 分超
の大曲で、美と醜、陰と陽、光と影を際立たせている。

Meadows End

エーンヒェルツビーク

Sojourn

🔊 Independent ⏺ 2016

3rd アルバムは完全な新作ではなく、1999 年から 2006 年までに発表したデモや
EP の収録曲を現在の布陣で再録した作品。1st よりも 1st らしい本作が制作され
た背景には、このまま日を見ぬ楽曲をお蔵入りするには惜しいという気持ちがあっ
たようだ。しかしながら、そのことを知らなければ過去の曲とは気づかれないほど
に彼らの世界観は初期から変わらない。シンフォニックなアレンジがうまくなっ
た従来の一歩先を行く 3 曲目、フォーキッシュなメロデスの 4 曲目は彼らの中で
も新鮮さがある。前作までは所属レーベルが無かったが、本作発表後に Black Lion
Records と契約を果たした。

Meadows End

エーンヒェルツビーク

The Grand Antiquation

🔊 Black Lion Records ⏺ 2019

4th アルバム。これまでアートワークを担当した Fredrik Burholm が亡くなったため、
バンドはファンの声を参考に Ne Obliviscaris の Xenoyr に依頼した。描かれている
天使と悪魔の存在は「本当の善と悪とは何か」を人々に投げかけている。5 曲目の
Music Video はサウナで撮影したもので、バンドに初期から関心を持っていたメタ
ル系 YouTuber の Ed Veter もゲスト出演している。サウンドはシンフォニックな
部分が強まり、Fleshgod Apocalypse を思わせる本格派な仕上がりだが、激しすぎ
るサウンドでその興を削がない仕上がりを心がけている。

Naglfar

ウーメオー

Vittra

🔊 Wrong Again Records ⏺ 1995

ウーメオー出身バンドの 1st。現在ではブラックメタルでその地位を確立している
Naglfar だが、90 年代の彼らは Dissection や Unanimated のようにメロブラとメロ
デスの合間に漂う存在であった。ブラストビートとトレモロリフと共に、正統派
メタルの様式にも共感を覚えており、2002 年の再発盤のボーナストラックに Iron
Maiden のカヴァーが収録されていることからもその影響は明らか。一部の楽曲に
は Hypocrisy の Peter Tägtgren がゲスト参加している。ライヴでも定番の疾走曲
である 1 曲目はヨーテボリの土着性を感じさせ、アルバムタイトルの 7 曲目は In
Flames と同じ郷愁を呼び起こす。

Purgatorium

ウーメオー

Still in Search

🔊 Discouraged Records ⏺ 2017

1995 年に Wrong Again Records から発表した『W.A.R. Compilation』に参加経験
のあるヴェステルボッテン県ウーメオー出身バンドの 1st アルバム。結成は 1989
年に遡り、北部のシーンで最も古いバンドの 1 つである。バンド側は自分たちのス
タイルを、「Old School Melodic Swedish Death Metal」と語っている。Desultory
が引き合いに出される古典的デスメタルの残虐さと、憂いのあるメロディーが融合
する様子は、ヨーテボリ出身のバンドと違う趣がある。1994 年のデモ発表後にす
ぐこのアルバムを出していれば、また違った未来がバンドに訪れたかもしれない。

Satariel

ボーデン

Lady Lust Lilith

🔊 Pulverised Records ⏺ 1998

スウェーデン北部のボーデン出身。バンド名の由来は、ユダヤ教の宗教文書『エノ
ク書』に登場する天使にちなむ。デモ時代はブラックメタルやテクニカル・デスメ
タルに傾倒していたが 1st を発表する頃にはブラックメタル寄りのメロデスに落ち
ついている。ヨーテボリスタイルとは趣が異なり、ドゥームにも明るい。メロディー
一本足ではなく、楽曲全体の構成で勝負するタイプである故か、地味な立ち位置
に納まっているのは否めない。重々しいドゥームと勢いの良い爽快感が両立する 8
曲目は後の方向性のヒントが仕込まれており、ヴォーカルの Pär Johansson の歌
心あるクリーンボイスを確認できる。

Satariel
ボーデン

Phobos and Deimos   🔴 Hammerheart Records   ⏺ 2002

2002年発表の2ndは前作の方向性を継承しながらも、一定の方向に捉われず曲によって At the Gates にも Celtic Frost にも切り替わる多様な曲を見せるようになった。またクリーンヴォーカルからは Devin Townsend の影響も見られるのだが、これはプロデューサーに Strapping Young Lad の1stを担当した Daniel Bergstrand を招いていることからも確信犯的である。バンドにとっては憧れの大先輩である Candlemass の Messiah Marcolin をゲストヴォーカルに招き、インダストリアルな感触も宿す、独自のメロデスを確立した。

Satariel
ボーデン

Hydra   🔴 Regain Records   ⏺ 2005

前作から3年後に発表した3rdアルバム。アルバム名の由来は、ギリシャ神話に登場する7つの首を持つヒュドラにちなむ。数多のメロデスバンドが安易なモダン化に挑み、中途半端な作品を発表する中、Satariel にとってモダンメロデス化はバンドの潜在能力を引き出す結果に繋がった。前作に引き続き Daniel Bergstrand と Örjan Örnkloo の両名をプロデューサーに招き、シンプルかつコマーシャルな内容で、グロウルとクリーンが1：1で溶け合う。ゴリゴリしたモダン感よりも、空間を優しく包み込んでいる音が支配的だ。なお、これまでのアートワークはすべてヴォーカルの Pär Johansson が担当。2014年の EP を最後に作品は発表されていない。

The Duskfall
ルーレオー

Frailty   🔴 Black Lotus Records   ⏺ 2002

Gates of Ishtar のメンバーであるギターの Mikael Sandorf とドラムの Oskar Karlsson が中心となって結成されたバンドの1stアルバム。Gates of Ishtar が Dissection と At the Gates をお手本にした内容だったのに対して、このバンドではブラックメタルの影響は薄まり、メロデスのカテゴリーを意識した曲作りをしている。ストレートな単音リフによる様式美を意識しており、やや単調さは否めない(そこが逆に愛好家には好まれる)。Gates of Ishtar では見られなかったクリーンヴォーカルを7曲目で取り入れており、新バンドだからこその新たな挑戦も見られる。

The Duskfall
ルーレオー

Source   🔴 Black Lotus Records   ⏺ 2003

日本盤の帯では「劇的なる旋律が白夜の天空を駆け抜ける！」と表現された2ndアルバム。基本的な方向性は前作と変わらないのだが、スラッシュ由来の軽快な疾走感の両方に磨きがかかり、以前ほど単調さは感じなくなった。バンドの取捨選択、引き算は上手いこと機能しており、スウェーデン直送の無添加メロデスとなった。リードギターがあまりに『Colony』の In Flames っぷりに卒倒しそうになる2曲目、Oskar Karlsson のドラムプレイの巧みさに驚くデスラッシュ疾走曲の8曲目など、確かな実力を示した。Nuclear Blast 所属後は、1stアルバムと抱き合わせのコンピレーションを発表。

The Duskfall
ルーレオー

Lifetime Supply of Guilt   🔴 Nuclear Blast   ⏺ 2005

Nuclear Blast 移籍後に発表の3rdアルバム。大手のレーベルに移籍しているが、それに伴い中身が変わることはない。曲調は以前にも増して直線的なドライヴ感を生んでおり、『Slaughter of the Soul』期の At the Gates の教えを忠実に守っている。確かにメロディアスなのだが、必要以上に主張しない塩梅やメロデスのデスメタル部分に重きをおいた硬派さに裏切られることはない。オープニングの1曲目の疾走からも彼らが健在であることは伝わるし、疾走の中にリードギターからヨーテボリ感漂うツインリードが魅力的な5曲目など、時流に媚びることなくメロデスへのこだわりを見せつけた。

The Duskfall
The Dying Wonders of the World
🅐 Massacre Records 🅞 2007

The Duskfall は、この 4th アルバムまで継続的に活動してきたが、2nd 以降は毎回レーベルを変えていることにお気づきだろうか。まっすぐストレートを投げてきた直前の作品と違い、本作は曲の盛り上がりに合わせてギターの表現手法を変えている。主にリフの作り方で顕著で、ヴォーカルを活かした余白のある構造など、以前にも増してメタルコアの持つサビでのドラマチックさを活かした構成が見られ、さらに曲によっては明らかなブレイクダウンも見られる。今後の活躍にも期待されたが、本作リリースの翌年に Mikael Sandorf が脱退したことに伴い、バンドは一度解散している。

The Duskfall
Where the Tree Stands Dead
🅐 Apostasy Records 🅞 2014

Apostasy Records に移籍し、再起を図った 5th アルバム。Mikael Sandorf 以外のメンバーを総入れ替えして再結成された。短くない月日が流れたが、彼らのサウンドの根幹は変わらずにメロデスに根ざしている。リフやメロディーのセンスは一聴して The Duskfall 節に感じるほどに安定している。しかし、新ヴォーカルの Magnus Klavborn は前任者とはスクリーモやポストハードコアの歌唱に近い点で異なる。In Flames の Anders Fridén のような感情に訴えかける故に、そのヴォーカルスタイルには賛否両論あった。2016 年にバンドは初来日を果たし、メロデスマニアから熱い称賛を受けた。

The Everdawn
Poems - Burn the Past
🅐 Invasion Records 🅞 1997

ルーレオー出身。Gates of Ishtar の Oskar Karlsson や Niklas Svensson が在籍していたことで知られるバンドの唯一のアルバム。その音楽性は At the Gates の『Slaughter of the Soul』の典型的なフォロワー。前のめりなドラミングとひたすらメロディーを繋ぐギター、叫ぶヴォーカル、何よりも情けない音質の悪さも含めて 90 年代メロデスの世界観が凝縮されている。なお、本作の日本盤には 1996 年の EP 収録曲がボーナストラックとして丸ごと含まれており、「Nightborn」はマニアックなメロデス好きならチェックしたい。2012 年には Century Media Records からリマスター盤が登場したことで、入手しやすくなった。

The Moaning
Blood from Stone
🅐 No Fashion Records 🅞 1997

ルーレオー出身バンドによる唯一のアルバム。The Everdawn や Gates of Ishtar、Satariel などのスウェーデン 2 部リーグ出身のメンバーが新たに結成した 2 部リーグバンドが The Moaning だ。作曲は Gates of Ishtar でも活動していた Niklas Svensson が担っており、前述したバンドに比べるとブラックメタルの影響も受けているのが特徴。典型的な疾走曲である 1 曲目は大変素晴らしく、4 曲目のような曲からは NWOBHM を踏襲していることは明らか。2013 年に Century Media Records から再発、また 2021 年には Azure Graal からカセットで 60 本限定で発売されるなど、後年再評価が進んでいる。

Torchbearer
Yersinia Pestis
🅐 Metal Blade Records 🅞 2004

北部ノードボッテン県出身。Scar Symmetry を筆頭に数多くのメロデスバンドに在籍した経験を持つ Christian Älvestam がリーダーとなり、Satariel の Pär Johansson をヴォーカルに据えてメロディックなデスラッシュバンドを結成した。本作は 1st アルバム。疾走濃いめ、サウンド硬め、ソロ少なめのデスラッシュ 3 段活用を忠実に守っている。手法として目新しいものではないが、Spawn of Possession にも在籍することになる Henrik Schönström によるマシナリーなブラストビートのエンジンは、メロデス／メロブラをモダンに描くという本作の方向性に説得力をもたらし、王道の強さを再認識させた。

Torchbearer
ノードボッテン県
Warnaments
🅐 Regain Records 🅓 2006

コンセプトアルバムに挑戦した 2nd アルバム。前作では各メンバーが作曲に関わっていたが、本作では Christian Älvestam のみ作曲を担った。本作は第一次世界大戦の海戦（イギリスとドイツが海上で戦ったユトランド沖海戦）を題材にしたもので、命をかけて戦う兵士たちを鼓舞するヒロイックなメロディー、その命を奪う無慈悲な砲弾が聞こえてきそうなブラストビートの嵐が両立した作品だ。前作に比べるとブラックメタルの要素は薄くなり、また Per Nilsson による浮遊感あるキーボードがメロディーを補完している。このことから本作はデスラッシュからメロデスへといっそう接近している。

Torchbearer
ノードボッテン県
Death Meditations
🅐 Vic Records 🅓 2011

メンバーが多忙のため、制作に難儀し前作から 5 年後に発表された 3rd アルバム。本作では新たに Unmoored に在籍する Thomas "Plec" Johansson がキーボードとベースで、Solution.45 の Rolf Pilve がサポートドラムで参加している。音楽の方向性は初期の雑多な感性をブラッシュアップしたもので、前半はシンフォニック・ブラックメタルを思わせる要素が強くなっている。一方で後半になるとモダンメロデス／プログレッシヴ・デスメタルへと変化し、二度美味しい。作品ごとにレーベルが替わってしまい、十分なプロモーションを得られなかったせいか、現在のバンドは実質的に解散状態になっている。

Zonaria
ウーメオー
Infamy and the Breed
🅐 Pivotal Rockordings 🅓 2007

ウーメオー出身バンドの 1st アルバム。当時 14 ～ 15 歳だった Simon Berglund、Christoffer Wikström、Mikael Hammarberg の 3 人を中心に結成。その音楽性はスウェーデンの伝統的なメロデスサウンドと、ノルウェーのシンフォニック・ブラックメタルの両方に影響を持つ。特に Hypocrisy からの影響が強く、滋養があふれる出汁の取れたセクションの積み重ねが良い。キャッチーなメロディーを描きつつブラストビートとシンセサイザーを巧みに使う 2 曲目、後の作品に近い叙情性と凶暴性が共に宿り、激情を叫ぶ代表曲の 5 曲目など大型新人の名にふさわしい。

Zonaria
ウーメオー
The Cancer Empire
🅐 Century Media Records 🅓 2008

バンドは前作発表後、Pain や Marduk、Vader のツアーに同行し実力を培った。その結果大手の Century Media の目に留まり、2008 年に発表した 2nd アルバム。マスタリングは Fredrik Nordström が担当し、万全の環境でサウンドの強化を本作で果たした。テクニカル・デスメタルが背景にある Fleshgod Apocalypse、ダークで荘厳な Septicflesh と比較して、彼らのメロディーセンスやシンフォニックなアレンジは、パワーメタルにルーツを窺える。壮大なアレンジと弾きまくりのギターで幕を開ける 1 曲目で期待感を高めるが、インダストリアルな感触も宿す 4 曲目は Dimmu Borgir への憧憬を感じさせる。

Zonaria
ウーメオー
Arrival of the Red Sun
🅐 Listenable Records 🅓 2012

フランスの Listenable Records に移籍し、前作から 4 年後に発表した 3rd アルバム。元々メンバーが流動的なバンドだが、結成に関わった Simon Berglund 以外のメンバーが本作で総入れ替えされている。一聴すると中身は変わらないシンフォニックなメロデスだが、リードギターの貢献度が強まりハーモニーの増大に伴い、キーボードとの役割の違いが明確になった。1 曲目から猛進するリフと広がりのあるメロディーから Hypocrisy に対する変わらぬ崇拝をアピール。11 曲目にはスウェーデンを代表するポップパンク／ニューウェイヴバンドの Imperiet のカバーを収録。

青い世界観を定着させたグラフィックデザイナー Necrolord

本名は Kristian Wåhlin

Kristian Wåhlin は、Necrolord という芸名でも知られている。ヘヴィメタルの世界で最も有名なグラフィックデザイナーの１人だ。彼はヨーテボリ出身で、当時から様々なバンドと交流を持ち、アートワークを描いてきた。数え切れないほどのデスメタル、ブラックメタルや、ゴシックメタルのアルバムに関わってきた彼のエピソードを紹介しよう。

Grotesque、そして Liers in Wait に在籍

Kristian Wåhlin が伝説扱いされているのは、ヨーテボリで最も古いデスメタルであるGrotesque にギターで在籍していたからだ。なお、バンドのロゴも Kristian Wåhlin がデザインしたものであった。バンドが始動した 1988 年には、首都ストックホルムでも数えるほどしか、デスメタルバンドはいなかった。Grotesque は Nihilist（のちの Entombed）とヨーテボリで共演したこともあり、それは再結成前に行った唯一のギグだと言われている。Grotesque はわずか２年で活動を終えるのだが、その後バンドのメンバーは At the Gates と Liers in Wait に分裂することになる。Kristian Wåhlin が結成した Liers in Wait は、1992 年に EP『Spiritually Uncontrolled Art』を発表す

る。アンダーグラウンドでは At the Gates と同様に将来が期待されたバンドだったが、メンバーが定着せず、1995 年に解散している。解散後は、Diabolique というエレクトロ／ゴシックメタル系のバンドを始める。こちらは 2001 年まで活動が続いたが、現在は活動休止中である。Tomas Lindberg とハードコア／パンクを取り入れた The Great Deceiver を結成した時は、２つの EP と３枚のアルバムを発表している。しかし、At the Gates の再結成によって多忙のためか、その後の動きは見られない。

青を基調とした世界観が共通ビジョンに

アーティスト Necrolord としての活動は、Grotesque と並行して行われた。彼が注目を集めたのは、1991 年に Tiamat の1st アルバム『Sumerian Cry』を描いてからだ。ロマン派やルネサンス期の画家に影響を受けた緻密なアートワークは、瞬く間に評判になった。彼の作品の中でも特に有名なのが Dissection の『The Somberlain』と『Storm of the Light's Bane』、Emperorの『In the Nightside Eclipse』である。死神や冬景色、様々な青色を基調とした世界観は、北欧のデスメタルやブラックメタルにとって、共通のビジョンになった。アメリカのデスメタルのように、過激でスプラッターなアートワークとは異なり、物語の一場面を抜き出したような含みを持っている。

一時期に比べれば仕事は落ち着いているが、現在でも定期的に個展を開き、精力的に活動している。そして、彼の作品は CD のジャケットでは絵の細かい部分までを、楽しむことはできない。お気に入りの作品があるならば、ぜひ、アナログ盤を入手し堪能しよう。

Chapter

2

Finland

フィンランド

今ではフィンランドはスウェーデンを上回るほどに巨大なメタルシーンを形成している。フィンランドでヘヴィメタルが盛んなのは事実だが、初めからそうではなかった。表舞台で注目を集めるようになったのは1990年代に入ってからだ。メロデスの世界でもしばしば「北欧メロデス」という言葉によってスウェーデンとフィンランドのメロデスは同一視されがちだが、実際には互いに影響を及ぼしながらも、異なる道を歩んでいる。

フィンランドのロックシーンの夜明け

古典的なフィンランドのロックンロールは1970年代に登場したHurriganesというバンドまで遡る。バンドのギタリストであるAlbert Järvinenは後にMotörheadのLemmy Kilmisterと共演しており、これはフィンランドのロックバンドが国際的な視野を持つようになったターニングポイントの1つだ。1980年代になるとSarcofagusがフィンランドの最初期のヘヴィメタルバンドとして登場した。しかし、当時はメタルよりもハードロックが主流であり、Mötley Crüeと同じ1981年にデビューを飾ったHanoi Rocksのようなグラムロックが人気を博していた。1989年結成のThe 69 Eyesも、活動初期はグラムロック志向のバンドだった。

次々と国内外で存在感を強めていく

1990年代になると急速にフィンランド国内は経済危機に見舞われる。その頃に国民の音楽の趣向も変わり始め、社会の不満や怒りをテーマにするヘヴィメタルは彼らの怒りを代弁してくれる存在だった。国際的な評価を受けるメタルバンドもこの時期に相次いで登場している。H.I.M.は1995年にデビューし、2005年にフィンランド勢としてアメリカで初のゴールドディスクを獲得した。1996年

に結成したNightwishもシンフォニックメタルの1つの完成形として圧倒的な人気を誇る。この2バンドが国際的、商業的にも、大きな成功を集めたことでフィンランドのメタルシーンはさらなる注目を集めるようになる。日本ではStratovariusがいち早く人気を博しており、後のフィンランドのパワーメタルバブル、メロスピブームを牽引した。

当時は不遇だったアンダーグラウンドシーン

このような表舞台での躍進に比べて十分な評価を得ていないのが実態だが、アンダーグラウンドシーンも大きな発展を見せていた。フィンランドのデスメタルにはスウェーデンほど定型的な特徴はなく、それぞれのバンドが独創的であった点も実態を不明瞭なものにしていた。代表格としてはAbhorrence、Demigod、Convulseなどのデスメタルバンドが挙げられる。インターネットの発展によって近年ではDemilichがレジェンドとして再評価されている。そのほか、Xysmaに代表されるグラインドコアとデスエンロール、ThergothonやSkepticismといったフューネラルドゥームが登場しており、サブジャンルの発展という点でも重要なバンドが相次いで登場していた。

大衆の場に躍り出たAmorphisとSentenced

こうした多様なエクストリームメタルを認める土壌は、メロデスの形成においても重要だった。フィンランドのメロデスの源泉を辿るとParadise LostやMy Dying Brideといったデスメタル／ドゥームメタル、そしてゴシックメタルの感性がルーツにある。1990年代のフィンランドのメロデスシーンにおける黎明期の重要バンドはAmorphisとSentencedだ。双方とも当初は他のバンドと同じデスメタルから始まっているが、徐々に

土着的な感性を宿して独自の発展を遂げる。Amorphis の 2nd アルバム『Tales from the Thousand Lakes』、Sentenced の 3rd アルバム『Amok』がフィンランドのメロデスシーンを語る上でのマスターピースである。しかし影響源である Paradise Lost の音楽性の変化、王道のゴシックスタイルでヒットした H.I.M. の登場に触発されたのか、メロディック・デスメタルを演奏していた Amorphis はサイケデリックロックへ、Sentenced はゴシックメタルへと流れ、それまでのメロデスシーンの存続が一時期は危ぶまれる形になった。

Children of Bodom の大ヒット

こうした旧来的なメロデスシーンが陰りを見せる頃、救世主のように登場したのが Children of Bodom だ。フィンランドのパワーメタルを象徴する Stratovarius のような、ギターとキーボードのフィーチャリングはメロデスシーンに大きな影響を与えた。1997 年に『Something Wild』で衝撃的なデビューを果たした Children of Bodom は様式美を取り入れたネオクラシカル要素と、Alexi Laiho のスター性も相まって新時代のメタルバンドとして受け入れられた。隣国のスウェーデンにおいて、メロデスバンドの Norther と Dispatched が同時期に Europe の「The Final Countdown」をカヴァーしたことが象徴的だが、Children of Bodom の場合は NWOBHM とパワーメタルがサウンドの背景にあった。過去に Amorphis でもキーボードは使われていたが、オーロラのようにきらめく明るいキーボードは登場していなかった。この新たなスタイルは Kalmah や Eternal Tears of Sorrow に影響を与え、シーンの最大勢力として成長する。Ensiferum を脱退した Jari Mäenpää が結成した Wintersun はジャンルの栄華を象徴するもので、その壮大なシンフォニックサウンドに憧れ、今なお数多くのフォロワーを生んでいる。

メランコリックなスタイルの再評価

やがて伝統的でトラッドな感性が宿るメロデスにも継承者が現れるようになった。同国を代表する Insomnium や Before the Dawn は Children of Bodom のような華やかさはないが、その質実剛健な姿に人々は魅了された。彼らの特徴はゴシックメタルと結びつく柔軟性にあり、クリーンヴォーカルを使用することに躊躇いがない。歌詞はこの世を恨むかのように孤独を愛し、時に歴史の語り部へとその姿を変え、厳しい冬の湖畔と森の情景を浮かび上がらせた。後に Swallow the Sun や Rapture などメロディックなドゥームメタルが台頭した時にもメロデスは相互に影響を与えていた。そして Tomi Joutsen が加入した Amorphis がメロデスへと回帰したことも勢いを与え、再びフィンランドのメタルシーンのメインストリームとなった。前述した Insomnium は作品を重ねるごとにその世界観を深化させ『Winter's Gate』によって 1 つの集大成に辿り着いた。

独自の発展を遂げたフィンランド

このように古典的なデスメタルから出発したものの、ゴシックメタルとも価値観を共有するルーツと、パワーメタルをルーツとする 2 つの潮流が現在のフィンランドのメロデス像になっている。シャイな国民性というのはフィンランドという国のステレオタイプな印象かもしれないが、その彼らが己の怒りを爆発させて表現する姿に私たちは感動を覚える。物静かでありながら、強い意志を内に秘めるフィンランドのメロデスを紹介していこう。

フィンランド民族叙事詩『カレワラ』を現代に語り継ぐ吟遊詩人

Amorphis

- ⊙ Abhorrence, Barren Earth
- ♦ 1990 ⊕ フィンランド、ウーシマー県ヘルシンキ
- ⊗ Esa Holopainen, Tomi Koivusaari, Olli-Pekka Laine, Jan Rechberger, Santeri Kallio, Tomi Joutsen

メロデスのジャンルを超えてフィンランドを代表するメタルバンドの Amorphis。当初はデスメタルから始まったが、「決まった形や姿を持たず、常に変化し続ける存在」として君臨している。1990 年にドラムの Jan Rechberger とリードギターの Esa Holopainen、Abhorrence に在籍していたヴォーカル／リズムギターの Tomi Koivusaari、ベースの Olli-Pekka Laine が合流して結成。1992 年 1st アルバム『The Karelian Isthmus』発表後はキーボード奏者に Kasper Mårtenson が加わり、1994 年に 2nd アルバム『Tales from the Thousand Lakes』を発表。フィンランドの民族叙事詩『カレワラ』を扱うコンセプト作品として日本でも大きな注目を集めた。キーボードは Kim Rantala に交代し、クリーンヴォーカルを専任する Pasi Koskinen が加入。1996 年 3rd アルバム『Elegy』を引っ提げ、初めての来日公演も行った。1999 年 4th アルバム『Tuonela』から 6th アルバム『Far from the Sun』までの時期はサイケデリックロックに傾倒し、人気は落ち込んでしまう。ヴォーカルに元 Sinisthra の Tomi Joutsen が加入し、Nuclear Blast に移籍して発表した 7th アルバム『Eclipse』は再び『カレワラ』を扱い、Amorphis は大復活を果たす。2013 年発表の 11th アルバム『Circle』以降は『カレワラ』以外の題材を扱っている。レーベルを Atomic Fire Records に移籍し、2022 年 14th アルバム『Halo』を発表した。

Amorphis
The Karelian Isthmus
⊙ Relapse Records ⊙ 1992

バンドのデビュー作となる 1st アルバム。タイトルのカレリア地峡は、フィンラン
ドとロシアのサンクトペテルブルクとの間にある土地のことで、歌詞は『ケルト神
話』から着想を得ていた。アーサー王伝説を比喩に、現実として起きたソ連との領
土をめぐる戦いをなぞらえており、この頃から普通のデスメタルとは異質な哲学を
持っていた。推進力のあるサウンドおよび世界観の影響源として Bolt Thrower の
ほか、My Dying Bride や Paradise Lost などデスメタル／ドゥームメタルバンドが
挙げられる。現在の Amorphis とは少し異なるが、フィンランドの OSDM シーン
を語る上で本作は外せない。

Amorphis
Tales from the Thousand Lakes
⊙ Relapse Records ⊙ 1994

Amorphis の代表作として知られる 2nd アルバム。本作からフィンランドの叙事詩
である『カレワラ』をテーマに曲が作られた。サウンド面では前作から、大きく 3
つの変化が見られる。まず専任のクリーンヴォーカルが加入し、楽曲の展開が豊富
になったこと。次に専任のキーボード奏者が在籍することで、より既存のデスメタ
ルから離れたこと。最後にデスメタルに土着的なメロディーを取り入れたことだ。
今となっては珍しくない個々の試みが、どれも当時は最先端であった。5 曲目は初
期の Amorphis を代表する名曲。森と湖の国から届いた物語はここ日本でも大きな
話題となった。

Amorphis
Elegy
⊙ Relapse Records ⊙ 1996

既存のデスメタルから離れつつあり、バンドのロゴも変更となった 3rd アルバム。
本作は 1840 年に Elias Lönnrot が手がけた『カンテレタル』という母国の叙事詩
から歌詞を引用しているのが特徴。楽曲面ではクリーンヴォーカルの増量と、デス
メタルらしからぬクリアなサウンドが特徴。本作から正式なクリーンヴォーカルと
して Pasi Koskinen が加入。キーボード奏者の Kim Rantala は本作限りの参加だが、
メタルの常識に囚われないアレンジで大きく貢献。クドさを感じる一歩手前を表現
するリードギターが印象的な 4 曲目や人気のフォークロアの 5 曲目、そして 9 曲
目のタイトル曲で Amorphis の人気はピークを迎えた。

Amorphis
Tuonela
⊙ Relapse Records ⊙ 1999

前作でやるべきことを成し遂げてしまったと考えた Amorphis が、デスメタルと違
う道へ進むのは避けられないことだった。この 4th アルバムのタイトルは、叙事詩
『カレワラ』で描写される死者の国にちなむ。本作は一部グロウルの使用も見られ
るが、土着的なメロディーを使うメロディックなメタル／ロックへと姿を変え、サッ
クス、シタール、フルートなど非典型的な楽器を使用している。本作以降、6th ア
ルバムまでは一般的なメロディック・デスメタルで想起されるような内容ではない。
3rd の路線をさらにディープに推し進め、バンド名通り掴みどころの無いサイケデ
リックかつ Amorphous（不定形）な内容である。

Amorphis
Eclipse
⊙ Nuclear Blast ⊙ 2006

バンドにとって第二の黄金期の幕開けを飾るきっかけとなった 7th アルバム。
ヴォーカルは Pasi Koskinen から、ゴシックメタルバンド Sinisthra で活躍してい
た Tomi Joutsen へと交替。歌詞の題材を『カレワラ』へ戻したこともあり、初期
路線への回帰が見られる。実際には 2nd の頃のメロデス要素と、これまでに培っ
てきた民謡要素が重なり合う塩梅となっている。古いリスナーには親しみやすい背
景を提供している一方で、新しいリスナーにも届くアプローチは大成功し、以降の
Amorphis の曲作りは本作の路線を踏襲している。ライヴの定番である 2 曲目のサ
ビを覚えれば、コール＆レスポンスはバッチリだ。

Amorphis
Silent Waters
🅐 Nuclear Blast 🅓 2007

前作の手応えが確信に変わり、収録曲は『Eclipse』以降に作曲された曲で構成されているが、最も短いスパンで発表した 8th アルバム。本作からフィンランド語の歌詞を Pekka Kainulainen が担当し、Tomi Joutsen がそれを英訳し曲に合う形でまとめる手法を採用するようになった。このように『カレワラ』の物語を伝える歌詞は、Amorphis の根幹であり、大切な要素である。3 曲目のクリーンヴォーカルを活かしたメランコリックなバラード曲を筆頭に、胸が苦しくなる切ない世界観を演出。この作品の直後、Loud Park 2007 に出演を果たす。1996 年以来の再来日となり、以後定期的に日本へ訪れるようになる。

Amorphis
Skyforger
🅐 Nuclear Blast 🅓 2009

9th アルバムは『カレワラ』をテーマにした作品群でも人気が高い。本作は鍛冶屋であるイルマリネンを主人公に据えている。イントロのメロディーからドラマティックな展開を迎える 1 曲目、エピックなリフとメロディーが簡潔にまとまっている 2 曲目や 4 曲目はライヴでも人気曲である。Opeth のような陰と陽のヴォーカルワークが冴える 5 曲目、躍動感と土着的な部分を強く打ち出すパワーバラードの 7 曲目など、バラエティ豊か。バンドは「『Skyforger』を通じて人間の野心、希望、失望についてのメタファーを見ることができる」と語る。

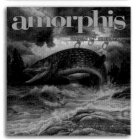

Amorphis
Magic & Mayhem - Tales from the Early Years
🅐 Nuclear Blast 🅓 2010

9th『Skyforger』の翌年に発表されたセルフカヴァーアルバム。『The Karelian Isthmus』『Tales from the Thousand Lakes』『Elegy』という初期 3 作品を、7th『Eclipse』以後の編成で披露している。現在のメジャー感あふれるバランスのある作りは、全体を通して 1 つのアルバムに仕上がっている。ライヴでも本作のサウンドに準拠して披露している。しかし、それぞれのアルバムの空気感を味わうのであれば、元のオリジナルを追うことを筆者は強く勧めたい。手っ取り早くライヴでの演奏曲を知りたい、新たなファンの入門編として本作の立ち位置はちょうどよい。

Amorphis
The Beginning of Times
🅐 Nuclear Blast 🅓 2011

オリジナルとしては『Skyforger』から 2 年ぶりとなる 10th アルバム。不滅の賢者とも称される吟遊詩人ワイナミョイネンの物語を歌い、『カレワラ』の核心部分となる世界創造へと接近する。本作の楽曲に関して言えば、これまでよりも 1970 年代のプログレッシヴロックで見られた技法を取り入れ、『カレワラ』の持つ幻想的で神秘的な世界観を映し出すための手法として採用。イントロから力強くも切ないメロディーに涙腺崩壊の 1 曲目で、すでにクライマックス感が強い。ワイナミョイネンとの結婚を強いられ、海に身を投げたアイノを人魚に例えた 2 曲目も儚いメロディーが美しい。

Amorphis
Circle
🅐 Nuclear Blast 🅓 2013

11th アルバムは『カレワラ』をテーマにせず、また近年薄まりつつあったデスメタル要素を復活させた作品だ。バンドも外部の空気を知る人間をスタッフに起用しており、プロデューサーに Peter Tägtgren を招いている。これまでの Amorphis の路線から大きく離れたわけではないが、民謡要素や印象的なピアノのメロディーよりもヘヴィなギターの音が相対的に多い。従来の路線を継承しつつも、温かなクリーンヴォーカルで天に浄化されそうな 3 曲目や、アグレッシヴなリフとメロディーで閉塞感を打ち破る 5 曲目など意図的なテコ入れをした。とはいえ、結果的に彼らの根幹が変わらないことを本作は証明している。

Amorphis
Under the Red Cloud
🅐 Nuclear Blast 🅒 2015

コンスタントに前作から 2 年後に発表された 12th アルバム。全体の印象としては彼らのディスコグラフィーの中でも 9th アルバムに近い作風だ。メランコリックなメタルのアプローチに磨きがかかっている。また民謡要素においてスイスのフォークメタル Eluveitie の Chrigel Glanzmann がフルートを吹き、ゲストの女性ヴォーカルとして Aleah Stanbridge が参加している。前作の流れを汲む激しいメロデスの 2 曲目や、中東メロディーを存分に生かした素朴なフルートがメインを飾る 5 曲目、牧歌的なフォークメタルの 9 曲目など、前作では薄かった土着的な Amorphis の面目返上を果たした楽曲を収録。

Amorphis
Queen of Time
🅐 Nuclear Blast 🅒 2018

4th アルバム『Tuonela』まで在籍していたベースの Olli-Pekka Laine が 17 年ぶりに復帰した 13th アルバム。Orphaned Land の 2018 年作『Unsung Prophets & Dead Messiahs』にも参加した指揮者 Mümin Sesler が本作でも関わっており、作風に流れるゴージャスな空気感には共通点を見いだせる。緊張感のあるシンフォニック要素と、相反する優しげな歌声に魅了される 1 曲目はもちろんのこと、ゴシックメタルの先駆者の 1 つ The Gathering のヴォーカルだった Anneke van Giersbergen をゲストに招いた 9 曲目は、エピックなリードギターが筆舌に尽くし難い完成度。

Amorphis
Halo
🅐 Atomic Fire Records 🅒 2022

2022 年発表の 14th アルバム。『Under the Red Cloud』から続く 3 部作の 3 作目となる。『Halo』とは「太陽」を意味しており、当初は生と死をテーマにしたアートワークを狙っていたが、制作過程で光と闇の対称性を太陽と月に見立てた背景がある。印籠がわりの 1 曲目は本作の方向性を端的に示し、3 曲目はクリーンヴォイスでメランコリックメタルを歌っている。7 曲目は歌詞を担当する Pekka Kainulainen がアイスランドを訪れた際に足を運んだ 7 つの道から着想を得ているようだ。本作では同じダークな世界観でも 11th『Circle』のヘヴィネスよりも、8th『Silent Waters』のドラマ性を継承している作品だ。

Amorphis Interview

回答者：Tomi Koivusaari（リズムギター＆ヴォーカル）

Q：フィンランドのデスメタルは他の国とは少し違う発展を遂げました。当時のデスメタルがグラインドコアやデスエンロールに変化していく中、なぜ Amorphis はそのようにはならなかったのでしょうか？
A：1st アルバムをリリースした時、あるいはレコード契約を結んだ時にすでにグラインドコアなどの段階を経ていて、次は 1970 年代のプログレッシヴロックの方向へと向かおうとしていたんだ。俺たちはまだ若かったから、デス系だけが必ずしも好きだったわけでもなく、より多くのバリエーションの音楽を求めていたんだ。俺は音楽に厳格な制限なんてものはないと思っているからね。**

Q：フィンランドのデスメタルバンドでアメリカの地で演奏したのは Amorphis が初めてかもしれません。当時のライヴの思い出をお聞かせ願いますか？　1st アルバム『The Karelian Isthmus』ではヨーロッパのデスメタルからの影響が強く出ていますが、どのような経緯を経て自国の民族叙事詩『カレワ

ラ』を題材にしたのでしょうか？

A：Entombed（俺たちが大きな影響を受け、そして友人でもある）のサポートで全米を7週間回るという素晴らしいツアーに出た時だったかな。『カレワラ』は音楽的なインスピレーションから生まれたんだ。その頃からすでに様々な国の民族音楽や東洋の音楽を聴き始めていたので、同じ精神を持つこのテキストを使わない手はないと考えていたし、メタルという音楽においてもこの叙事詩を影響源として使っていた人を俺たち以外には知らなかった。他の神話と比べても、自分たち自身のものであり、自分たちのルーツであることを強く感じられるようになった。

Q：大きなターニングポイントとなったのは『Tales from the Thousand Lakes』でした。デスヴォイスに加えてクリーンヴォーカルやキーボードを入れましたね。アートワークも美しいです。イラストレーターの Sjlvain Bellemare には、どのように依頼したのですか？

A：このアルバムは民謡要素や『カレワラ』を題材にした歌詞を取り入れた最初のアルバムであり、真似るよりも自分たちのやりたいことをやろうとした作品だ。クリーンヴォーカルとキーボードを使って音楽の領域を広げようとしたんだ。アートワークは当時のレーベルである Relapse Records が手配してくれたんだ。4種類ほどジャケットのアイデアが届いて、そのうちの1つを選んだ。数年前のアメリカツアーで Sjlvain に初めて会ったんだけど、その時、実はオリジナルの絵を持ってる人がバスに乗り込んでいて、見せてくれたんだ。思ったよりも大きな絵だったね。彼らに会えてよかったよ。

Q：Amorphis の初来日公演は1996年12月に行われました。当時の日本でのライヴの感想を振り返ってもらえますか？

A：たとえ1回や2回でもアルバムを出すたびに日本でツアーやショーができるのは本当に素晴らしいことだ。日本はいつだって大好きな国だよ。初めての日本公演は、フィンランドから遠く離れた場所にいるような、まるで他の惑星に行ったような感覚だった。日本には忠実なファンがたくさんいるから、なるべくアルバムリリースに合わせて日本を訪れるようにしているんだ。そのおかげで、毎回素晴らしいライヴができている。

Q：3rd アルバム『Elegy』の名曲「Elegy」

が10年近く演奏されていません。この曲は
いつか演奏されるのでしょうか？

A：いや、それはわからないよ。たくさんの
アルバムから曲を選んで、フェスでは90分
かそれ以下のセットに収めなければならない
し、何よりこの曲はかなり長いからね。でも、
以 前『Tales from the Thousand Lakes』
と『Eclipse』で行った記念ツアーのような
『Elegy Tour』をやるかもしれないという
話もある。だから君と俺たちが生きている間
に「Elegy」をライヴで演奏する可能性はま
だ残っているよ。

Q：6thアルバム『Far from the Sun』収録曲
の「Day of Your Beliefs」がフィンランドの
教科書に載っていると日本のテレビで放送さ
れました。教科書に載ることについて、事前
に学校関係から連絡はあったのですか？

A：記憶が正しければ確かにどこかの学校の
音楽図書に載っていると思うよ。出版前にそ
れを見せてもらったら、変な音階とか間違っ
たコードがあったから修正したんだ。いつか
全曲を収録したバンドスコアを出せたらいい
なと思うけど、大変な作業になりそうだ。

Q：Tomi Joutsen の加入によってバンドは大
きな話題になりました。『Eclipse』をレコー
ディングした頃の心境を教えてもらえます
か？ 期待と不安の両方があったのでしょう
か？

A：Tomi がバンドに加入した時は、最初の
リハーサルからとても興奮したよ。もちろん
『Eclipse』のレコーディング中は、前任者
と違いすぎるんじゃないかとか様々な感情の
変化もあった。それでもレコーディングが進
むにつれて、俺たちは正しい人を見つけられ
たと確信したんだ。音楽的にも、人間的にも
ね。

Q：『Eclipse』以降、非常に安定した流れで
作品を発表しています。コンピューターの中
に眠っている未発表の曲はどのくらいありま
すか？

A：そうだね。アルバムを出して、ツアーを

やって、2年後に次のアルバムを出して、ツ
アーをやって、そんなサイクルを繰り返して
いる。それが俺たちの仕事だから、状態が良
いんじゃないかと思うがね。俺たちは通常、
アルバム用に30曲ほどデモを作ったら、15
曲くらいはボツにして、最終的に13曲くら
いまで厳選した曲をレコーディングしてい
る。ボツになった曲のマテリアルはどこかに
残っているけど、もう新曲として世に出るこ
とはないね。たとえ素晴らしい曲ができて
も、その時々の他の曲と合わなかったらボツ
になることもある。そういう曲を集めれば、
10枚くらいアルバムをリリースできるかも
しれない。

Q：Amorphis には10分以上の曲がないこと
に気づきました。バンドとして長い曲を制作
しない理由はあるのでしょうか？

A：必然性があるなら曲を長くすべきだが、
俺たちは分数を考えながら曲作りをしていな
い。単に曲を作って、出来上がったら何分く
らいだったかを数えているだけだよ。

Q：『Queen of Time』 で Anneke van
Giersbergen とコラボしたのは衝撃的でし
た。彼女とツアーを同行するまでのエピソー
ドについて教えてもらえますか？

A：Anneke に初めて会ったのは、彼女が
The Gathering に参加していた1990年代の
フェスティバルやツアーか何かだったと思う
よ。数年前にヘルシンキで行われた特別な
ショーに彼女を招待したことがあってね。そ

の頃から将来一緒に何かレコーディングしよ
うという提案はあったんだ。その後、彼女は
時々俺らのショーにもゲスト出演してくれる
ようになってついに Anneke が 1 人で演奏
するアメリカツアーを行ったんだ。彼女は俺
たちのバスで移動し、とても気楽で楽しかっ
たし、時には彼女の家族も一緒にライヴに参
加してくれた。彼女は素晴らしい人で、一緒
にいてとても楽しかったよ。彼女はどこかの
インタビューで「Amorphis は私を妹のよう
に扱っている」と言っていたけど、まさに
その通りかもしれない。女性 1 人でツアー
を行うのは中々大変なことだと思うけど、

Anneke はまるで男性のようでもある、もち
ろんずっと可愛いけどね。とても才能のある
シンガーで、素晴らしい人間性を持ってい
る。オランダ人とフィンランド人の仲に障害
は何もない。実際、俺たちは今まで一緒にツ
アーをした人たちとは良好な関係を築けてい
るよ。

Q：Amorphis は時々エスニックなアプロー
チをしていますが、フルートやヴァイオリン
奏者を新たに加えることはありません。そ
こには何かポリシーがあるのでしょうか？
Amorphis は民族要素のあるヘヴィメタルで
はあるかもしれませんが、典型的なフォーク
メタルではないからでしょうか？

A：俺たちはこのラインナップで満足して
いると思う。自分たちはフォークメタルと
か、他のカテゴリーにはあまり関係なく、何
の制限もなく音楽を作ろうと考えている。
「Amorphis のメタル」と呼ばれる存在であ
りたいと思っている。

Q：最後に日本のファンへメッセージをお願
いします。

A：日本が大好きです！　インタビューあり
がとうございます！

Amorphis (Pekka) Interview

Amorphis の 8th アルバム『Silent Waters』で作詞を担当している Pekka Kainulainen へのインタビューが実現した。彼が綴ったフィンランド語の詩をもとに、Tomi Joutsen は英語に翻訳し、歌っている。一般的には珍しい手法を採用する背景に迫る、本邦初のインタビューが実現した。

回答者：Pekka Kainulainen（作詞家＆芸術家）

Q：もしかすると日本からのインタビューは今回が初めてでしょうか？
A：そうですね、日本からのインタビューはこれが初めてとなります。
Q：バンドから作詞を依頼された経緯についてお聞かせ願いますでしょうか？
A：話は 2006 年まで遡ります。Amorphisがこの年に発表した『Eclipse』の歌詞は、フィンランドの有名詩人 Paavo Haavikko氏が『カレワラ』をベースに書いた作品から借用したものでした。誰か歌詞を一手に担ってくれる人がいれば、文章のスタイルやムードにまとまりと統一感ができて良いだろうと、メンバーは考えていたと思います。当時

の Tomi Joutsen は、Amorphis に加入してさほど年数が経っていませんでしたが、私が『カレワラ』に精通しているということは知っていました。そこでまず、『カレワラ』に出てくるレンミンカイネンという英雄について 4 つの詩を書くようにと Tomi に頼まれたんです。私がそれを書き上げてメールで送ると、すぐに Tomi から電話がかかってきて、Amorphis の次のアルバムに作詞家として参加してほしいと言われました。そのアルバムとは『Silent Waters』のことです。私はそれ以来、Amorphis の作詞家として活動しています。
Q：私のようなメタルヘッズには Pekka さんは Amorphis の 7 人目のメンバーのように思えます。アーティストとして様々な分野で活躍されていますが、最近はどんなことに取り組んでいますか？
A：今度私のスタジオで開催される小さな展覧会のために、絵を描いています。その他にも児童福祉に関するアートプロジェクトにも取り組んでいます。そして、Amorphis の次の歌詞のテーマを見つけるために、私の心の中で何かがささやきかけているのを待っています。
Q：『Silent Waters』以来、作詞家として関わっています。多くの場合、歌詞は曲が完成した後に考えるものです。しかし、Amorphis は逆の手順で行っています。フィンランド語の歌詞を最初に書くことは、バンドにどんな影響を与えるのでしょうか？
A：私たちにとって、作曲と作詞は事実上、別々のプロセスとなっています。不思議に思うかもしれませんが、それでも楽曲と歌詞はうまく合致するのです。おそらくですが、バンドのメンバーも私もフィンランドという同じ井戸の中でインスピレーションを得ているからだと考えられます。

Q：『カレワラ』を扱ったアルバムの中には、東洋的なフレーズを交えた曲が入っていますね。例えば、『Silent Waters』に収録されている「Shaman」はその好例です。フィンランドの世界観には、実は日本やアジアなどの中東や極東から得たインスピレーションも混じっているのでしょうか？

A：**言語学的にどうなのかはわかりませんが……例えば日本映画を見ていると、フィンランド人は不思議な親しみを感じやすいんです。**

Q：日本映画の話を聞くと親しみが湧くというのはどういうことでしょうか？　もし興味のある日本映画があれば教えてもらえますか？

A：**時々ですが、フィンランドのテレビで日本映画を見ることがあります。もちろん、クロサワ（黒澤明のこと）の大作『七人の侍』が一番好きですが、他の映画監督の作品にも面白いものがあります。日本の神話に関連する作品は、私にとって身近な存在です。あいにく私は名前を覚えるのが苦手で、名前を知っているのはクロサワだけなんです。でも、他の監督さんの映画もとても面白いです。現代の映画もね！　日本の童話的な精神が強く感じられます。**

Q：2018 年の『Queen of Time』の「Wrong

Direction」の Music Video では山の精霊として出演したようですが、この情報は正しいのでしょうか？

A：**はい、あれは私が演じました。角と毛皮を持ったあのキャラクターは、30 年以上前にパフォーマンスアートを作っていたときに考案したものです。その頃から彼（？）は私についてきていました。あるいは、私が彼を追いかけたのかもしれません。**

Q：2022 年の『Halo』は、『Under the Red Cloud』から始まった三部作の最終作にあたるそうですね。プロデューサーや画家も同様ですが、歌詞の面でも何か共通点があるのでしょうか？

A：**2011 年のアルバム『The Beginning of Times』の後は『カレワラ』の物語から少し距離を置くことにしました。それ以来、歌詞のアイデアの多くは、夢やビジョンから得ています。自分の個性を通して、人間の心の中にある永遠で普遍的なテーマに触れようとしています。三部作の中では、誰かが風景の中をさまよっているように見えるかもしれません。川や山や森が、混乱や恐怖や勇気に満ちた人間の心を取り囲んでいるかのようにね。『Halo』のために歌詞を書こうとした時、現代から遠く離れた暗い水の中へと人々を連れて行くようなイメージを持ちました。私の**

文章には共通点があり、『カレワラ』の詩ともある種の関係があります。その一方で、いくつかの違いもありますが。

Q：『Halo』にも登場する Tuonela（死者の国）は、フィンランド地方だけでなく、エストニアなど近隣諸国にも言い伝えがありますね。デスメタルでは死への言及は避けられないのではないでしょうか。死についてどのように考えていますか？

A：私の死に対する考え方は、他の皆さんとも同じです。自らの人生の前後に死が存在することは確かですが、私たちは体験していないものについて何も知りません。それでも、生きることを学ぶためには「死」という視点を持つことが必要なのです。

Q：『Halo』の「Seven Roads Come Together」は、アイスランドを訪れた時の体験が描かれています。そのエピソードについて教えてもらえますか？

A：アイスランドを訪れたことはとても有意義な経験であり、あの旅は私の文章やパフォーマンスアートにも影響を与えるほどでした。しかし、「Seven Roads Come Together」の真のルーツはエストニアにあるのです。私の歌詞に登場するような場所が本当に存在していたのです。その場所は見事に調和が取れており、石は1万年前からそ

こに眠っており、動物や人間の7つの道が交差していて、今なお現存しています。このような場所は、つらいことがあった時にバランスを保つために、誰もが心に持っているべき場所だと感じました。その経験を Amorphis のファンと共有したいと思ったんです。石は1万年前からそこに眠っており、動物や人間の7つの道が交差していて、今もその場所は残っております。このような場所は、つらいことがあったときにバランスを取るために、誰もが心に持っているべき場所だと思いました。その経験を Amorphis のファンと共有したいと思いました。

Q：これまで書いてきた歌詞の中で一番気に入っているものは何でしょうか？　その理由も教えてもらえますか？

A：幸いにもお気に入りはたくさんありますが、ちょうど今、「Bad Blood」という曲が頭に浮かびました。歌詞を書いたのは夜で、家の中は周囲の森と同じように静かでした。自然と言葉がすらすらと出てきましたね……その歌詞はまるで古代の霊からのメッセージのようでした。とてもロマンチックな話ですが、実際にそうだったんです。

Q：最後に日本のファンへメッセージをお願いします（フィンランド語も添えて）。

A：Kiitos kiinnostuksesta Amorphis bändiä kohtaan!Musiikki olkoon silta Japanin ja Suomen välillä!

（Amorphis というバンドに興味を持ってくださり、ありがとうございます。音楽を通じて日本とフィンランドに架け橋ができますように！）

オーロラきらめく森と湖の国きってのワイルドチャイルド

Children of Bodom

- ⊙ Inearthed, Sinergy, Bodom After Midnight, Naildown, Norther
- ⏱ 1993 ⊕結成はフィンランド、ウーシマー県エスポー。解散時はウーシマー県ヘルシンキ
- ⦿ Alexi Laiho, Jaska Raatikainen, Henkka Seppälä, Janne Wirman, Daniel Freyberg

フィンランドで最も成功したバンドの1つである Children of Bodom は Alexi Laiho という偉大なギタリストと共にあった。Alexi Laiho は死神のような風貌、圧倒的なカリスマ性、卓越したギタースキル、そして温厚なフィンランド人のイメージからほど遠い破天荒な行動で知られている。ヘルシンキの隣町であるエスポーで結成した Inearthed が前身にあたる。当時のメンバーはヴォーカルとギターの Alexi Laiho、ドラムの Jaska Raatikainen だけが固定されていて、他のメンバーは流動的だった。Spinefarm Records と契約を交わし、名前をボドム湖で起きた殺人事件に由来する Children of Bodom に変更する。1st アルバム『Something Wild』が早くもフィンランド国内で注目を集めると、続く 2nd アルバム『Hatebreeder』発表後に In Flames の前座として初来日を果たす。3th アルバム『Follow the Reaper』はフィンランド国内でゴールドアルバムに認定、4th アルバム『Hate Crew Deathroll』はバンドの全盛期を象徴する作品だ。2019 年 10th アルバム『Hexed』発表後、バンドは同年 12 月 15 日に最後のライヴを行うことを発表する。メンバー間の考え方の相違で、バンド名の商標を取得した他のメンバーと Alexi Laiho が対立し、Alexi は他のメンバーの事前許諾なしには Children of Bodom の看板を使用できなくなったのだ。そこで、Alexi Laiho は新バンドの Bodom After Midnight を立ち上げて再スタートを図ったが、2020 年 12 月末に長年の健康問題が祟り、41 歳で死去したことが翌年 1 月に発表された。Bodom After Midnight の 1st EP『Paint the Sky with Blood』が彼の遺作となった。

Children of Bodom
Something Wild
Spinefarm Records ● 1997

1997 年発表の 1st アルバム。本作は「狂ったイングウェイ」と称された Alexi Laiho のギターソロと、Janne Wirman の派手なオーケストラヒットのコンビネーションを総称し、日本盤の帯で「テクニカル様式美ブラックメタル」として迎えられている。実際に 2 曲目では Darkthrone の「En Vind av Sorg」のフレーズを拝借し、ブラックメタル側の敬意が窺え、4 曲目はモーツァルトの交響曲 25 番のフレーズが使われている。デモ時代にあった Sentenced の影響が払拭され、高いオリジナリティを持った新時代のバンドとして堂々のデビューを飾る。オリジナルプレスではバンドのロゴが現在のものと異なる。

Children of Bodom
Hatebreeder
Spinefarm Records ● 1999

バンドの初期の代表作である 2nd アルバム。1st アルバムの正統進化系であると共にプロダクションは向上し、Alexi Laiho のギターと Janne Wirman のキーボードが主役となり、暴れ回る作品。パワーメタルの要素を取り入れたメロデスの傑作であり、バンドの様式美は本作で確立された。必聴級の名曲が並ぶが、アルバム名を冠する 3 曲目は Dissection の「Night's Blood」そのもののイントロに笑ってしまう。しかし、後半の Alexi と Janne のソロバトルは何度聴いても素晴らしい。日本では空耳 FLASH が作られるほどの人気曲となる。9 曲目もライヴの終盤になると必ず演奏される定番曲だった。

Children of Bodom
Follow the Reaper
Spinefarm Records ● 2000

前作の 1 年後に発表した 3rd アルバム。従来の作品にはブラックメタルの要素やネオクラシカルな旋律があったが、本作では様式美路線から少し距離を起き、正統派ヘヴィメタルのギターソロを取り入れるなど趣向に変化が見られる。実際のところ、Alexi Laiho は誰かの模倣のギタープレイと言われるのを嫌うようになり、己のアイデンティティーを確立しようとしていた。決してダイナミックな応酬が無くなったわけではなく、むしろ曲によってはさらに洗練されている。曲芸的な演出よりもドラマチックに魅せる手法への試行錯誤が見られる。サウンドのバランス感覚も踏まえ、フィンランドのメロデスにおける高いスタンダードを示した。

Children of Bodom
Hate Crew Deathroll
Spinefarm Records ● 2003

彼らの代表作として名高い 4th アルバム。本作は 2 つの大きな変化がある。1 つ目は音がよりモダンに仕上がり、3rd とは別ベクトルであるアメリカのヘヴィサウンドを取り入れたこと。2 つ目はスラッシュメタル由来のリフが増えて、曲の輪郭が強調されるようになったことである。すべての楽曲に攻撃的なリフが存在しており、激しくてヘヴィ、そしてメロディアスであり Children of Bodom の考える「ヘヴィメタル像」が本作になる。モダンとクラシックの絶妙な配合もあり、彼らの最高傑作とも評されるが、その美味を味わうためには 1st から 3rd までの足跡を踏み歩いてから聴くことを勧めたい。

Children of Bodom
Are You Dead Yet?
Spinefarm Records ● 2005

バンドのモダン化が進行した 5th アルバム。リズムギターが Roope Ukk Latvala に替わっており、前作の方向性を推し進めてアメリカ市場への進出を本格的に狙った作品。トレードマークだったネオクラシカルなギターとキーボードの旋律は減少し、シンプルな曲構成を好むようになった。そしてドロップ D からドロップ C にチューニングが変更されており、低音が強調されている。5 曲目や 8 曲目のようにリフ中心だからこそ輝く曲もあるが、初期のファンからは賛否両論の扱いを受けるようになる。なおアルバムタイトルは、ウォッカを飲みすぎて車の上で転倒してしまった自分の姿を鏡で見て、Alexi が思いついたようだ。

Children of Bodom
Blooddrunk
🔊 Spinefarm Records 🕐 2008

前作から 3 年後に発表された 6th アルバム。前作のようなヘヴィネスを維持しながらも、初期のようなオーケストラヒットも部分的に復活し、彼らの今と過去のブラッシュアップが本作では見られる。初期路線との折衷は以後の作品でも続いており、しばしば賛否両論を呼ぶことになる。ネオクラシカルメタル由来の輝くようなソロを期待する層には届かない作風かもしれないが、スラッシュメタル由来のリフは依然として豊かであり、キーボードも今までとは違う手法での演出を試している。結果的だが、アルバムを通した実験過程が聴きどころである。余談だが Bodom と名前のつく曲が存在しないのは、実験ではなく偶然のようだ。

Children of Bodom
Relentless Reckless Forever
🔊 Spinefarm Records 🕐 2011

Spinefarm Records 時代の最後を飾る 7th アルバム。本作は Slayer や Behemoth のアルバム群を手がけた Matt Hyde をプロデューサーに迎えている。前作ではブルータリティに押されキーボードの頻度が少なかったが、本作では初期のように勢い重視ではなく、溜めを効かせたプレイが戻ってきている。顕著なのが Music Video にもなった 8 曲目である。曲芸ではないが、新たなギターとキーボードの絡み方は新鮮だ。3rd のスローテンポの曲に通じる北欧の叙情性が戻ってきた 3 曲目や、5th のモダンさにオーケストラヒットを組み合わせた 4 曲目は前作の路線を踏襲している。徐々に成熟に向かった時期の作品だ。

Children of Bodom
Halo of Blood
🔊 Nuclear Blast 🕐 2013

これまでとは異なる白いアルバムジャケットからも窺える、初期路線への回帰を意図的に試みた 8th アルバム。具体的には 4th の路線を引き継ぎつつも、部分的に初期のダイナミックなアレンジを取り入れている。サウンドプロダクションは 3rd と 4th の中間を狙っており、アメリカ市場を狙うヘヴィな音から離れた。1 曲目は既視感が漂うメロディーに思わず苦笑い、2 曲目はブラックメタルを思わせるブラストビートとトレモロリフ、寒々しいシンセのアレンジが劇的で素晴らしい。4 曲目は緊張感のある展開と、フックのあるメロディーが印象的な佳曲だ。過去の曲のオマージュもあるので、それを見つけてニヤリとするのも楽しい。

Children of Bodom
I Worship Chaos
🔊 Nuclear Blast 🕐 2015

2015 年発表の 9th アルバム。4 人体制でレコーディングをしたのは本作が初である。前作では初期作へ接近した内容ではあったが、本作では 5th のようなヘヴィな音が再び増えている。しかし焼き直しではなく、北欧のメタルバンドであるというイニシアチブも伝わっており、ストレートかつ洗練された様子が本作では窺え、「流行に流されずとも、己の音を信じれば結果で示される」という意思表示となった。それまでのアルバムに比べて疾走感や刹那的なソロは薄まり、ミドルテンポの場面が増えた。1980 年代のハードロックに通じる大味なテンポが、これまでの彼らとはまた違う一面をのぞかせている。

Children of Bodom
Hexed
🔊 Nuclear Blast 🕐 2019

Children of Bodom の体制では最後の作品となった 10th アルバム。Norther で活躍していた Daniel Freyberg をリズムギターに迎えた作品。これまで最も空白時間が空いた本作は紫色のアートワークからも窺えるように、青い 3rd と赤い 4th アルバムを混ぜた印象を受ける。10 作目という節目を迎え、バンドにとっても集大成の気持ちで本作に臨んでいた。1 曲目や 5 曲目のようなモダンな疾走曲にもメロディーを随所に仕込んでおり、以前にましてキャッチー。タイトル名を冠する 7 曲目はギターとキーボードが美しくユニゾンする新たな名曲だ。しかし 2019 年 12 月のライヴをもってバンドは解散の道へと歩んだ。

Bodom After Midnight
Paint the Sky with Blood

🅐 Napalm Records ⊙ 2021

Children of Bodom を脱退した Alexi Laiho が新たに結成したバンドが Bodom After Midnight だ。その名の由来は、Children of Bodom の 3rd アルバム収録曲にちなむ。本作は Alexi Laiho の死後に発表された 1st EP である。Children of Bodom から引き続きギターは Daniel Freyberg、元 Santa Cruz でベースを弾いていた Mitja Toivonen、Paradise Lost のドラムも担っていた Waltteri Väyrynen が参加している。収録されている 2 曲は直前の作品『Hexed』の延長上であるほか、3 曲目の Dissection のカヴァーはクラシックへの敬意を示した。アートワークのように鎌だけを残して死神はこの世から去っている。

Children of Bodom の中心人物 Alexi Laiho の人生

2020 年の年の暮れに急死

Children of Bodom の中心人物 Alexi Laiho は、2020 年 12 月 29 日に惜しくも自宅で亡くなった。なお、詳細な足跡については、Petri Silas 著『Alexi Laiho - Chaos, Control & Guitar』をチェックされたい。

1979 年 4 月 8 日、ラップランドとポファンマー出身の父母のもと、エスポーにあるヨルヴィ病院で Alexi は生を受ける。父 Heikki Laiho はキーボード奏者で、Beggars というバンドに在籍していた。母 Kristiina は、クラシック音楽を好んでおりピアノとフルートをたしなみ、合唱団に所属していた。そして、Alexi の姉である Anna

Laiho も、5 歳からピアノを習っていた。音楽一家に生まれた Alexi だったが、The Beatles や The Rolling Stones をカヴァーしていた父のバンドが、ロックの原体験だった。

Alexi は両親から最初にピアノを教わり、12 歳までヴァイオリンを学んだ。しかし、父から Tokai（日本のギターメーカー）のストラトキャスターを受け取ると、クラシックからロックへ興味が移る。Dire Straits の「Money for Nothing」は「人生に大きな影響を与えた」と語る。彼の音楽の興味は、原点であるクラシック音楽、父から影響を受けたクラシックなロックバンド、ゲーム音楽、過激なヘヴィメタルだった。

近所に伝説のギターヒーローが住んでいた

ヘヴィメタルとの出会いには、2 つの運命があった。1 つ目は、彼の家のそばに、フィンランドの伝説的なスラッシュメタル Stone の Jiri Jalkanen が住んでいたのだ。彼の弟と幼馴染であった Alexi は、身近なところでギターヒーローと出会っていた。2 つ目が姉の Anna の影響で、『Metal Hammer』や『Kerrang!』を購読していたことだ。当時のノルウェーのブラックメタルと、スウェーデンのデスメタルに影響を受け、いつか彼も自身のバンドを結成しようとするようになる。

理解のある両親からの後押しもあり、Alexi は Oulunkylä Pop & Jazz Conservatory に入り、音楽の基礎を学んだ。また、Alexi が T.O.L.K. というプログレバンドを組んで Pori Jazz Festival に出演した記録が残っている。T.O.L.K. の活動は 1997 年まで続き、『Entropia』というタイトルの 2 曲入りのデモ音源を残している。数少ない映像記録には、Alexi が Ibanez のギターを使用して演奏している様子がある。

Inearthed を結成、Children of Bodom へ

やがて、Alexi と初代ドラマーの Jaska Raatikainen が出会い、Metallica や Guns N' Roses の楽曲のカヴァーで練習した後、1993 年に Inearthed を結成する。Alexi はマルチプレイヤーだったが、実はそれ以前はヴォーカルの経験がなかった。Inearthed にはデモ音源が 3 つ存在し、2 回目のデモからキーボードが入った。これは Amorphis の『Tales from the Thousand Lakes』に影響を受けたからだ。1996 年発表の 3 回目のデモ音源『Shining』には「Towards Dead End」や「Mask of Sanity」の原型となるアイデアが収録されている。

ある時、Alexi は家出を計画するようになる。その理由は、数人の薬物中毒の男たちから、ストーカー被害を受けたからだ。喉元にナイフを突きつけられた Alexi は、親に心配をかけさせないようにと、エスポーを離れて姉の住むヘルシンキへ移動した。その後は、浮浪者のように住居を転々としていた。彼は女性と一夜の関係を持つことで、暮らしていた時期があったことを告白している。その最悪の時期に Alexi は、自らの怒りを創作へとぶつけるようになった。やがて、建設事務所で働くようになってから、徐々に好転する。音楽仲間が彼に居場所を用意したのだ。

そして、1997 年にアルバムのレコーディングが完了するとベルギーの Shiver Records と契約を結ぶが、レーベルによる

劣悪な契約条件から逃れるため、バンドの名前を Inearthed から Children of Bodom に改名した。その後の活躍は周知の通りである。

補足として、Alexi は Children of Bodom の活動以外に、1st アルバム発表と同時期にブラックメタルの Thy Serpent に加入していた。しかし 1 年で脱退し、次にブラックメタルバンドの Impaled Nazarene に加入。彼らの 6th アルバム『Nihil』に参加している。やがてツアーで Dimmu Borgir のセッションキーボードディストで参加していた Kimberly Goss と親しくなる。パワーメタルバンドの Sinergy に参加し、交際へと発展していった。後に Kimberly と Alexi は離婚したが、正式な離婚届が届けられていなかったことから、Alexi 遺族との確執が生まれてしまった。

地元にバーとサウナを遺す

死後も人々を魅了する「ワイルドチャイルド」だが、彼の生きた証が地元エスポーに遺されている。Children of Bodom 解散時のメンバーである、ドラマーの Jaska Raatikainen、ベーシストの Henkka Seppälä、そしてキーボードの Janne Wirman は地元エスポーで Children of Bodom のキャリアを振り返る Bar を作った。その名も「Bodom Bar & Sauna」だ。Bar では地元の醸造所から 15 種類のビールを用意している。そして、ステージの小道具や貴重なバンドの記録を展示している。もちろん、フィンランドといえばサウナだ。男性用、女性用、ミックス（混浴）サウナの 3 種類が完備されている。ヘルシンキ中央駅から車で 15 分ほどの距離にあるので、Children of Bodom のファンであれば、ぜひ訪れたい場所の 1 つだ。

極寒の冬空に燦々ときらめくフィニッシュ・メロデスの北極星

Insomnium

- Omnium Gatherum
- 1997 ● フィンランド、北カルヤラ県ヨエンスー
- Niilo Sevänen, Ville Friman, Markus Hirvonen, Markus Vanhala, Jani Liimatainen

1997 年に結成した Insomnium は星の数ほどあるフィンランドのメロディック・デスメタルの代表格だ。北欧の伝統的なメロディーセンス、喪に服すような悲しい歌詞、厳しい雪風景を切り取ったような力強くも知的なスタイルは、星々の中でもひときわ大きな輝きを放つ。フィンランド東部のヨエンスーにてバンドの活動は始まる。当初のメンバーはドラムの Markus Hirvonen、ギターの Ville Friman、ヴォーカルとベースの Niilo Sevänen の 3 名に、ギターの Ville Vänni をバンドに迎えることでラインナップが固まる。イギリスの Candlelight Records との契約を獲得し、2002 年に 1st アルバム『In the Halls of Awaiting』を発表。現在まで続く Insomnium の基本的な方針である「キャッチーだがプログレッシヴ、メロディックだがブルータル」という音楽の柱を確立する。3rd アルバム『Above the Weeping World』でキーボードの本格的な導入による叙情性の高まり、そして海外展開の足取りを掴んでいく。2010 年から Century Media Records に移籍し、移籍後 3 作目となる 2016 年 7th アルバム『Winter's Gate』は初のコンセプトアルバムであると共に、フィンランド国内のチャートで初の 1 位を獲得。国内はもちろんだが、国外からも大きな賞賛をもって受け入れられた。2019 年 8th アルバム『Heart Like a Grave』を発表し、こちらも国内チャートで 1 位を獲得した。2020 年の Omnium Gatherum との北米ツアーが新型コロナウイルスのパンデミックで休止になるが、アルバムの完全再現を行う配信ライヴや EP『Argent Moon』の発表を経て、2023 年に 9th アルバム『Anno 1696』を発表している。

Insomnium
In the Halls of Awaiting
Candlelight Records ● 2002

フィンランドが森と湖の国であることを実感する 1st アルバム。アルバムタイトル
は Niilo Sevänen が尊敬している作家である J. R. R. Tolkien が執筆した『シルマリ
ルの物語』に登場する場所にちなむ。Children of Bodom や Norther のような派手
なメロデスとは異なり、質実剛健な Amorphis や Sentenced をベースにしている。
後のアルバムと聴き比べると荒削りな部分はあるが、土着的なセンスはすでに高い
レベルで成立している。胸を締め付けるようなメロディーと粗暴なグロウルの美醜
が表現された 4 曲目や、土着的かつ神秘的なキーボードの音色が北欧の冷たさを
表現する 8 曲目や 10 曲目など、繰り返し放たれる旋律に心奪われる。

Insomnium
Since the Day It All Came Down
Candlelight Records ● 2004

2004 年発表の 2nd アルバム。アルバムタイトルの通り、人生のマイナス面に対す
る物語を扱っている。すでに前作の時点で完成度が高かったが、本作で飛躍的に演
奏能力も向上した。アコースティックギターやチェロを利用して哀愁を誘う作品だ。
静寂のパートこそが真髄で、必殺のメロディーが最も輝くための雰囲気作りに貢献
している。アルバムでは珍しい疾走曲の 2 曲目は、ヨーテボリシーンのフォロワー
曲である。まだ模索の時期の作品だったが、バンドは自らのサウンドを見つめ直し、
独自の道を歩み始めようとしていた。

Insomnium
Above the Weeping World
Candlelight Records ● 2006

バンドの躍進を支えた 3rd アルバム。前 2 作のサウンドに納得がいかなかった
Insomnium は本作からフィンランドでは有名な Fantom Studio にて収録を行った。
本作ではドイツの詩人フリードリヒ・ヘルダーリンや、イギリスの詩人フランシス・
ウィリアム・バーディロンからの影響を語っている。リードギターを主軸にしなが
らもヘヴィであり、突如アコースティックギターによる静寂が訪れても曲がブレな
い強さを持っているのが本作の特徴。捻りを加えながら叙情的なメロデスの表現を
極めようとする 2 曲目は Music Video にもなったほか、力強いメロディーでサビを
盛り上げる 4 曲目はシームレスにアコースティックとメタルを繋いでいる。

Insomnium
Across the Dark
Candlelight Records ● 2009

2009 年発表の 4th アルバムでは、これまであまり政治の話題には踏み込まなかっ
たバンドも戦争、自然破壊、自殺、生きる意味など広範なテーマを扱うようになっ
た。叙情的なメロデスを追い求めていくと、ついつい「デス」の部分がおざなりに
なる中で、筋肉質なサウンドでアグレッシヴさの両面に磨きがかかった作品だ。本
作では本格的にクリーンヴォーカルも導入し、Profane Omen や Enemy of the Sun
で活躍する Jules Näveri が担当している。耽美なメロディーで憂鬱さを演出しなが
らメロデスの強度も備えた 2 曲目、本格的にクリーンヴォーカルとの融合を行い
メランコリーが極まった 3 曲目など、枯れないアイデアの数々に驚くばかり。

Insomnium
One for Sorrow
Century Media Records ● 2011

Century Media への移籍第一弾となる 5th アルバム。本作は古いイギリスの童謡か
らテーマを得ており、木の上のカラスを数える内容なのだが、それを 10 曲の題材
になぞらえて制作されている。本作ではドイツの詩人クリスティアン・モルゲンシュ
テルンなどから得たインスピレーションを語っている。こぼれ落ちる涙のようなイ
ントロから、ドラマチックなクリーンヴォーカーが歌う 2 曲目、Swallow the Sun
のような陰鬱さの中に光るメロディーを追い求めるような 10 曲目など退廃的な空
気が全体を包んでいる。結成メンバーの Ville Vänni は、本作完成後に外科医とし
てのキャリアに専念するためにバンドを脱退している。

Insomnium
Shadows of the Dying Sun
Century Media Records ● 2014

EP『Ephemeral』を経て 3 年ぶりのフルアルバムとなる 6th アルバム。ギターが Ville Vänni から Omnium Gatherum でも活動する Markus Vanhala に替わっている。従来の作品がゴシックな側面を持つメロデスだとすれば、本作はメロデスの要素を持つゴシックメタルという様子だ。美しいリードギターが印象的な 2 曲目はバンドの代表曲にもなっている。バンドとしては珍しくブラストビートを取り入れて激情を表現する 4 曲目、土着的な空気感がセンチメンタルな気分へと誘う屈指の名バラードな 9 曲目など、当時の彼らの集大成を感じさせる。商業的にも複数国でチャートインし、成功を収めた。

Insomnium
Winter's Gate
Century Media Records ● 2016

ヴォーカルの Niilo Sevänen が自ら執筆した短編小説を題材にした 7th アルバム。真冬にもかかわらず伝説の島を探すヴァイキングを描いたコンセプトアルバムだ。アルバムの収録曲は 1 曲のみで 40 分と、Edge of Sanity の『Crimson』を連想させる。事実、Dan Swanö が制作に関わっており、Edge of Sanity のトリビュートという側面もある。全 7 章の本作はブラックメタルに通じる寒々しいトレモロリフや、陰りのあるピアノのメロディーがアンビエントな雰囲気を演出し、どの作品よりもスケールが雄大である。既存のメロデスの先を歩いた意欲作として、フィンランド国内のチャートで初めて 1 位を獲得した。翌年の来日公演では本作の完全再現に挑んだ。

Insomnium
Heart Like a Grave
Century Media Records ● 2019

2019 年発表の 8th アルバムでは、従来のアルバム構成に戻っている。本作から元 Sonata Arctica で現在では Cain's Offering などで活動している Jani Liimatainen が加入。ギターの層が厚くなった。また意外にも Jens Bogren と組んだのは本作が初めて。フィンランドの国民的風景とも呼ばれるコリ国立公園で撮影された 2 曲目の Music Video は母国を代表するバンドとしての威厳を感じさせる。Sentenced でドラムを叩いていた Vesa Ranta が撮影と監督を務めているのも興味深い。フィンランドの女性詩人 Saima Harmaja の詩から着想を得た 4 曲目や 6 曲目、母国で最も悲しいとされる曲に歌詞をつけた 5 曲目などを収めた充実作だ。

Insomnium
Anno 1696
Century Media Records ● 2023

2023 年発表の 9th アルバム。『Anno 1696』も Niilo Sevänen が書いた短編小説をベースにしたコンセプトアルバムで、17 世紀後半の飢餓が起こり、魔女狩りが行われていた北ヨーロッパの暗黒時代を描いたもの。Rotting Christ の Sakis Tolis を招いた 2 曲目は、キリスト教の過剰な正義感の恐ろしさを浮き彫りにする皮肉を見せる。7 曲目は 2021 年の EP『Argent Moon』で見せたソフトな路線の後継となっている。たびたび本作で使われるフォークロアな要素は、過去の物語への没入感を担うだけでなく、重々しい本作の世界で希望への灯火にも映る。結論として今回も非常に高いレベルの叙情メロデスを提供している。

Insomnium Interview

回答者：Niilo Sevänen（ヴォーカル & ベース）

Q：バンド結成から 25 年以上、Insomnium のメンバーは苦楽を共に分かち合ってきました。そこでまずは、今までの歩みを振り返った気持ちを教えてもらえますか？

A：ああ、俺たちは 25 年くらい前から―

緒にいるよ。俺が Ville Friman、Markus Hirvonen の3人でバンドを結成したのは1997年で、当時の俺たちはまだ小学生だったよ。25年というのは長い年月だ。これだけ長続きしているバンドは、そんなに多くないだろう。もちろん浮き沈みがあり、良い時も悪い時もあったが、ここまで続けることができたのは、なぜか同じ時間を過ごすのが好きで、同じようなくだらないユーモアを楽しんでいるからだ。

Q：新型コロナウイルス問題が発生した2020年に、Insomnium は配信ライヴやクラウドファンディングを実施しましたね。どちらも初の試みかと思いますが、技術的なトラブルはなかったですか？

A：最初の配信ライヴはプロバイダーのサーバーが落ちてしまい、うまくいかなかったんだ。ほとんどの視聴者は状況を理解してくれて、次の日にアーカイヴ映像を楽しんでくれたがね。2回目の配信ライヴはまったく問題なかったんだが、3回目の配信ライヴは途中で問題が発生して、30分ほどインターバルを挟まなければならなかった。俺たちはその埋め合わせに、セットリストに入っていなかった曲を演奏した。視聴者からすれば追加コンテンツを楽しめたわけだ。4回目は特に問題なかったよ。

Q：デビューアルバム『In the Halls of Awaiting』と2021年のEP『Argent Moon』では、静かな森と湖を写した写真をアートワークに使用していますね。これらの写真はフィンランドのどこで撮影したものですか？

A：『In the Halls of Awaiting』のアートワークには、俺たちの故郷である北カレリアの湿地帯で撮った写真を使った。『Argent Moon』の場合は、メンバー5人のうち3人が住んでいるコトカ地方の風景写真を使った。でも実際のところ、俺たちのアルバムジャケットやライナーには写真とイラストの両方が使われているんだ。

Q：8th アルバム『Heart Like a Grave』には、フィンランドの女性詩人 Saima Harmaja の詩作や、自国の名曲からインスピレーションを得た楽曲が収められていますね。そうした楽曲はどのような背景で作られたのでしょうか？

A：『Heart Like a Grave』のアルバムテーマは、数年前にフィンランドの大手新聞に載っていた「最も落ち込むフィンランドの歌」という記事を見てひらめいたんだ。フィンランドには、とても悲しい歌や物語が多い。クリスマスソングでさえも、悲しく憂鬱に聞こえるほどだよ。そういうわけで、俺たちはこのテーマを探究したくなった。例えばフィンランドには「Peltoniemen Hintrikin surumarssi」という民謡がある。沼地の小さな小屋で生涯を送る貧しい老女について歌った民謡で、まさに「最も落ち込むフィンランドの歌」と言われている。俺たちはこの民謡からヒントを得て『Heart Like a Grave』に収録された「And Bells They Toll」を書いたんだ。冷たく厳しい北の大地では、夢は徐々に失われ、幸せはしばらくの間しか続かないんだよ。

Q：デスメタルの分野ではあまり歌詞は注目されませんが、メロディック・デスメタルはその可能性を広げたと思うのです。近年では、あえてフィンランド語で歌うバンドも増

えてきました。歌詞が良いと思える曲はありますか？　フィンランドから1曲、他の国から1曲、それぞれ選んでもらえますか？

A：俺たちは常に歌詞を曲の本質とみなしてきた。なぜなら俺たちは物語を伝えたいからだ。90年代のSentencedやAmorphisの楽曲の歌詞はいつも意味深で、バンドを始めた頃の俺たちにインスピレーションを与えてくれた。俺にとってSentencedの「No One There」はとても特別な曲だ。フィンランド以外では、例えばOpethの「Will O the Wisp」を挙げることができる。

Q：ポップでカラフルなフィンランドのテキスタイルはどれも美しいですね。音楽のインスピレーションとして違う分野の芸術は欠かせないものでしょうか？

A：本、映画、コミック、絵画、詩など、あらゆるアートが音楽や歌詞のインスピレーション源になり得る。芸術とは何もないところから生まれるものではなく、俺たちが人生で経験した物事すべてに対する回答として生み出されるものだからね。

Q：Insomniumは『Heart Like a Grave』からギター3人体制になりました。まるでIron Maidenを彷彿とさせますね。

A：ギタリスト3人のうち、Ville Frimanはさすがに本業で忙しいので（ヘルシンキ大学農林学部で教授職を務めている）、通常はツインギター体制でライヴしている。言い換えると、3人のギタリストがステージに揃うのはレアなライヴなんだよ。

Q：過去にInsomniumと共にツアーしたWolfheartが、冬戦争（1939年に勃発したソビエト連邦とフィンランドの戦争）を扱ったコンセプトアルバム『Wolves of Karelia』を2020年に発表しました。これはInsomniumの次の作品へのヒントなのでしょうか？　Insomniumの場合、戦争をテーマにした作品はリリースしていないと思われますが……。

A：戦争は俺たちのバンドには合わないテーマだね。最近はロシアがまた隣国を攻撃しているから、なおさら戦争の曲を書こうとは思わない。大昔に起こった歴史上の戦争は扱うかもしれないが、少なくとも20世紀に起きた戦争はテーマにしないと思うよ。**

Q：Children of BodomのAlexi Laihoは、Insomniumとは少し立場が違うかもしれませんね。しかし、フィンランドのメタルシーンで共に尽力してきました。彼とはどんな思い出がありますか？

A：2013年にChildren of Bodomと一度だけ一緒にツアーしたことがあってね。素晴らしいツアーで、他のChildren of Bodomのメンバーとも打ち解けたんだが、Alexiはかなりシャイな人で、あまり接触はなかった。俺もシャイなタイプなので、結局そんなに話さなかったがね。Children of Bodomはいろんな意味で偉大で影響力の大きなバンドだったが、幕切れがとても残念だったね。1つの時代が終わったような感じだよ。フィンランドのメタルシーンは、以前と同じものではなくなってしまった。

Q：最後に日本のファンへメッセージをお願いします。

A：いつも応援してくれてありがとう。また近いうちに会えることを願っているよ。Arigato!

沼地を統べし Swamplord による劇的／激的メロデス

Kalmah

- Ancestor, Eternal Tears of Sorrow, Catamenia
- 1991 ●フィンランド、北ポフヤンマー県オウル
- Antti Kokko, Pekka Kokko, Timo Lehtinen, Janne Kusmin, Veli-Matti Kananen

フィンランドのメロデスの良心といえば Kalmah の名前がまず挙がる。神秘的なキーボードの旋律と土着的なメロディーが融合して生まれる「Swamp Metal（沼メタル）」はフィンランドが森と湖の国であることを我々に思い出させてくれる。カレリア語で「墓」や「死」を意味する Kalmah の前身は 1991 年にヴォーカルとギターの Pekka Kokko と Petri Sankala が結成した Ancestor である。Ancestor の解散後に Kalmah として再結成し、1st デモ『Svieri Obraza』が好評となり、Spikefarm Records と契約。ギターヴォーカルの Pekka Kokko、ギターの Antti Kokko、ベースの Altti Veteläinen、キーボードの Pasi Hiltula、ドラムの Petri Sankala という 5 人編成で、彼らが贔屓にするラッピ県の Tico-Tico スタジオで収録した 2000 年発表の 1st アルバム『Swamplord』が国内外で話題になる。リズム隊の交代を経て 2002 年に Wacken Open Air に出演、2006 年の 4th アルバム『The Black Waltz』が国内でチャート 38 位を記録、後に第二のファンベースを築く 2008 年のカナダツアーの成功がバンドの勢いに火をつける。Metalcamp（現 MetalDays）や Summer Breeze Open Air など欧州のメタルフェスで実績を残し、4 代目のキーボード奏者となる Veli-Matti Kananen が加入すると、2013 年に 7th アルバム『Seventh Swamphony』発表。長らく来日を待望する声があったが、それが実現したのは 2016 年になってからだ。アジアでの思わぬ成功を受けて 2018 年、2019 年と続けて日本を再訪。2018 年は 8th アルバム『Palo』を携え、2019 年は初期 3 作に絞った選曲でライヴは盛況だった。2023 年にセルフタイトル『Kalmah』を発表。

Kalmah
Swamplord
🅐 Spikefarm Records 🅒 2000

Kalmah は自らを「Swamp Metal（沼メタル）」と称するバンドであり、そのスタイルはアルバムタイトル通り、初期から一貫性を保っている。なおバンド名はカレリア語で「墓」や「死」を表す言葉である。Antti Kokko、Pekka Kokko 兄弟の息のあったギターと派手なキーボードの音に注目されて、Children of Bodom の模倣とも言われるが、歌詞を読めば根底の部分は哲学肌で享楽主義ではないことが窺える。美しいハーモニーと絶えず変化するドラムが高い次元で融合している。一切ブレることのない高い品質のメロデスはこの頃から健在である。

Kalmah
They Will Return
🅐 Spikefarm Records 🅒 2002

バンドの洗練さが際立つ 2nd アルバム。キーボードの Pasi Hiltula の魅力を最大に引き出し、ギターとメロディーのコンビネーションが増え、縦横無尽なメロデスを展開している。本作には Megadeth のカヴァーが収録されているが、これは Kokko 兄弟が初めて買った CD が『Rust in Peace』であり、Marty Friedman を崇拝しているからである。Kalmah のリフの良さはスラッシュメタルに由来しており、他のメロデスとは異なる個性を持つ。鮮やかなメロディーラインが魂を揺さぶる作品だ。2023 年に Night of the Vinyl Dead Records で初となる Vinyl が発表されている。

Kalmah
Swampsong
🅐 Spikefarm Records 🅒 2003

バンドの第一章の完結となる 3rd アルバム。方向性に大きく変化はないが、その都度着実なレベルアップをしている。ヴォーカルの Pekka Kokko のグロウルが大きく成長しており、曲によっては Catamenia のようなブラックメタル風の叫びも使えるようになった。エクストリームなメタルの中に自らの土着的な部分を照れもせず導入している姿が潔く、モダン化が叫ばれる時流でも確固たる意志を貫いた。1 曲目では沼メロディーと暴力的な演奏による美醜の対比が際立っており、9 曲目のピアノメロディーとグロウルが絡むなど、バンドの美しい表現が極まっている。

Kalmah
The Black Waltz
🅐 Spikefarm Records 🅒 2006

2006 年発表の 4th アルバム。バンドのロゴが難解なものからシンプルなものに変わる。音楽性の変化を想起させるが、彼らのサウンドは進化よりも深化を選んでいる。初期の功労者の 1 人であるキーボード奏者の Pasi Hiltula が脱退し、Marco Sneck が初めて参加した作品。目につくのは Pekka Kokko のブルータルなグロウルの歌唱で、他のメロデスバンドと明確に差別化出来るほどの個性を確立。ついつい忘れがちだが、メロデスは「デス」も大切だと教えてくれる。日本盤にはボーナストラックとして Carcass のカヴァーも収録されており、原曲との違いを堪能するのも良い。フィンランドのアルバムチャートでは 38 位を記録したヒット作。

Kalmah
For the Revolution
🅐 Spikefarm Records 🅒 2008

初期路線との融合が裏テーマだった 5th アルバム。しばらくダークなテイストが続いていたが、本作では初期のようなオーケストラヒットを導入したり、部分的に過去作風味のアレンジも見られるのが古参ファンに嬉しい。前作からの新たな武器であるブルータルなグロウルが、豪華絢爛なサウンドと融合している。名前負けしないシンフォニックなサウンドが響き渡る 3 曲目は、本作の方向性を凝縮したキラー曲。次作の布石となるミドルテンポの 6 曲目は、質実剛健な Kalmah の力強さがピックアップされ、Swamp Metal の本領が発揮されている。バンド初となる海外公演を行ったカナダでもソールドアウトが相次いだようだ。

Kalmah

12 Gauge	🔵 Spikefarm Records 🔵 2010

平均点の高い Kalmah のアルバムでも最高傑作の呼び声が高い 6th アルバム。メロ
ディーとブルータリティのバランス感覚が優れていることがその理由だ。アルバム
タイトルは狩猟用ライフルの一般的な口径にちなむが、曲の題材は狩猟に限らず、
沼地の土地開発や釣りなど環境を扱っている。特にタイトル曲は名曲だ。Music
Video はマイナス 37 度という極寒の環境で撮影されていた。アートワークはフィ
ンランドで有名な Akseli Gallen-Kallela の 1896 年の作品『サンポの防衛』から着
想を得たもの。「物質主義、産業汚染、グローバリズムという、吐き気を催す世界
から産まれた怪物から沼地を守っている」とのことだ。

Kalmah

Seventh Swamphony	🔵 Spinefarm Records 🔵 2013

2013 年発表の 7th アルバム。キーボードが Veli-Matti Kananen に交替している。
前作で大きく成長した彼らは、さらに沼の深淵へと足を踏み入れた。「本作はタイ
トなサウンドを目指した」とバンドが語るようにギターの歪みは前作よりも抑えめ
で、楽器のバランス感覚に優れている。キーボードのフックが強まったことで、初
期と現在の両方の感覚が備わっている。長く来日が待望されたバンドだが、本作リ
リースから 3 年後についに初来日を果たした。特に大阪公演でのライヴは、ファ
ンの中ではしばしば伝説だと語り継がれている。

Kalmah

Palo	🔵 Spinefarm Records 🔵 2018

日本盤では「蒼炎」と表現された 8th アルバム。安心安定の Kalmah だが、ミドル
テンポの曲が多めになった作品。もっとも、一聴して Kalmah だとわかる曲調は不
変であり、変わらぬ良さを感じさせる。激しいブラストビートとエピックなリード
ギターで展開される 1 曲目、ミドルテンポながらモダンなシンセと沼メロが混じり
合う新しいタイプの曲である 2 曲目、ドラマチックなキーボードが哀愁を誘いつつ
キャッチーに仕上げた 5 曲目など安定した曲が多い。2018 年に本作を引っ提げた来
日ツアーを行い、2019 年は初期作品に絞ったスペシャルなツアーで再来日。バンド
は日本で確固たるファンベースを積み上げた。

Kalmah

Kalmah	🔵 Ranka Kustannus 🔵 2023

2023 年発表のセルフタイトルの 9th アルバム。前作発表後にレーベルの契約が切れ、
Spinefarm Records の創設者 Riku Pääkkönen が新たに設立した Ranka Kustannus
と契約した。一貫性ある作品作りが評価されてきたバンドの 5 年ぶりの本作は、初
期と現在の路線を結びつける集大成となった。異色の 4 曲目は H.I.M. を彷彿とさ
せる囁くようなクリーンヴォーカルが使われており、その意外性と思わぬ相性の良
さに、まだ見ぬ Kalmah の魅力を堪能できる。9 曲目は前身である Ancestor 時代
に遡り、1991 年に作られた曲を再利用したもので、30 年以上の時を経て新たな命
を宿している。

Kalmah の前身 Ancestor

Ancestor は 1991 年 か ら 1998 年 ま で 活 動 し て い た
Kalmah の前身バンドである。何本かのデモ音源を発表す
るが、レコーディング契約には至らなかった。だが、その
アイデアは Kalmah でも、活かされている。例えば、4th
デモ『Tomorrow』にはすでに「The Black Waltz」という
曲が収録されている。曲そのものは全く違うが、アイデア
はあった。驚くことに 2023 年作『Kalmah』でも、デモ
音源の再利用を行っており、一貫した世界観を保っている。

自殺・鬱・孤独をテーマに掲げるノーザンメランコリック伝説

Sentenced

🔵 Kypck, Poisonblack, S-Tool, The Abbey
🔵 1988 🌐フィンランド、北ポフヤンマー県オウルおよびムホス
🔵 Miika Tenkula, Sami Lopakka, Vesa Ranta, Ville Laihiala, Sami Kukkohovi

Sentenced は Amorphis と並びフィンランドのデスメタルシーンの黎明期から活動し、メロディーの導入で成功したバンドだ。「ここ（フィンランド）では 3 つのことしかできない。1 つ目はテレビを見ること。2 つ目は自殺すること。そして 3 つ目はミュージシャンになることだ。だから俺たちはバンドを組んで、自殺することについて歌うことにしたのさ」と加熱するフィンランドシーンを皮肉った前述の発言はあまりに有名だ。バンドの活動は 1988 年に前身となる Deformity から始まった。ギターの Miika Tenkula、ベースの Lari Kylmänen、Tuure Heikkilä の 3 名がオリジナルメンバーであった。母国の民族要素をデスメタルに取り入れた 1993 年の 2nd アルバム『North from Here』が Century Media Records の目に留まり契約を結ぶ。そして Iron Maiden のカヴァーを収録した EP『The Trooper』を経て NWOBHM の要素を取り入れ、1995 年発表の 3rd アルバム『Amok』で大きな知名度を得た。やがて Sentenced はゴシックメタルへ、彼らの言葉を借りれば「ノーザン・メランコリックメタル」へ転換し、キャリアを積み重ねていく。しかし度重なるツアーに疲弊したバンドは 2005 年に『The Funeral Album』を発表して活動に終止符を打った。バンドの作曲を担当している Miika Tenkula も 2009 年に心臓病で亡くなっている。2014 年にバンドの半生を振り返る『Täältä pohjoiseen: Sentencedin tarina』、2019 年に写真集『Agony Walk - On the Road with Sentenced』が母国で出版された。2022 年には全スタジオアルバムを収録した LP BOX『The Urn - Complete Studio Recordings』が発売されている。

Sentenced
North from Here
🟡 Spinefarm Records 🟡 1993

Sentenced はフィンランドのメタルバンドにおける伝説の1つである。デモから 1st の頃はデスメタルを披露していたが、本書で紹介する 2nd から 3rd までで現在のメロデスに近いスタイルを確立した。本作からベースの Taneli Jarva がヴォーカルも兼任し、ヴォーカルだった Miika Tenkula は、リードギターに専念。冷たい北欧の感触が残る陰鬱路線のデスメタルは当時としては斬新であり、本作ではテクニカルなスラッシュメタルの延長線上でメロディックな旋律を使用している。緊張感のあるイントロから雪崩込むようにギターがリフを弾きまくる5曲目は、初期の Children of Bodom にも影響を与えた。

Sentenced
Amok
🟡 Century Media Records 🟡 1995

Sentenced の大傑作である 3rd アルバム。叙情的なメロディーと攻撃性にドラマが宿り、Amorphis の 2nd と同様に初期フィンランドのメロデスの黎明期を支えた。スウェーデンのメロデスのような、デスメタルの延長線上ではなく、Paradise Lost と Iron Maiden からの影響が強い。映画のような導入の1曲目や正統派メタルからの影響も感じさせる3曲目、そのドラマ性が極まる4曲目は本作のハイライトと言えそうだ。やがてメロデスから離れゴシックメタルへ傾倒したバンドは、Miika Tenkula の死と共に解散した。彼らのすべての作品が後のフィンランドのメタルの発展に大きな影響を与えたのは間違いない。

ゴシックメタル以降の Sentenced の活躍と死

　本書は『メロデスガイドブック』なので、Sentenced のアルバムは『North from Here』と『Amok』のみを紹介している。だが、ゴシックメタルファンからは、「Sentenced の全盛期は Ville Laihiala 加入以降である」と考えるのが主流だ。その後の Sentenced の活躍をコラムで紹介しよう。

　Sentenced は Taneli Jarva の脱退後、ヴォーカルを Ville Laihiala に交代し、これまでの方向性を変える大胆な転換を、1996年発表の 4th アルバム『Down』で行う。これはデスメタル時代に対する区切りとなる作品であり、結果的には新たなファン層を掴むことに成功する。そして 5th アルバム『Crimson』は本国で初のアルバムチャート1位を記録。「Killing Me, Killing You」はバンドを代表する曲である。続く 6th アルバム『The Cold White Light』もチャート首位を記録。初めてフィンランド語で作詞した曲「Routasydän」では、その内容が物議を醸した。2005年にバンドは活動に終止符

を打つ『The Funeral Album』を発表。本編の最終曲である「End of the Road」では、走馬灯のように駆け巡るギターソロと共に有終の美を飾った。その年の 10 月 1 日に、彼らの地元オウルでの公演が見納めとなった。このライヴには脱退した Taneli Jarva が参加し、古い Sentenced の曲を歌うサプライズがあった。解散から 4 年後の 2009 年の Miika Tenkula の死によって、Sentenced の再結成という道も絶たれた。

　Ville Laihiala は Sentenced 解散後に、グルーヴ／ゴシックメタルの Poisonblack の活動に力を入れるようになる。日本にも Finland Fest 2010 で公演を行っている。Poisonblack が 2015 年に活動を休止すると、次は S-Tool というグルーヴメタルバンドを結成し、Suomi Feast 2018 で来日を果たした。Poisonblack は 2023 年にアルバムデビュー 20 年の節目に合わせて限定復帰している。

Sentenced のドラマー Vesa Ranta が制作した映像作品

　音楽を残すことだけが、必ずしもミュージシャンの仕事ではない。Sentenced の Vesa Ranta は、ドラマーであると共に、プロの写真家と映像監督でもある。彼が設立した Kaira Films では、6 年間で約 30 本の撮影を行った。ここで紹介したバンド以外にも、1349、Swallow the Sun、Nailed to Obscurity、Hallatar、Sólstafir などの Music Video 制作に協力している。

Insomnium - Heart Like A Grave

『Heart Like A Grave』のタイトル曲で、先行公開した「Valediction」の Music Video と同様にフィンランドのコリ国立公園で収録された。バンド側は「森と湖、悲しみと憧れ。それが Insomnium の核心である」と語るように、美しいフィンランドの景色を織り交ぜなら、後悔を残して生きる、枯れ果てた心を持った老人の姿が描かれている。意外にも Vesa Ranta とバンドがタッグを組むのは今回が初めてだった。

Ensiferum - Andromeda

2020 年発表の『Thalassic』に収録。同作はバンド初のコンセプトアルバムで、タイトルも海にまつわる物語を意味する。「Andromeda」とは、ギリシャ神話に登場するアンドロメダ女王のことである。Music Video は化け鯨（ケートス）の猛威を鎮めるために、その身を捧げた女王の物語である。撮影は、首都ヘルシンキの東側に位置する街コトカにある群島の 1 つ、ランキ島である。ここには海上要塞があるため、100 年間一般人の立ち入りは禁止されていた。

Dark Tranquillity - Forward Momentum Meaning

　過去に Sentenced とは、ツアーを共にし、『Crimson』のアートワークを Niklas Sundin が描いた縁もあり、Dark Tranquillity との関係は良好だった。『Atoma』に収録された同曲は、「世界が崩壊して、そこから去らなければならない」というイメージを膨らませている。オーロラで有名なスウェーデンのアビスコがロケ地である。Mikael Stanne が手を握っているのは、彼の娘ではなくフィンランドの子役である。Jeep に乗りながら（Volvo ではない）歌う姿もファンなら必見。

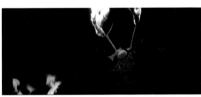

Amorphis - Wrong Direction

『Queen of Time』に収録。バンドの作詞を担当している Pekka Kainulainen が出演している。雪山を歩く冒険者は、山頂への道標を見失う。しかし、その死の間際で、不思議な精霊に出会うという物語だ。この Music Video では、フィンランドとノルウェーでドローンによる空撮が行われた。具体的な場所について言及はされていないが、両国の国境上にあるハルティ山の周辺だと思われる。

モダン、プログレッシヴ、AOR と新たな地平線を切り開く

Omnium Gatherum

- ◉ Insomnium, Marianas Rest, I Am the Night
- ◑ 1996 ⊕フィンランド、キュメンラークソ県コトカ
- ◉ Markus Vanhala, Aapo Koivisto, Jukka Pelkonen, Mikko Kivistö, Atte Pesonen, Nick Cordle

Omnium Gatherum という名前はラテン語で「寄せ集め」を意味し、バンドは多岐にわたる影響をサウンド
の糧にしている。母国の先輩である Amorphis の語源はラテン語で「形を持たない」に由来する。染まらな
いバンドが Amorphis であるならば、染まりきったバンドが Omnium Gatherum なのだ。1996 年に Markus
Vanhala と Olli Lappalainen を中心に結成。2001 年に Rage of Achilles と契約し、1st アルバム『Spirits and
August Light』を発表。『Metal Hammer』誌は「Opeth がこのシーンの Pink Floyd だとしたら、Omnium は
少なくとも Rush になる可能性がある」と高く評価。同年には日本盤も発売された。当初はプログレッシヴ
な方向を追求するが、3rd アルバム『Stuck Here on Snakes Way』以降は様々な方向性の模索が始まる。
2013 年には 6th アルバム『Beyond』を引っ提げ、全国 10 都市を回る初来日ツアーも敢行した。Nuclear
Blast や Candlelight Records、Lifeforce Records など数々のレーベルを渡り歩き、バンドは新たに Century
Media Records と契約を果たす。2018 年に 8th アルバム『The Burning Cold』を発表後、翌年には Scar
Symmetry と共に 4 度目の来日を果たす。Insomnium との 2020 年のアメリカツアーは新型コロナウイルス
の感染拡大によって中止となるが、バンドはメンバーを新たに「Adult Oriented Death Metal」を標榜する
2021 年 9th アルバム『Origin』を発表。Allegaeon と Black Crown Initiate を従えて北米ツアーを再開している。

Omnium Gatherum
Steal the Light
🎤 Rage of Achilles 📀 2002

2002 年に発表した 1st EP。前年のデモ音源を再レコーディングしたもので、この時点でも高い将来性を感じさせる内容である。キーボードの Mikko Pennanen の在籍期間は短く、この EP から 1st アルバムまでだったが、浮遊感漂うメロディーが曲に溶け込む手法に優れていた。注目すべきは 1 曲目で、現在の路線に負けず劣らずのプログレッシヴなメロデスを披露しており、新たなフィンランドのメロデス像を打ち出した。4 曲目はネオクラ系のフレーズが登場する Omnium Gatherum では珍しい曲で、即効性も抜群である。1st アルバムの日本盤には、この EP の楽曲もボーナストラックとして収録されているのでお得だ。

Omnium Gatherum
Spirits and August Light
🎤 Rage of Achilles 📀 2003

Omnium Gatherum は新しい要素を取り入れながら、着実にフィンランドのメロデスの中で存在感を示してきた。結成こそ 1990 年代だが、デビューはメロデスの全盛期が落ち着いてからであった。前作の EP は 1st よりもシンフォニックにアレンジした装飾が多めで、デビューが近い Insomnium や Mors Principium Est とはまた違う姿であった。この 1st アルバムは Dark Tranquillity のような直線的なリフが目立つ。すでに後期の作品にも通じるプログレッシヴなアプローチも、この時期から取り入れている。ヴォーカルの Antti Filppu の在籍期間は 2nd アルバムまでだが、吐き捨てるようなタイプで、どこか頼りないところがまたマニア心を擽るのであった。

Omnium Gatherum
Years in Waste
🎤 Nuclear Blast 📀 2004

大手の Nuclear Blast へと移籍した 2nd アルバム。その影響なのかサウンドのモダン化が進み、Soilwork のような骨太かつ躍動感を感じる作品になっている。Markus Vanhala のギターの癖も現在のダイナミックなリードギターの源流が感じられる一方で、フィンランドよりもアメリカの影響が窺えるフレーズが増えている点やキーボードの活躍が減った点には賛否両論があった。正統派メタルをフィンランドの様式で再現した 1 曲目や、前作の方向性をさらにプログレッシヴで表現した 7 曲目などはこの時期の彼らでしか聴けないタイプの曲だ。

Omnium Gatherum
Stuck Here on Snakes Way
🎤 Candlelight Records 📀 2007

Nuclear Blast を離れ、Candlelight Records に移籍し、ロゴも一新することになった 3rd アルバム。しかしながら、サウンドに関しては前作の影響が残っている。グルーヴメタルやニューメタルにも通じるシンプルなヘヴィネスは、楽曲のあらゆる部分に根付いており、メロディーもわんぱく気味だ。本作から加入したヴォーカルの Jukka Pelkonen は前任者よりも遥かにパワフルでエネルギッシュ。叙情的なメロディーとモダンな刻みが同居した 2 曲目や、短めながら知性と残虐性を兼ね備えたモダンデスラッシュの 6 曲目、現在の方向性を予感させる 12 曲目など模索が続いた時期ならではの曲がある。

Omnium Gatherum
The Redshift
🎤 Candlelight Records 📀 2008

2008 年発表の 4th アルバム。バンドが成長して化ける姿に立ち会う時は、音楽を聴いていて一番幸福な瞬間である。本作は Omnium Gatherum にとって大きな転換を迎えた作品だ。Dan Swanö が制作に関わっており、アトモスフェリックで幽玄な音空間が広がり、Markus Vanhala のギターはまさに水を得た魚のように生き生きと感じる。放たれる叙情的なメロディーの連続に天を仰ぎたくなる。ライヴでも定番曲の 1 曲目は特に素晴らしい。バンドの進むべき方向性が確立し、迷いが無くなった作品だ。

Omnium Gatherum
New World Shadows
🔊 Lifeforce Records ⏺ 2011

バンドの真価が発揮された 5th アルバム。前作で手応えを掴んだ彼らは、これまで眠らせていたプログレッシヴなアプローチを本作で試みるようになった。また、メロディー面でもモダンな要素が窺えるが、以前よりも洗練されて Omnium Gatherum の個性を感じさせる。序盤から難解ながらも飽きさせないアレンジが冴えた 1 曲目、あふれるメロディーで曲の世界観を拡張していくタイトル曲の 3 曲目や 8 曲目など、味わい深い曲が並んでいる。シンプル故にアルバムの中では浮いているが、2 曲目はバンド屈指の叙情性と激しさが表現されている名曲だ。

Omnium Gatherum
Beyond
🔊 Lifeforce Records ⏺ 2013

5th と並び評価の高い 6th アルバム。方向性としては前作から地続きの内容である。メロディーの扇情力が変わらないことにも驚くが、本作ではよりクリーントーンで明るめの塩梅だ。角の取れたプロダクションから、メロデスにもデスメタルの激しさを求めるとしたらアグレッシヴ不足に感じるかもしれない。しかし、知的かつ大人向けの空気感は唯一無二の個性をバンドに与えている。2 曲目のようなキラキラしたメロデスもあれば、8 曲目のように激流のように滲み出るような旋律が美しい曲もある。結果として、前評判を悠々と乗り越えた作品だった。2013 年は 2 回にわたる来日公演が行われたことで、ここ日本でさらに注目を集めた。

Omnium Gatherum
Grey Heavens
🔊 Lifeforce Records ⏺ 2016

7th アルバム以降は、4th アルバムからしばらく続いた長尺路線が落ち着き、作品のコンパクト化が進むようになった。いくらかヘヴィさも戻っており、すでに彼らが手中に収めている公式に当てはめられた哀愁漂う曲が目白押しだ。以前の彼らを思わせる哀愁ではなく、前のめりな躍動感で展開される 1 曲目、シンプルなリフからなる哀愁を漂わせるメロディーに浸りたい 2 曲目、ポストメタルのような淡さも覗かせつつ、これまでのどの曲よりもリードギターが壮大で泣かせに来るベテランのアレンジ力が光る 3 曲目を筆頭に、バンドの新たなアンセムが収録されている。

Omnium Gatherum
The Burning Cold
🔊 Century Media Records ⏺ 2018

Century Media への移籍第一弾となった 8th アルバムは、最高傑作の声もある作品。前作の流れを継承しながら、本作はさらにアグレッシヴかつエモーショナルな内容になっている。特にギターの表現力には目を見張るものがあり、コンパクトな仕上がりだが、要所でしっかりとツボを押さえている。他のメロデスバンドと違い、各楽曲がしっかりと差別化されている。大胆に泣かせるメロディーが印象的な 2 曲目、前作にも通じるアップテンポなリフと透明感のあるメロディーが哀愁を誘う 6 曲目、ブラストビートでなぎ倒していく 7 曲目など、静と動のメロデスの両方に精通したベテラン渾身の一作だ。

Omnium Gatherum
Origin
🔊 Century Media Records ⏺ 2021

2021 年発表の 9th アルバム。長らく Markus と共にギターを務めてきた Joonas Koto が脱退、さらにリズム隊は Mikko Kivistö と Atte Pesonen に変更された。バンドの声明では「Def Leppard の伝説的な作品である『Hysteria』のメロディック・デスメタル版である」と語るなど、作風の変化が意図的に行われた模様。10 年以上バンドを陰で支えた Dan Swanö から Jens Bogren へとエンジニアが交替し、2nd アルバム以来となるヘルシンキの Sonic Pump Studios で収録するなど、新体制ながらも新しい風を生むために「原点」に立ち返った作品だ。

Omnium Gatherum Interview

回答者：Jukka Pelkonen（ヴォーカル）

Q：Omnium Gatherum の結成から 25 年以上が経ちました。その間、メンバーは何度か替わってきましたが、互いにどのような関係性を築いてきたのでしょうか？

A：少なくとも、俺たちのバンドには、本当の家族のような感覚がある。他のフィンランドのバンドも同じような感じがあるかもしれない。確証はないけど、少なくとも俺が知っているバンドは、そのような結びつきを持っている。確かに何年かの間にメンバーの入れ替わりはあったけど、それはすべて正当な理由があって起こったこと。実際、人生には時には別々の道を進むことがあり、それが人生の中での変化というものさ。Omnium Gatherum にいたメンバーたちは、グループの中での調和を保つために最善を尽くしたけど、それは永続的なものであるというわけではなかった。人生と同じように、変化は避けられないんだ。今の Omnium Gatherum のメンバー同士は、とても良い関係にある。新しい音楽を生み出すことでファンや自分たちを楽しませ、活動を進めることにとても熱心さ。これが俺たちの情熱であり、心からの願いでもある。

Q：Omnium Gatherum はフィンランドのレーベルから、作品をリリースしたことがありません。何か理由があるのでしょうか？

A：確かに俺たちはフィンランドのレーベルに所属したことがない。特に深い理由はなくて、流れに身を任せていたら、海外のレーベルに所属していたって感じかな。レーベルがバンドの所在地と同じ国かどうかは、別に重要じゃないと思うんだよね。大事なのは、物事がスムーズに運んで、レーベルがバンドをサポートしてくれること。今まで俺たちは、いろいろなレーベルと良い経験をしてきたよ。最初はフィンランド国内でライヴをやってたんだけど、すぐに海外でのライヴも増えたんだ。元々海外を目指したわけじゃなかったんだけど、できるだけたくさんツアーをやりたいと思って、結果的に海外に行くことになったんだよね。

Q：その名の通り、4th アルバム『The Redshift』はバンドにとって大きな変化となりました。そして次のアルバム『New World Shadows』で世界のヘヴィメタル市場で評価され始めたと思うのです。ツアーが増え、バンドが忙しくなったのもこの頃ではないでしょうか？

A：『The Redshift』はまさにそんなアルバムだったよ。俺たちの音楽スタイルが広がり、新しいファンにも届くようになったんだ。音の方も新しいアプローチで、それが好評だったらしいよ。その後、海外ツアーも増えて、本格的なツアーが始まったのは『New World Shadows』からだね。Dark Tranquillity や Eluveitie との Neckbreakers Ball ツアーなど、非常に良いサポートツアーもあったから、より多くのファンにアピールできたんだ。それがアルバムプロモーションやバンドのプロモーションにも大いに役立ったよ。俺たちは粘り強くツアーを続けて、メタルシーンでの存在感を高めたんだ。今思えば、ツアーやフェスティバルを多数こなすという選択は、次の『段階』に俺たちを導いてくれたんだよね。本当によかったと思うよ。それ以来、新しいアルバムをリリースするたびに、できるだけ多くのツアーを行う意欲を持ち続けてきたんだ。メタルファンは、自分たちが好きなバンドをライヴで楽しめる権利があると思う。つまり俺たちはライヴが大好きで、メタルファンの皆が得をするということだ。

Q：2020 年の 9th アルバム『Origin』はポッ

プなデスメタルアルバムです。他のフィンラ
ンドのバンドを見てみると、Beast in Black
はパワーメタルにディスコサウンドを持ち込
み、Amberian Dawn は ABBA とシンフォニッ
クメタルを組み合わせています。今、フィン
ランドでは 1980 年代のサウンドが求められ
ているのでしょうか？
**A：『Origin』は、正確にはストレートなポッ
プデスメタルとは呼ばないけどね。でも確か
に、ポップな要素がたくさん入っているとは
言えるよ。前作よりも多いけど、それでも、
Omnium Gatherum 独特のダークでメラン
コリックな雰囲気は残ってるんだ。歌詞も、
それ以上ポップになることはない。自分たち**

**の作詞スタイルで、個人的な感情を表現して
いるんだ。フィンランドで 1980 年代のサウ
ンドが流行っているかどうかだけど、正直よ
くわからないんだ。挙げてくれたバンドは確
かにそういうサウンドを使っている。俺たち
も今のところはそうだね。でも、今のフィン
ランドではまだまだ伝統的なサウンドが続い
ているし、必要性があるかどうか判断するの
はまだ早いと思う。将来的には変わるかもし
れないけど、今は君が好むようなトレンドに
はなっていないようだ。**
Q：「The Unknowing」の Music Video に登
場する海岸の風景は、フィンランドのどこで
撮影されたのでしょうか？

A：ロケ地はフィンランドの東海岸にあるコトカという街なんだが、まさにこの街がバンドの出身地でもあるんだ。そういうわけで、自然とコトカで撮影することになったんだ。

Q：2019 年のライヴを含めて計 4 回も来日してくれたのが嬉しいです。特に 2013 年 2 月の初来日ツアーでは約 2 週間かけて 10 都市を回ったそうですね。東京から長崎に至るまで、日本を横断した印象はどうでしたか？

A：日本に行くのはいつも楽しいよ。島々の景色は本当に息を飲むほど美しいし、人々もフレンドリーで歓迎してくれるから最高だ。それに、日本のメタルファンはエネルギッシュかつパワフルで、ショーがとにかく熱いんだ。2013 年の初来日ツアーでは文字通りに日本中を回った。たいていのフィンランドのバンドは東京と大阪、名古屋でしかライヴしたことがないからそれだけでもユニークな経験だったよ。でも、俺たちは幸運にも、日本のより広い範囲を見ることができたんだ。そのツアーで一緒に回ったハードコアバンド Aggressive Dogs a.k.a Uzi-One とは素晴らしい時間を過ごせたし、今でも当時の出来事を思い出すと幸せな気持ちになるんだ。

Q：2013 年 2 月の初来日ツアーに比べると、2013 年 5 月に出演した Loud & Metal Attack は新木場 Studio Coast という大きな会場で開催されました。ヘッドライナーは Nightwish でしたね。当時のエピソードを教えてもらえますか？　あいにく 2021 年に新木場 Studio Coast は閉館してしまいましたが……。

A：あの時の経験はマジでヤバかった。新木場 Studio Coast は最高のライヴハウスだった。2013 年 5 月にあそこで演奏できるチャンスを掴めたのは嬉しかったが、閉館したとは知らなかった。とてもショックだよ。パンデミックは、皆に大変な打撃を与えたが、今はもう前に進むしかないよね。あのフェスティバルは初来日ツアーのわずか 3 ヶ月後に開催されたんだ。こんなに早くまた日本に帰ってきて、メタルを演奏できて最高の気分だったよ。Nightwish のファンだけでなく、新しいファンにも俺たちの音楽を届けるチャンスだったから、フェスティバルに出演できて本当に良かったと思うんだ。フェスティバルの進行はとてもスムーズだったし、日本料理も最高だった。素晴らしい人々と過ごせたし、ショーも最高だった。観客も楽しんでくれたし、俺たちも楽しんだよ。アフターパーティーも最高だったね。他のバンド（Nightwish の他には Turisas、Mokoma、Liv Moon なども出演）やファンと一緒にバーでワイワイ楽しんだし、最高の思い出だったな。そんな思い出を、俺は嬉しくて幸せな気持ちで今でも大事にしているんだ。

Q：Children of Bodom の Alexi Laiho が 2020 年に亡くなりました。フィンランドにとって大きな損失でしたね。

A：俺よりも Markus の方が的確に回答できる気がするんだが、メタルシーンにとっては本当に悲しい損失だと言えるね。彼のスタイルは独創的で、ギタリストの全世代とメタルシーン全般に影響を与えたと思うよ。Alexi と俺は年齢が近くてね。2 人とも幼い頃からメタルを聴き始めていたから、好みも似ていると思う。例えば、Iron Maiden など、基本的なヘヴィメタルバンドは知っているよね。もちろん、1990 年代前半のブラックメタルも、シーンにいるほとんどの人に影響を与えていた。1980 年代のフィンランドの初期のメタルバンドも含めてね。Children of Bodom は良いバンドだったけど、彼らが活動を続けることができなかったのは残念だったね。

Q：最後に日本のファンへメッセージをお願いします。

A：いつか日本に戻り、日本のファンに喜んでもらえるよう、激しくも甘いメタルを演奏できることを願っているよ。また会おう！

As Serenity Fades

Earthborn
◎ Adipocere Records ◎ 1994

ヴァンター出身。フルアルバムの発表を待たずにして解散しており、デモを除けば、まとまった唯一の作品となる EP。その音楽性は 1st 期の Amorphis のフォロワーらしくデス／ドゥームにメロディーを取り入れている。Anathema や Tiamat を想起させる印象的なクリーンヴォーカルや、旋律美を重視する姿勢からも明らかだが OSDM の影響は微々たるものだ。フィンランド国内におけるメロディック・ドゥームの原型を築いた初期のバンドとして資料的な価値がある。2011 年には彼らの前身バンド August Moon と併せて 500 枚限定の Vinyl 盤が再発され、再評価された。

Barren Earth

Curse of the Red River
◎ Peaceville Records ◎ 2010

Olli-Pekka Laine が Amorphis を離れていた間に前身プロジェクトを立ち上げ、Swallow the Sun の Mikko Kotamäki、Kreator や Waltari のギターで知られる Sami Yli-Sirniö、Moonsorrow の Marko Tarvonen など豪華なメンバーが参加したバンドの 1st。その音楽性は Opeth に対するフィンランドからの回答となる、プログレッシヴ・メロディック・デスメタルだ。Olli-Pekka Laine が Amorphis の初期作におけるメインソングライターの 1 人という背景からも、メロデスリスナーからはプログレメタル化した Amorphis として本作は受け入れられた。

Barren Earth

The Devil's Resolve
◎ Peaceville Records ◎ 2012

1st の路線を踏襲し、発表された 2nd。King Crimson を筆頭に 1970 年代のプログレッシヴロックと 1990 年代のデスメタルの両方を軸する反面、メロデスの手法はあくまで作曲を際立たせる技術の 1 つにすぎない。しかし、このメロディーが Amorphis に似て美しく素晴らしいのだ。浮遊感を覚えるメロトロンの音色と共に美醜の対比が凝縮された 2 曲目、変拍子を使いながら曲名通りオリエンタルな雰囲気を醸し出す様子に『Elegy』期の Amorphis を正統進化させた 6 曲目が代表的。本作以後は Hamferð でも活動する Jón Aldará にヴォーカルが替わり、プログレッシヴ・デスメタル色が強まった。

Before the Dawn

The Ghost
◎ Locomotive Records ◎ 2006

Tuomas Saukkonen を中心に結成した Before the Dawn は、初期から一貫してフィンランドらしさに拘っている。本作（3rd アルバム）では Tuomas を除くすべてのメンバーが脱退。アルバム制作は彼 1 人ですべてを行い、ライヴでは専任のプレイヤーを導入するという方針を採らざるを得なかった。結果的に Dark Tranquillity のような力強くタイトなギターサウンドは、バンド側のメロデスの純度を高める方向へ。一方で楽曲のマンネリ化も課題として残っていた。その一貫性あるサウンドが評価されてきたバンドではあったが、ニューメタルのようなラップ要素を取り入れた 9 曲目などは賛否両論を呼んだ。

Before the Dawn

Deadlight
◎ Stay Heavy Records ◎ 2007

Stay Heavy Records に移籍して迎えた 4th アルバム。エネルギーに満ちた前作の方向性を継承している。前作でも活躍していたノルウェー系フィンランド人の Lars Eikind が正式にクリーンヴォーカルのメンバーとなる。彼はヘヴィメタルバンド Sensa Anima 在籍時にノルウェーのグラミー賞にあたる Spellemannsprisen を受賞した経験もある実力派。素朴ながらも前任以上に明瞭なヴォーカルワークは、Tuomas Saukkonen のグロウルと化学反応を起こし、6 曲目の Music Video はバンド最大の再生数を獲得。メンバーチェンジの成果が実を結んだ。

Before the Dawn
Soundscape of Silence　　　　　　　　○ Stay Heavy Records ○ 2008

Stay Heavy Records 時代の最終作となる 5th アルバム。前作で得られた手応えを
順調に昇華した作品だ。本作では Insomnium や Amorphis のようなメロデススタ
イルだけでなく、自身のもう 1 つのルーツである H.I.M. を始めとするゴシックロッ
ク要素も部分的に蘇っており、前作に比べると落ち着きを感じさせるかもしれな
い。なお本作では 1st ～ 2nd まで参加していた Dani Miettinen ではなく、Tuomas
Saukkonen 自身が叩いている。ライヴではセッションドラマーの Matti Auerkallio
や Atte Palokangas の力を借り、後者の Atte が 2009 年に正式メンバーとなった。

Before the Dawn
Deathstar Rising　　　　　　　　　　　○ Nuclear Blast ○ 2011

前作発表後に Nuclear Blast に移籍し、発表した 6th アルバム。前作発表後には
Amorphis とのツアーでヨーロッパを回り、2010 年には Finland Fest 2010 で初来
日を果たし、歓迎を受けた。しかしバンドは 2009 年に発表した EP『Decade of
Darkness』をもって解散することも視野に入れていたようだ。良くも悪くも変わ
らない良さを体現した Before the Dawn だが、そのスケール感はベテランの域に達
していることは 7 曲目や 10 曲目を聴けば感じられる。本作も充実作で、今後の活
動も期待されたが、本作リリースの 4 ヶ月後にヴォーカルの Lars Eikind が脱退し
てしまう。

Before the Dawn
Rise of the Phoenix　　　　　　　　　　○ Nuclear Blast ○ 2012

前作の 1 年後に発表した 7th アルバム。Lars Eikind が脱退するも、クリーンヴォー
カルを新たに加えず、ヴォーカルラインは Tuomas Saukkonen のグロウルのみで
構成されている。奇しくもメンバーの脱退劇によって、バンドの中で最も重くて暗
い作品が完成した。メランコリックな要素よりも攻撃的なギターのフレージングが
多く、それが一貫性のある形で再現されている。アルバムタイトルを冠した 3 曲
目のようなエクストリームメタル由来の激しい曲は、後に結成する Wolfheart にも
受け継がれている。バンドは Tuomas の他のプロジェクトと一緒に事実上の解散
を果たしたが、2021 年に再結成を果たし、フルアルバムも発表。

Blind Stare
Symphony of Delusions　　　　　　　　○ Arise Records ○ 2005

トゥルク出身。本作は 1st アルバム。Children of Bodom や Norther を筆頭にしたキー
ボード入りの典型的なスタイルだ。派手に装飾されたサウンドは、パワーメタルか
らの影響が顕著。キーボードの種類もオーケストラヒットからインダストリアルな
ものまで幅広い。7 曲目の「Shotgun Symphony」は曲名もクレイジーだが、ショッ
トガンの効果音とシンフォニックなアレンジが巧みに融合しており一聴の価値あ
り。アートワークのダサさから感じる妙な期待感、それを裏切らない内容だ。実現
こそしなかったが、当時は Bon Jovi の「Runaway」のカヴァーを追加収録した日
本盤もリリースされる予定だった。

Blind Stare
The Dividing Line　　　　　　　　　　○ Inverse Records ○ 2012

前作から 7 年という歳月を経て発表された 2nd。ミドルテンポ主体の基本的に流れ
は変わっていないが、よりシンフォニックな装飾が目立つようになった。フィンラ
ンド版 Skyfire と言っても差し支えなく、本作の方向性はキーボード無くして成り
立たない。裏返せばデスメタルらしさは脇に追いやられており、叙情性を重視する
方向に全力を傾けている。明るいメロディーが徐々に広がっていく 1 曲目で期待
感を煽り、6 曲目は Wintersun 以降のメロデスを踏襲し、映画の 1 シーンを切り取っ
たかのようにドラマチックに仕上げている。Brymir や Frosttide のようなバンドが
好きならばオススメ。

Bloodred Hourglass
Where the Oceans Burn
OneManArmy Records ⊙ 2015

1st アルバムから 3 年後に発表された 2nd アルバム。1st ではスピーディーなデスラッシュやデスエンロール系の曲などを模索する時期が続いていたが、本作から叙情的なメロディーを披露するようになり、バンドの統一感が強まった。1 曲目は「Insomnium かな？」と思わせる吹雪の景色が広がる壮大な 10 分の大作であり、以後の作品とは毛色は違うものの、バンドが大きく注目を浴びるようになった曲だ。フィンランドの王道メロデスを追求する冷ややかな旋律がキャッチーに響く 2 曲目、Mors Principium Est のような単音リフの刻みが心地よいモダンメロデスの 5 曲目が並ぶ。

Bloodred Hourglass
Heal
Ranka Kustannus ⊙ 2017

Ranka Kustannus からリリースした 3rd アルバム。方向性としては叙情的な音像は据え置きのままだが、前作に比べてシンプルな曲構成でまとめ上げるようになった。専任のキーボード奏者はいないものの、要所で冷ややかな音色が曲の勢いやギターをサポートしている。1 曲目から 5th の Children of Bodom を想起させる内容だが、安易にクリーンヴォーカルを使用しない姿が愛しい。中盤のハイライトである 6 曲目はイントロ良し、リフ良し、叙情性良しの冷ややかな空気感を兼ね備えた代表曲だ。本作発表から 2 年後にバンドは Suomi Feast 2019 で初来日を果たした。

Bloodred Hourglass
Godsend
Out of Line Music ⊙ 2019

前作から 2 年ぶりに発表された 4th アルバム。本作からドイツの Out of Line Music に所属した一方、ギターの Antti Nenonen の在籍最終作となった。前作よりも In Flames や Soilwork のようなスウェーデン系のテイストを取り入れている。激しい曲であっても、変わらぬ叙情性が感じられる内容だ。オープニングを飾るムーディーな 1 曲目では、モダンかつメロディアスな旋律がバランス良く配置されている。Norther を想起させる刺すようなキーボードが曲全体を包み込む 9 曲目も良い。Children of Bodom の解散ライヴでは Brymir と共にスペシャルゲストとして出演し、今後のフィンランドメロデスの未来を託された。

Bloodred Hourglass
Your Highness
Out of Line Music ⊙ 2021

2 年後に発表した 5th アルバム。Lauri Silvonen の弟である Eero Silvonen と、MyGrain にも参加していた Joni Lahdenkauppi が加入し、彼ら 3 人がギターを弾く体制へと変化した。音楽制作は本作から民主的に行っているようで、各個人の趣向が楽曲の豊かさに一役買っている。キャッチーなリードギターで攻める 1 曲目や 2 曲目など従来の路線を受け継ぎつつ、一部の曲ではクリーンヴォーカルも解禁しており、6 曲目や 8 曲目のような曲はバンドに新しい風を取り入れている。伝統的なメロデスから、現代的で大衆的なメロデスへ、アートワークのように今にも殻を破る姿が描かれている。

Brymir
Breathe Fire to the Sun
Spinefarm Records ⊙ 2011

同郷の Ensiferum のカヴァー曲をキッカケに結成したという Brymir は、作品によって音楽性にも変化が見られる。この 1st アルバムでは、その Ensiferum や Turisas に影響を受けたヴァイキング要素のある仰々しいメロデスを奏でている。Battle Beast でも活躍する Joona Björkroth がギターのイニシアチブを握っているからか、一本芯のあるリードギターにはメロデス魂を感じる。イントロから続くスピードチューンであり、胸を熱くさせるコーラスが良い 2 曲目や、後の作品にも通じる流麗なギターが目立った 8 曲目など、エピックなメロデス好きにはたまらない一品だ。

Brymir
Slayer of Gods　　　　　　　　　　　🅐 Ranka Kustannus　🅑 2016

前作とは似ても似つかない 2nd アルバム。Jens Bogren がマスタリングを手がけた
ことで音がいっそう洗練されている。フォーキッシュな要素が減少し、壮大なシン
フォニックアレンジを導入するになったことも大きい。同郷のバンドに比べて北欧
ならではの透明感よりも、情熱的な熱さを感じるのが特徴だ。元気の良いドラムか
ら始まる 2 曲目はエピックなメロディーと共にドラマチックに盛り上がる屈指の
名曲である。アルバムのタイトルを冠する 7 曲目は他の楽曲よりも長尺だが、方
向性に迷いのなくなった彼らの新たな一面を覗かせる曲だ。Suomi Feast 2017 に
出演したことも話題になった。

Brymir
Wings of Fire　　　　　　　　　　　🅐 Out of Line Music　🅑 2019

2019 年発表の 3rd アルバム。Joona Björkroth の兄弟であり、キーボードの Janne
Björkroth が脱退している。これまではどこか借り物だった彼らの音楽性は、クラ
シックとモダンを行き交うシームレスなメロデスへと移り変わった。その背景には、
アレンジとプロダクションの貢献度が高くなっていることも挙げられる。ピコピコ
したモダンなアレンジとクサメロが融合したアップテンポな 2 曲目は前作とは違
う色合いである。1 曲目と 11 曲目にはパワーメタルバンドの Battle Beast のヴォー
カルである Noora Louhimo がゲスト参加しており、繊細かつパワフルな表現で楽
曲の説得力を高めている。

Brymir
Voices in the Sky　　　　　　　　　　🅐 Napalm Records　🅑 2022

Napalm Records に移籍して放った 4th アルバム。本作では初期に見られたエピッ
クなメロディーが戻り、活動初期がフォークメタルであったことを思い出させる仕
上がりだ。パワーメタルからブラックメタルまで、あらゆるジャンルを包括する従
来の作風の集大成となっている。イントロのエピックメロディーに魂が浄化してし
まう 4 曲目は本作を代表する曲であり、自然破壊を行う我々に警鐘を鳴らしている。
7 曲目にはウクライナの詩人、タラス・シェフチェンコの詩『遺言』を引用する場
面がある。このようにファンタジックな作風の中にも、現実に即したテーマも設け
ている。11 曲目は Dark Funeral の原曲に忠実なカヴァー。

Cadacross
So Pale Is the Light　　　　　　　　🅐 Low Frequency Records　🅑 2001

ヘルシンキから北に 100km 離れたハメーンリンナ出身。フィンランドの新興レー
ベルだった Low Frequency Records に所属していた。この 1st アルバムの音楽性
はシンフォニックなメロデスとブラックメタルの中間を狙っている。冷ややかな
音色は Children of Bodom や Norther はもちろん、Catamenia の影響も覗かせる。
Turisas の Mathias Nygård がヴォーカルではなく、キーボードで参加していて、他
メンバーも Turisas にゆかりのあるメンバーが多い。4 曲目は双方の要素が融合し、
ネオクラ要素と勇ましいシンセが登場している。サウナのように冷たさと熱さが繰
り返され、メタラーの体を整わせる作品だ。

Cadacross
Corona Borealis　　　　　　　　　　🅐 Low Frequency Records　🅑 2002

2nd アルバムは、バンドの強みである透明感のあるサウンドをさらに推し進めた作
品だ。前作から 1 年という短い期間で、Georg Laakso 以外のメンバーが大きく替
わり、Ensiferum、Turisas、Arthemesia などフィンランドの重要バンドのメンバー
が参加している。繊細なキーボードはフィンランドのメロデスのお家芸だが、勇ま
しいグロウルヴォーカルが加わることで、絶妙な差別化を図っている。メロディー
センスは当時でもピカイチだった。バンドマスターの Georg Laakso を襲った傷害
事件や交通事故など、相次ぐトラブルが原因でバンド活動が続行不能になり、惜し
くもバンドは解散した。

Catamenia
Eskhata
🅐 Massacre Records 🅑 2002

1995 年にオウルで結成した Catamenia は初期はブラックメタルバンドとして知られるが、この 4th アルバムから徐々にメロブラからメロデスへと接近した。情熱的なトレモロリフは Satyricon からの影響が強く、幻想的なキーボードが支えている様子はいかにもフィンランドのバンドらしい。ポルトガルの Moonspell の 1st アルバム『Wolfheart』の Century Media から再発されたアートワークと被っているが、どちらも同じ著作権フリーの素材を使用していたために、このような出来事が起きた。バンドの地元オウルの SoundMix Studio で初めて収録した作品でもある。

Catamenia
Chaos Born
🅐 Massacre Records 🅑 2003

2003 年発表の 5th アルバム。新たにキーボードに Tero Nevala、ドラムに Veikko Jumisko が加わった一方で、1st からヴォーカルを担っていた Mika Tönning の在籍最終作となった。地元オウルで愛されてきた伝説のバンド Riff Raff の Immu Ilmarinen が、制作に関与したことで、プロダクションは以前よりも鮮明かつ強固なものになった。「死の舞踊」を意味する 1 曲目はフィンランド語で綴られており、バンド屈指の名曲として愛されている。シンプルな曲調で、メロブラ時代の集大成を飾る 10 曲目も興奮必至。メロブラとメロデスの両方を味わえる Catamenia の代表作だ。

Catamenia
Winternight Tragedies
🅐 Massacre Records 🅑 2005

6th アルバムでは、新たにヴォーカルが O.J. "Topi" Mustonen に替わっている。前作と比較すると、プロダクションは重厚なものになった。作品のテーマも、2 曲目や 7 曲目で、冬戦争を題材にしている。ファンタジックなサウンドから、血生臭いリアリティある作風へと変化した。勇ましいクリーンヴォーカルが加わることで、ペイガンメタルやヴァイキングメタルとも接近している。10 曲目はバンドのルーツの 1 つである Satyricon から「Fuel for Hatred」のカヴァーを収録。Spiritual Beast からも日本盤が発表。バンドはその後もアルバム 4 枚とベスト盤を発表している。

Codeon
Source
🅐 Stay Heavy Records 🅑 2008

ヘルシンキ出身。Naildown の活動でも知られる Asko Sartanen と、本作と同時期にテクニカル・デスメタルの名バンドで知られる Necrophagist に加入していた Sami Raatikainen を中心に結成したバンド。その音楽性はフィンランドには珍しくテクニカル・デスメタルの要素があるメロデスに該当する。Mors Principium Est を凌駕するソリッドな演奏、圧倒的な音数の暴力を体感することができる。特に 2 曲目の Joni Varon によるマシンガンの如く放たれるドラミングは必聴であり、スウェーデンの Anata へのフィンランドからの回答である。1st にてすぐに注目を集めるものの、その後の消息は不明。

Cryhavoc
Sweetbriers
🅐 Spinefarm Records 🅑 1998

ヘルシンキ出身。結成当初は Preprophecy を名乗り、フロリダ系デスメタルのフォロワーとして活動を始める。複数のデモと Ravensfall への改名を経て、Spinefarm Records との契約後にバンド名が Cryhavoc になった。この 1st の音楽性は Sentenced の影響を受けたゴシック要素のあるメロデスと言えそうだ。Kaapro Ikonen のヴォーカルは Sentenced の Taneli Jarva 同様に吐き捨てタイプだが歌心があり、商業的なキャッチーさが見られる。翌年には Children of Bodom と Wizzard とスプリットを発表し、In Flames および Dark Tranquillity と共に北欧ツアーに参加する。

Cryhavoc
Pitch-Black Blues
Spinefarm Records ● 1999

1999 年発表の 2nd。作風は前作から地続きで叙情的なメロディーラインを追うメランコリックなメタルに磨きがかかっている。シンプルな曲構成からなるダークな世界観に重きを置いており、エクストリームな派手さはないが、地に足がついているのでデス声が苦手でも聴きやすい。言い換えればメロデスファンよりもゴシックメタルファン向けの内容ではある。本作の発表後にはオランダの The Gathering とツアーを経験。3rd アルバムについてもコメントを残しており、その後の活動も一見順調に見えたが、現在は解散したようだ。なお Avalon Record から出た国内盤は、前作『Sweetbriers』の全 8 曲を丸ごとボーナストラックとして追加収録している。

Dark Flood
Inverno
Haunted Zoo Productions ● 2014

オウル出身。バンドの 3rd アルバム。2006 年の前作発表後にバンド創設者である Kalle Ruumensaari と Ville Ruumensaari の兄弟を除くメンバーが相次いで脱退するという困難を経て、8 年ぶりに発表した復活作でもある。年月は空いたが作風に変化はない。新たなヴォーカルの Tero Piltonen は元 Mors Subita であり、重低音が響くグロウルが得意。そこに砂糖菓子のように甘いクリーンヴォーカルが、洗練された楽曲に交わることで化学反応を生む。リフから歌メロ、どこを取っても激しく美しい 5 曲目はバンド屈指の名曲に仕上がっている。バンドは 2017 年の Suomi Feast で初来日を果たした。

Dark the Suns
In Darkness Comes Beauty
Firebox Records ● 2007

ユヴァスキュラ出身の Dark the Suns は、当初は Mikko Ojala のソロプロジェクトとして始動した。やがて『Inferno Magazine』誌にて「Demo of the Month」に選ばれたのをキッカケにバンド形態に発展した。その音楽性は H.I.M. を筆頭に Entwine や Before the Dawn に連なり、美しいピアノを中心としたゴシックメタル寄りのメロデスだ。アップテンポに美麗なピアノを響かせる 2 曲目やメランコリックな旋律が支配する 3 曲目を筆頭に、地に足ついたゴシックメロデスを提示。アルバム全編にわたり似たような曲調なのも否めないが、ピアノフェチにたまらない仕上がりである。

Dark the Suns
All Ends in Silence
Firebox Records ● 2009

前作から 2 年ぶりに発表した 2nd アルバムは彼らの中でも代表作だ。前作ではベースのみを担当していた女性メンバーの Inka Tuomaala がヴォーカルや作曲にも関わるようになっている。Eternal Tears of Sorrow と作風が似ているが彼らよりも曲芸的ではなく、常に派手すぎない塩梅を心がけている。印象的な 1 曲目は、前作以上に荘厳さを兼ね備えているし、3 曲目はメランコリックなサウンドにハマるようコーラスを淡く歌う Inka の歌声がサウンドに深みを与えている 3 曲目。彼らの中では疾走気味の 8 曲目もまた胸を打つ。物寂しさで言えば頭 1 つ抜きん出た叙情メロデスだ。

Dark the Suns
Sleepwalking in a Nightmare
Firebox Records ● 2010

前作からわずか 1 年後に発表した 3rd もその方向性自体に変化はないが、シンフォニックメタルを思わせるストリングスを使用するなど、サウンドに広がりを持たせている作品だ。メランコリックで内省的なこれまでの作品と異なり、本作では夢遊病にかかった人の物語を描いている。どこか夢うつつで明るい本作の曲調は細かい変化だが、ゴシックメタルとしての地盤をいっそう固めた。グロウルとクリーンヴォーカルが交差する手法に、テクニカルな静と動の展開を挟み、確実な成長が見られる。豪華なサウンドにどこか悲壮感を漂わせる 5 曲目など、曲調にも以前よりもメリハリが付いている。バンドは 2013 年に一度解散している。

Dark the Suns
Suru Raivosi Sydämeni Pimeydessä ◎ Inverse Records ◎ 2021

一度は解散したバンドだったが、キーパーソンである Mikko Ojala と Inka Tuomaala の両名が立ち上がり、2020 年に再始動した。本作は再始動第一弾となる 4th アルバム。前作から 11 年ぶりのリリースだが、いい意味でメロディー一本足打法に拘るバンドの方向性は変わっていない。人生における死の悲しみについて綴られており、フィンランド語で綴られた歌詞が増えた。仰々しいゴシックメロデスの 3 曲目や、イントロの素晴らしさに涙が頬を伝う 5 曲目など、ツボをついたメロディーセンスは錆びついておらず、ファンなら一安心。しかしながら、これまでの作品と同様に似た曲調が続いており、メリハリが欲しいものだ。

Dead End Finland
Stain of Disgrace ◎ Independent ◎ 2011

ヘルシンキ出身。当初は Dead End というバンド名で活動していたが、国内や日本にも同名のバンドがいるために改名した。つまり X JAPAN と一緒の理由で改名したわけだ。自ら「フィンランド」と名乗っている割には、スウェーデンのメタルシーンからの影響が圧倒的に強く、Soilwork のようなグロウルとクリーンを使い分けたモダンメロデスのスタイルを得意とする。フィンランド国内ならば MyGrain や Tracedawn が近い。ヴォーカルの Mikko Virtanen にはグラフィックデザイナーとしての横顔もあり、作品のアートワークを手がけている。余談だが、フィンランドの紋章でよく使われるライオンがロゴに描かれている。

Dead End Finland
Season of Withering ◎ Inverse Records ◎ 2013

自主制作だった前作とは異なり、Inverse Records に所属して発表した 2nd アルバム。基本的な方向性に変化はなく、インダストリアルな感触も宿したモダンメロデスを披露している。エクストリームメタルに寄りすぎるとクリーンヴォーカルの存在感が薄くなるのを意識してか、歌モノとしての意識が強く、ヘヴィなパワーメタルを聴く感覚で楽しめる。Hypocrisy と Soilwork が混ざっており、フィンランド側からの影響は見当たらない。捻りを加えたリフにグロウルを乗せ、サビではクリーンヴォーカルで歌うという王道のパターンを踏襲してはいるが、既視感が否めないのもまた事実。

Dead End Finland
Slaves to the Greed ◎ Inverse Records ◎ 2016

前作から 3 年後に発表された 3rd アルバム。大きく方向性を変えるようなバンドではないので、より自らのサウンドを掘り下げ、楽曲の品質を高めていくことが求められるわけだが、3rd では着実な成長を果たしている。本作ではキーボードのアレンジが巧みになっており、モダンなエレクトロとクラシカルなメロディーを切り替えながら楽曲を彩っている。叙情的な歌メロでフィンランドらしさを見せつける 1 曲目から北欧の力強さを感じさせる。3 曲目ではダンサブルなアレンジによるモダンメロデスを聴かせるなど、表現の幅が広がっている。5 曲目は 2015 年パリのバタクラン劇場で起きたテロ事件を題材に扱っている。

Diablo
Icaros ◎ Sakara Records ◎ 2008

オウルから南西の町カラヨキ出身のバンドによる 5th アルバム。フィンランドのメロデスバンドの多くがパワーメタルを下地にする中で、モダンかつグルーヴィーな方向を好み、必ずしもメロディーを絶対視しない Diablo はやや異端に映る。Mokoma や Stam1na が在籍する Sakara Records に所属している背景を知っていると Diablo にとってメロデスは目的ではなく、手段の 1 つであると理解できる。本作は彼らの中でも評価の高い作品で、5 曲目は Meshuggah のような極低音のリフに、穏やかなセクションを導入した彼らの代表曲。本作はフィンランドにおけるモダンメタルの進化の軌跡である。

Ensiferum
Iron
🔵 Spinefarm Records ⭕ 2004

ヘルシンキ出身のフォーク／ヴァイキングメタルバンドの 2nd アルバム。活動初
期には Amorphis のカヴァーをしており、バンドの関係者もメロデス界隈を語る
上では見逃せない。イントロを歌わせることで知られるキラーチューンの 2 曲目、
陽気な民謡メロディーを奏でる 9 曲目はライヴの定番曲。11 曲目の Metallica のカ
ヴァーはほぼ原曲に忠実ながら、野蛮なグロウルが冴えるアレンジ。本作収録後に、
ヴォーカルの Jari Mäenpää が Wintersun に専念するため脱退し、Norther の Petri
Lindroos に替わった。バンドは本作リリースから 1 年後、Finnish Music Days In
Tokyo 2005 で初来日を果たした。

Eternal Tears of Sorrow
Sinner's Serenade
🔵 X-treme Records ⭕ 1997

北ポフヤンマー県ブダスヤルヴィ出身の 1st アルバム。Kalmah のベースとして活
躍していた Altti Veteläinen を中心に結成した Eternal Tears of Sorrow は、何度か
の改名を経て現在のバンド名になった。この時期はまだ己の音楽性を確立している
とは言いがたく、Dark Tranquillity 系のヨーテボリサウンドに影響を受けた内容だ。
ヴォーカルの声質もデスメタルよりもブラックメタルの叫び声に近い。神秘的な空
気感と心地よいトレモロリフが胸を打つ 2 曲目は、ノルウェーのシンフォニック・
ブラックメタルの Dimmu Borgir から、オリエンタルなアレンジで展開する 7 曲目
からは Amorphis の『Elegy』の影響を感じる。

Eternal Tears of Sorrow
Vilda Mánnu
🔵 Spinefarm Records ⭕ 1998

前作から 1 年後に発表された 2nd アルバム。前作に比べるとメロデスに近い芯の
あるリードギターが目立つようになり、サウンドプロダクションも向上した。一見
すると 1st と変わらないメロデススタイルだが、シンフォニックな部分での試行錯
誤が見られ、今後のステップアップのための手応えを感じさせる楽曲が並んでいる。
涙を誘うメロディーが共鳴し合う 4 曲目はメロデスに土着的な要素を落とし込ん
でいる。女性ヴォーカルの Heli Luokkala がゲスト参加した 5 ～ 6 曲目はその後の
耽美な世界観の追求を予感させ、荒涼とした冬の情景を映した 8 曲目は以後の方
向性を決定づける初期の重要曲である。

Eternal Tears of Sorrow
Chaotic Beauty
🔵 Spinefarm Records ⭕ 2000

バンドの代表作と名高い 3rd アルバム。本作からバンドロゴが変更された。
Kalmah のキーボード奏者でもあった Pasi Hiltula の加入は、バンドの音楽を大き
く発展させた。キーボードが主役のように目立ち、オーロラのようにきらめいて楽
曲の中軸を担っている。また Sinergy で活躍していた Kimberly Goss をゲストに迎
え、持ち前のゴシック要素も強くなった。雪崩のようなブラストビートとチェンバ
ロに恍惚となる 4 曲目は、あまりの衝撃にそのまま息を引き取りかねない危険す
ぎる名曲。6 曲目には Edge of Sanity のカヴァーも収録。2019 年にはアナログ盤
が Svart Records から発表。

Eternal Tears of Sorrow
A Virgin and a Whore
🔵 Spinefarm Records ⭕ 2001

3rd アルバムと並び、評価の高い 4th アルバム。前作と同様の方向性だが、よりキー
ボードが楽曲の中心に立っており、透明感あふれるメロディーを本作でも安心し
て楽しめる。Kalmah に比べると、彼らの音楽はより繊細で幻想的である点で相違
がある。氷点下の旋律が、メランコリックな世界観を映す 1 曲目や 3 曲目は、
本作を代表する曲。悲哀のメロデスの 1 つの到達点へ辿り着くも、バンドは次に
すべき方向性の展望が見いだせず、活動休止となった。2022 年にはアナログ盤が
Pest Productions から中国語の帯付きで発表されている。

Eternal Tears of Sorrow
Before the Bleeding Sun　　　　🅐 Spinefarm Records 🅑 2006

前作から 5 年ぶりに発表された 5th アルバム。活動休止期間を挟んだことでサウンドプロダクションも変化した。過去 2 作のような極寒の大地を思わせる仕上がりとは異なり、凹凸のない柔らかで温かみのある音が本作の特徴だ。バンドの生命線であったキーボードはパワーメタルの老舗である Tarot で活躍していた Janne Tolsa に替わっており、シンフォニックメタルの Nightwish を思わせる壮大なアレンジで挑んでいる。バンドは民間伝承に興味を持っており、日本を題材にした「Sakura no Rei」こと「桜の霊」が収録された 5 曲目や、クリーンヴォーカルを聖歌隊のように重ね合わせた大曲の 9 曲などで新たな挑戦もしている。

Eternal Tears of Sorrow
Children of the Dark Waters　　🅐 KHY Suomen Musiikki Oy 🅑 2009

フィンランドの小規模なレーベル KHY Suomen Musiikki Oy へ移籍して発表した 6th アルバム。前作で感じられたシンフォニックメタルやゴシックメタルのアプローチを積極的に取り入れており、一方で 3rd の世界観の融合も試みている。Altti Veteläinen のグロウルがなければアメリカの Kamelot やオランダの Epica を彷彿とさせる。クリーンに近いダミ声が披露された叙情メロデスの 3 曲目やデモ時代の Moonsorrow を思わせるクラシカルなイントロに悶える 4 曲目、アップテンポで駆け抜ける新加入の専任クリーンヴォーカル Jarmo Kylmänen の艶やかな美声が響く 7 曲目など、バラエティ豊かな仕上がりだ。

Eternal Tears of Sorrow
Saivon Lapsi　　　　　　　　　🅐 KHY Suomen Musiikki Oy 🅑 2013

2013 年発表の 7th アルバム。新加入した Mika Lammassaari がリードギターを担っており、作曲に関わっている。ザクザクした刻みは前作、前々作にはなかった新鮮さがある。珍しく直線的なメロデスであり、スピーディーに特化した 3 曲目と 6 曲目は特にその影響が如実で、後の Mors Subita の曲作りにも繋がっている。長らくプロモーションに恵まれないバンドだったが、ついに Music Video を撮影した感慨深い 9 曲目、意外にも初となるフィンランド語の歌詞を採用した 11 曲目に注目だ。バンドがフィンランド出身であることを強調するのは、1994 年のデモテープで同国の詩人 Alexis Stenvall を引用して以来である。2016 年には初来日公演を実施。

Frosttide
Awakening　　　　　　　　　　🅐 NoiseArt Records 🅑 2013

中央スオミ県ユヴァスキュラ出身の 1st アルバム。わざわざ文章にせずともアートワークだけですでにどんな音を奏でるのか丸わかりだ。すなわち、Wintersun を思わせるような壮大なアレンジを取り入れた透明感のあるメロデスである。このバンドはエピックかつフォーキッシュなメロディーを壮大なアレンジで奏でることを様式美としている。胃もたれしそうなエピックなコーラスを歌い上げる様子は、この手の壮大な音楽を渇望していたマニアたちを唸らせた。偉大な先輩の背中を見ているからこそオリジナリティという言葉はないが、この手のバンドに求められている音が何なのかは十分に理解している。

Frosttide
Blood Oath　　　　　　　　　　🅐 NoiseArt Records 🅑 2015

前作から 2 年後に発表された 2nd アルバム。季節は冬から秋へと変化しているがやっている音楽に変化は見られない。当時から界隈では期待の新人としてみなされていたが、本作はさらにクサメロに磨きがかかっている。特に 2 曲目は口ずさみたくなるようなキャッチーな旋律が登場する。5 曲目は Wintersun の「Starchild」に影響を受けたようなイントロから始まるなど、透明感のあるシンセを背景に駆け抜けるエピックメロデス次世代のホープへと成長。EP を挟んで 2018 年の Suomi Feast ではメインメンバーは 3 名だったものの、サポートメンバーを従えて初来日を果たした。

Gandalf
Deadly Fairytales
🅐 Wicked World Records 🅓 1998

ヘルシンキ出身バンドの1stアルバム。その名の由来はJ. R. R. Tolkienの『指輪物語』の登場人物にちなむ。結成当初のデモではスウェディッシュ・デスメタルの影響が残る作品を発表していたが、やがて Sentenced の『Amok』と Carcass の『Swansong』の両方に影響を受けたクランチメロデスへ進化、後期 Entombed のデスエンロール要素も巻き込みつつ独自の発展を遂げている。叙情的なメロディーよりもグルーヴ感を重視しているヘヴィな2曲目、その一方でヨーテボリスタイルの猛進を見せつける4曲目や、フューネラルなゴシックバラード曲の5曲目など、楽曲ごとに個性が光る作品だ。

Gandalf
Rock Hell
🅐 Wicked World Records 🅓 2001

前作から3年後に発表した2ndは前作以上に、1970年～1980年代のハードロックのリフやケレン味のあるヴォーカルを取り入れ、彼らなりに大衆的な方向へシフトした。前半は明るい曲調が続きメロデスであることも忘れそうで、5曲目や7曲目のようなダークな疾走曲の方がマイノリティだ。レーベルの Wicked World Records は、本作を「At the Gates と AC/DC を合体させたようなもの」だと宣伝していた。しかしレーベルご贔屓のエクストリームメタラーには、彼らのようなバンドは琴線に触れず、本作リリースの翌年に解散。後にメンバーはデス／スラッシュメタルバンドの The Scourger を結成し、国内でスマッシュヒットを飛ばす。

Gladenfold
From Dusk to Eternity
🅐 Buil2Kill Records 🅓 2014

ヘルシンキから西の町トゥルク出身。2003年に現在とは違う Rotta の名前で当時学校に通っていた Esko Itälä と彼の弟の Lauri Itälä を中心に結成された。複数のデモを経て、この1stアルバムを発表するまでに11年もかかっている。バンド名は「Glade」と「Enfold」を組み合わせた造語で、初期こそフォークメタルの影響があったようだ。しかし、本作ではカナダの Crimson Shadows に通じるメロデスとパワーメタルを結びつけ、シンフォニックに彩られたハイファンタジーな世界を展開。フィンランドのメタルシーンの裾野の広さを見せつける本作は、デスヴォイスに苦手意識のあるパワーメタラーにもオススメだ。

Gladenfold
When Gods Descend
🅐 Reaper Entertainment 🅓 2018

前作から5年後に発表された2ndアルバム。ドイツの Reaper Entertaiment への移籍第一弾作品で、前作の路線を研ぎ澄ませている。メロデスにおけるクリーンヴォーカルの導入は、時としてメロデスが本来持つ邪悪さを打ち消すことがある。このバンドの場合、パワーメタルの爽やかさが圧倒的に強く、クリーンとグロウルが交互に変化しても楽曲の中で溶け合っている。ド派手にシンフォニックな装飾と、北欧の憂いを帯びた5曲目を筆頭にテンションの高い曲が続く。Sonata Arctica と Children of Bodom が結婚したかのようなサウンドは、当然日本のファンを興奮させ、Spiritual Beast から日本盤が発売された。

Gladenfold
Nemesis
🅐 Reaper Entertainment 🅓 2022

2022年発表の3rdアルバム。方向性は変わらず「エピック・メロディック・デス・パワー」を表明。そのアプローチは Brymir と似ているが、Gladenfold はクリーンヴォーカルを重視する道を選んでいる。本作では Esko Itälä の歌唱がまるで Kamelot のように艶やかなヴォーカルに進化している。世相もあり、サウンドのダークな世界観は新しい可能性を生み出した。表裏一体のクリーンとグロウルのコンビネーションが魅力の1曲目から出足は良く、透明感あふれるメロディーと熱い歌唱のタイトル曲である4曲目は、メロパワでは高い完成度だ。ミュージカルのように場面展開が変わる壮大なエピック叙事詩となっている。

Immortal Souls
Under the Northern Sky
🅐 Little Rose Productions 🅒 2001

フィンランド中部のコッコラ出身。Esa Särkioja と Aki Särkioja の兄弟を中心に結成、結成は 1991 年に遡り、この 1st でデビューを飾る前はドゥームメタルに傾倒するなど紆余曲折を経てメロデスへ変化。本作で見られる音楽性は Kalmah からキーボードサウンドを取り除いたような無骨なサウンドで、1980 年代のヘヴィメタルに対するリスペクトが強い。また彼らは厳しい冬だけでなくキリスト教の信仰を題材にしており、メロデスというジャンルがブラックメタルと相異なることがわかる。お家芸とも呼べる耳馴染みの良い 2 曲目を筆頭に、インスト曲においても妥協のない作品。Little Rose Productions で発売された最後の作品でもある。

Immortal Souls
Ice upon the Night
🅐 Fear Dark Records 🅒 2003

前作から 2 年後に発表した 2nd では、レーベルを Fear Dark Records へ移籍。現在でもフィンランドの主流であるキーボード入りのキラキラしたサウンドとは異なり、ギターでメロディーを繋ぎ、リフを重視し、スピードはエクストリームにならない姿勢を守っている。このような自らの音楽性を「Winter Metal」と勝手に定義し、独自の立ち位置を確立した作品だ。硬派なメロデス像を持つ一方、クリーンヴォーカルを 7 曲目と 9 曲目で使用。単にグロウルとクリーンヴォーカルが交差するだけで、その先を提示できなかったのが惜しい。本作は翌年に移籍したクリスチャン系レーベルの Facedown Records からも再発された。

Immortal Souls
Wintereich
🅐 Facedown Records 🅒 2007

Fear Dark Records からリリースされた初期作のコンピレーションアルバムを経て、発表した 3rd アルバム。Särkioja 兄弟が共に制作面で指揮を執るようになり、今までどうにも地味に感じたメロディー面にテコ入れがされた。Alexi Laiho を彷彿とさせるテクニカルなプレイが増え、曲のリフについてもモダンヘヴィネスと呼ぶべきメリハリのある音作りに変化。パワーメタルからの影響が顕著なメロディーで開始 1 秒で疲労が吹き飛ぶ 1 曲目、メロディック・デスラッシュというべき鋭利な刻みが喉をかすめる 3 曲目、初期 In Flames に対する憧憬を映し出した 6 曲目など、バンドが大きく進歩を果たした作品。

Immortal Souls
IV: The Requiem for the Art of Death
🅐 Facedown Records / Dark Balance 🅒 2011

2011 年発表の 4th アルバムでは、マスタリングに Insomnium や Korpiklaani の作品を手がけた Samu Oittinen を迎えて制作された。前作のモダンやテクニカルな手応えを受け継ぎつつ、北欧メロデスらしい叙情的な部分も健在で Insomnium や Dark Tranquillity に接近している。Music Video にもなった 3 曲目を含む前半ではキャッチーでエクストリームな姿勢が、インスト曲の 6 曲目を挟んだ後半ではミドルテンポ主体のヘヴィな展開が多い。氷点下のメロディーが凝縮された本作は Immortal Souls の作品でも完成度が高い。

Immortal Souls
Wintermetal
🅐 Rottweiler Records 🅒 2015

前作発表後に、アメリカのクリスチャン系レーベル Rottweiler Records に移籍。バンドのスローガンである「Winter Metal」を掲げ、事実上のセルフタイトルとなった 5th アルバム。原点回帰を思わせ、サウンドも 1st や 2nd に近く、序盤以降は 90 年代後半から 00 年代過渡期を思わせる内容だ。モダンな刻みとメロディックな旋律を聴かせる 2 曲目の Music Video はエストニアで撮影された。8 曲目はゲストの Kimmo Pulkkinen のクリーンヴォイスが寒々しい冬の空で輝き、新たな感動が得られる。ラストの表題曲は燻るようなメロディーが大きく燃え上がる瞬間がたまらない。

Imperanon
Stained
⏺ Nuclear Blast ⏺ 2004

ヘルシンキおよびウーシマー出身。ドラムの Jaakko Nylund と、ヴォーカル／ギターの Aleksi Sihvonen が中心となり結成。本作は唯一のアルバム。その音楽性は典型的な Children of Bodom や Norther のフォロワーと呼べるキラキラ系メロデスながらも完成度は高い。シュレッドを多用した 1 曲目のネオクラフレーズ、4 曲目の執念じみたツインリードの旋律は聴く人の心を打つ美しさである。Aleksi Sihvonen は後に Norther のヴォーカルに、Aleksi Virta は Finntroll に、Teemu Mäntysaari は Wintersun の活動に参加するなど、各メンバーは本作を足がかりに次のキャリアに進んだ。

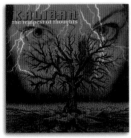

Kaliban
The Tempest of Thoughts
⏺ Low Frequency Records ⏺ 2002

フィンランドのカンタ＝ハメ県出身。音楽学校の同級生が集まり、結成。結成当初は激しいデスメタルを目指していたが、徐々に音楽性を変えていく。唯一のフルアルバムである本作は Amorphis や In Flames の叙情的なメロデスを背景に、パワーメタルとフォークメタルの要素を融合しており、シタールやディジュリドゥなど民族楽器を活用している。最大の驚きは 1998 年に本作はすでに完成していたという、その先見性だ。Ensiferum や Eternal Tears of Sorrow よりも早く彼らはこのスタイルを完成させていた。歴史に「もし」はないが、リリースが 4 年早かったら、界隈に大きな爪痕を残したのは間違いない。バンドは 2007 年に解散している。

Mors Principium Est
Inhumanity
⏺ Listenable Records ⏺ 2003

「死は始まりにすぎない」というラテン語をバンド名に掲げる Mors Principium Est はフィンランドのポリ出身ながら、スウェーデン派生のメロデス／デスラッシュに影響を受けたバンドだ。At the Gates や Dark Tranquillity の一番弟子として、テクニカルなリフにメロディーをひと匙加え、モダンな質感で疾走するのが特徴。一聴して新人離れしたサウンドに必殺のリフが突き刺さる 1 曲目や、叙情的な空間を生み出す冷ややかなキーボードが特徴的な 4 曲目、At the Gates 由来の猛進気味なリフの中に散りばめられたメロディーが味わい深い 5 曲目など、音質の軽さに目を瞑れば、すでに高水準の曲が並んでいる。

Mors Principium Est
The Unborn
⏺ Listenable Records ⏺ 2005

激しさと美しさを内包する彼らの代表作として知られる 2nd アルバム。リフの良さに関して Mors Principium Est は定評があるが、本作はその中でも特に評価が高い。特に 1 曲目は緊張感のあるイントロから始まり、女性ヴォーカルや流暢なギターを自然に配置、時代がメタルコア全盛でありながらも北欧メロデスの底力を見せつけたバンドを代表する名曲である。2 曲目もきらびやかなアレンジと共に、美醜をこれでもかと表現しており、メロデスの素晴らしさを理解するには十分すぎる曲が続いていく。モダンなアレンジを駆使しながら縦横無尽にメロディーが駆け巡るスタイルは、他のフィンランドのバンドと一味違う。

Mors Principium Est
Liberation = Termination
⏺ Listenable Records ⏺ 2007

前作の内容を踏襲した 3rd アルバム。デスラッシュとモダンなアレンジが絶妙に配合された前作に比べると、アルバムジャケットでも窺えるが明るいエレクトロな音による表現が増えている。本作までのバンドの特徴としてアートワークやロゴをアルバムごとに変えていたことを挙げたい。バンド側の成長と新鮮さを取り入れようとする姿勢の表れである。本作は専任のキーボード奏者が在籍している最後の作品となった。2022 年には 1st アルバムから 3rd アルバムまでの作品を再録した『Liberate the Unborn Inhumanity』を発表。旧メンバーの Jarkko Kokko と Jori Haukio がバンドに復帰し、統一感ある音像で作品の世界観を再構築している。

Mors Principium Est
...and Death Said Live
AFM Records ● 2012

前作から間が空き、5 年の歳月を要した 4th アルバム。結成メンバーの 1 人であっ
た Jori Haukio が脱退、AFM Records にレーベルを移籍して再出発を図った作品だ。
ギターの切れ味はこのバンドの生命線になるが、新たに加入した Andy Gillion と
Andhe Chandler の両名はバンドに求められている音楽性を理解しており、今まで
の作品と繋がりを保とうと努力している。以前よりもキーボードも前面に出てきて
おり、激しいデスメタルとのバランスを意識している。壮大なアレンジと共に展開
される 2 曲目や、後の定番パターンへの布石を感じられる 4 曲目の疾走曲は、バ
ンドの再起を象徴する曲になった。

Mors Principium Est
Dawn of the 5th Era
AFM Records ● 2014

バンドの第二の全盛期の幕開けとなった 5th アルバム。Andhe Chandler から
Kevin Verlay へギタリストが変更している。本作は、今まで以上にメロディアスか
つアグレッシヴな作品である。特に人気なのが 2 曲目と 7 曲目で、勝ちパターン
を掴んだ力強いリフでバンドを代表する曲だ。以前と比べると、キーボードの使
用は最小限に抑えられているが、メロデスの初期衝動には忠実である。2013 年に
Origin と共に初来日した後、2014 年は Beyond Creations、2016 年には Omnium
Gatherum とのカップリングで来日公演している。日本でも急速に名前が知られる
ようになった。

Mors Principium Est
Embers of a Dying World
AFM Records ● 2017

新たな方向性を開拓した 6th アルバム。本作は前作に比べるとキーボードの比重が
大きくなって、曲によってはシンフォニック・デスメタルにも感じる。デスラッ
シュの要素は健在だが、プロダクションがシンフォニックなサウンドを強調して
おり、以前のような生々しい攻撃性は薄まっている。前作の延長線上でクラシカ
ルな旋律を内包する 2 曲目、イタリアのシンフォニック・デスメタルの Fleshgod
Apocalypse の某曲を思わせる 3 曲目、アルバム名を冠しておりこれまで以上にメ
ランコリックに展開される 5 曲目など、安定を良しとせず意欲的な挑戦が見られ
る作品だ。

Mors Principium Est
Seven
AFM Records ● 2020

2020 年発表の 7th アルバム。ヴォーカルの Ville Viljanen とギター兼ベースの Andy
Gillion の 2 名だけで挑んだ作品でもある。前作ではシンフォニック路線に意欲的
に挑戦していたが、本作ではこれまでのソリッドなスタイルとのバランスを両立
させた。メカニカルかつアグレッシヴな Mors Principium Est 印のリフで鋭利に刻
みながらも、サビではメランコリックにメロディーを響かせている。バンド側が
「『Dawn of the 5th Era』と『Embers of a Dying World』の融合である」と語るよう
に、従来の作品が気に入っていれば本作も間違いない。

Mors Subita
Human Waste Compression
● Violent Journey Records ● 2011

Eternal Tears of Sorrow と Wolfheart の ギ タ ー と し て 活 躍 し て き た Mika
Lammassaari が長年温めていたバンドの 1st アルバム。その名の由来は、「突然死」
を意味するラテン語にちなむ。スラッシュメタルのフィーリングを兼ね備えた動き
のあるメロデスを提示。モダンな手触りだが、クリーンヴォーカルを使うことのな
い硬派な仕上がりで Eternal Tears of Sorrow よりも The Crown や The Haunted の
ファンにこそマストな仕上がりだ。激しいテクニカルなリフが印象深い 1 曲目は
映画『ヘヴィ・トリップ』でも披露された。

Mors Subita
Degeneration　　　　　　　　　　🅐 OneManArmy Records　🅒 2015

さらにアグレッシヴになった 2nd アルバム。Before the Dawn の首謀者である Tuomas Saukkonen が運営する OneManArmy から放たれた。中身は前作から据え置きだが、他のバンド活動でのフィードバックが本作に反映されているのか、叙情的な表現と激しい表現が共に両立するようになった。さらにヴォーカルが Eemeli Bodde に替わったことは大きく、激しいスクリームで感情豊かに叫ぶ姿はバンドのサウンドにピッタリハマっている。モッシュピットへ誘発するようなアグレッシヴな曲が並び、伝統的なメロデス像を守りつつ、モダンな要素を効果的に使用する優等生だ。

Mors Subita
Into The Pitch Black　　　　　　　　🅐 Inverse Records　🅒 2018

2018 年発表の 3rd アルバム。前作の流れを汲んだ作品だが、以前よりも湿り気があり「フィンランドのメタル」らしく感じる場面が増えた。Eternal Tears of Sorrow や Wolfheart で使えるアイデアであっても、積極的に本バンドで採用する姿勢を取ったのか、ここに来て作風はさらにバラエティ豊かに感じる。これまでの流れを踏襲する王道デスラッシュの 2 曲目は、オープニングとしてはこれ以上無いほどにバンドのサウンドを的確に表現している曲である。一転して叙情メロデスに全振りした 5 曲目は中盤にしてハイライトの仕上がりで、涙無しでは最後まで聴けない。Suomi Feast 2018 で、バンドは初来日公演を成功させた。

Mors Subita
Extinction Era　　　　　　　　　　🅐 Out of Line Music　🅒 2020

前作から 2 年後に発表された 4th アルバム。彼らの長所は初期から一貫してアグレッシヴなメロデスを追い求めていることで、本作もその期待に応えている。激しいモダンなエクストリームとメロディアスな要素が、これまで以上に融合した正統進化である。前作ほどにフィンランド感はなく、初期の頃を思わせるドライな音像でアグレッシヴに展開する。薄っすらとキーボードを使い、激しいスクリームの説得力を高めたデスラッシュの 2 曲目や Insomnium を思わせる叙情メロデスで涙を誘う 7 曲目、Soilwork の某曲にイントロが激似の 10 曲目など、フィンランド流のモダンメロデスが堪能できる。

MyGrain
Orbit Dance　　　　　　　　　　　🅐 Spinefarm Records　🅒 2006

ヘルシンキ出身。ヴォーカルの Tuomas Tuovinen、ギターを担当する Matthew と Resistor の 3 名が中心となり結成。フィンランド国内で早くから In Flames や Soilwork のようなアメリカの流行を取り入れたモダンメロデスの潮流に乗っかっていたバンドだ。本作は 1st アルバム。グロウルとクリーンを織り交ぜるがメタルコアのような一辺倒な様子はなく、紅一点の Eve Kojo による叙情的なキーボードセンスにフィンランドらしさを意識させる。Norther を想起させるキラキラメロデスを踏襲した 3 曲目、グロウルとクリーンを使い分けリフでゴリ押しする 9 曲目など、新人らしからぬ出来映えである。

MyGrain
Signs of Existence　　　　　　　　　🅐 Spinefarm Records　🅒 2008

前作から 2 年後に発表した 2nd。良くも悪くも作品の方向性は変わっていない。ゴリゴリのリフに北欧を象徴するかのようなキーボードで装飾し、適度な疾走感で駆け抜ける。スウェーデンの先進的な方向性と、フィンランドの叙情性が良いバランスで成り立っている。Disarmonia Mundi や Sonic Syndicate などのバンドと比べて方向性は変わらないのだが、如何せん取り上げられるのが一足遅かった。アップテンポのキラキラメロディーがモダン化を果たしていく 2 曲目、無慈悲な単音リフの疾走感が爽快感を与える 5 曲目など、既視感は否めないものの王道のモダンメロデスだ。

MyGrain

MyGrain	● Spinefarm Records ● 2011

日本盤も発表された 3rd アルバム。バンドの名前を知らしめたセルフタイトルの作品だ。ギターが Matthew から Teemu Ylämäki に変更になった。本作は Tuomas Tuovinen の声の充実度が前作に比べて目覚ましく、曲調も彼のヴォーカルパフォーマンスの幅広さを見せつける内容だ。本作では北欧のモダンな感性だけではなく、メタルコアにも接近した曲もありクロスオーヴァーを感じさせる。5 曲目は Music Video に、6 曲目では Kiuas のヴォーカルである Ilja Jalkanen が客演している。本作発表後に Finland Fest 2011 で初来日を果たし、翌年の来日公演は国内 10 箇所をドサ回りした。

MyGrain

Planetary Breathing	● Spinefarm Records ● 2013

2013 年に発表した 4th アルバムは、前作の手応えをそのまま反映させたような作品だ。近未来を思わせ、激しくも叙情的なメタルを求める層に、変わらない安定感を提示している。キーボードの Eve Kojo の貢献は今回も大きく、伝統的なメロデスと近未来を思わせる場面の両方で活かされている。またグロウルとクリーンを使い分ける Tuomas Tuovinen のヴォーカルは今回もバランス良く配置されている。正統派なメロデスを披露しつつも、明瞭なコーラスと、アトモスフェリックなキーボードが推進感を生み出す 2 曲目、ベースソロのタッピング奏法が印象的で Music Video にもなった 5 曲目が良い。その後、バンドは 2015 年に一度解散している。

MyGrain

V	● Reaper Entertainment ● 2020

2018 年の再結成第一弾作品の EP を経て、フルアルバムとしては 5 作目になる作品。なおメンバーの多くは 4th から据え置きながら、キーボードの Eve Kojo は本作の発表前に脱退している。作風としてはこれまでの延長線上にあることは確かだが、よりプログレッシヴな感性が強まっている。Amaranthe よりは Scar Symmetry や Omnium Gatherum の方が作風としては近い。Music Video にもなった 5 曲目など歌重視に思わされるが、後半では 13 分にもなる大曲を配置するなどよりテクニカルかつアトモスフェリックな場面が増え、バンドはさらなる作風の拡張に挑んでいる。

Naildown

World Domination	● Spinefarm Records ● 2005

ミッケリ出身。Acid Universe 名義で 2 度のデモを発表後に改名して発表した 1st アルバム。その音楽性は Children of Bodom の 4th のサウンドをお手本に、Soilwork のようなクリーンヴォーカルを加えたこの時期のモダンメロデスの典型的なスタイルを踏襲している。Daniel Freyberg と Jarmo Puikkonen が Alexi と Janne に通じるギターとキーボードのソロバトルを披露するなど、似ていないところを探すほうが難しそうである。アルバムタイトル通り、世界征服を目論むこの時期のフィンランドの若者たちのハングリー精神が反映されている。

Naildown

Dreamcrusher	● Spinefarm Records ● 2007

前作から 2 年後に発表した 2nd アルバム。前作に比べると歌メロを強調するアプローチが増えており、グロウルよりもクリーンヴォーカルに対する比重が増えている。演奏もうまくなっているが、メリハリは乏しく没個性的な印象も否めない。本作はオランダの『Aardschok』誌における月間のベストアルバムに選出されるなど、国外からも一定の評価を得られた作品だったが、本作をもって実質的な活動休止を迎えた。当時のメンバーは後に Norther や Wintersun に加入し、特に Daniel Freyberg は彼の憧れである Children of Bodom、Bodom After Midnight に参加するが、憧れのバンドの最期も経験している。

Norther
Dreams of Endless War
🔊 Spinefarm Records 📀 2002

バンドの 1st アルバムであり代表作。Toni Hallio と Petri Lindroos の両名が組んでいた Requiem というバンドが前身にあたる。メロデスをデスメタルがメロディーを追う場合と、パワーメタルがデスメタルを追うパターンの 2 種類に分類するならば、Norther は後者に該当する。Children of Bodom と比較されるが、Norther はエクストリームなアレンジよりも、北欧メロパワを意識した叙情的なリードギターが持ち味だ。叙情的で壮大なリードギターが広がる 6 曲は Children of Bodom とは違うドラマ性が垣間見える。9 曲目は Europe の大ヒット曲「The Final Countdown」のカヴァー。

Norther
Mirror of Madness
🔊 Spinefarm Records 📀 2003

1st アルバムと並び評価の高い 2nd アルバム。前作の路線に準拠し、アートワーク同様に冷ややかな旋律と叙情性を生んでいる。ギターの Petri Lindroos と Kristian Ranta 両名の作曲だけでなくキーボードの Tuomas Planman の貢献もあり、バンドアンサンブルを意識したまとまりの良さが魅力である。Embraced のようなダークな旋律に胸を締め付けられ、涙が止まらない 3 曲目、北欧パワーメタルド直球の哀愁で疾走する 4 曲目は、デスメタル文脈のメロデスでは生まれない感性だ。タイトル曲はシンセとグロウルが交わる美しさ、ギターとキーボードのユニゾンが聴きどころだ。本作のプロデューサー Anssi Kippo とは長い縁になる。

Norther
Death Unlimited
🔊 Spinefarm Records 📀 2004

前作から 1 年後に発表された 3rd アルバム。奇しくも同時期の Children of Bodom と作風が重なり、北欧の叙情性だけでなく、内なる攻撃性にも目覚めた作品だ。過去最高の切れ味のリフを撒き散らしながら「I am the Death Unlimited」とサビで叫ばざるを得ない 3 曲目は彼らの代表曲の 1 つだ。6 曲目ではクリーンヴォーカルを解禁しており、後半のキーボードの旋律はまるで吹雪のように激しく胸を打つ。Kalmah のような残虐性を強調した 12 曲目は、後半のソロバトル含めて目が離せない。なおバンドの顔である Petri Lindroos はその後 Ensiferum と二足の草鞋を履くことになる。

Norther
Till Death Unites Us
🔊 Spinefarm Records 📀 2006

バンドの転機となった 4th アルバム。多くのメロデスバンドがモダン化の道を選んでいく中で、Norther もその余波を受けている。クリーンヴォーカルを取り入れている 3 曲で見られる。例えば 6 曲目を取り上げると、ゴシックメタルに通じる儚さがあるがメロデスとしてのカタルシスは薄く、付け焼き刃な印象も否めない。何よりミドルテンポの曲が増えており、爽快感では他の作品に劣る。バンド名を冠する 3 曲目は正統派のヘヴィメタルをメロデスへと落とし込んでいたり、8 曲目のような F ワードを繰り返す短めの曲など様々な模索が見られる作品だ。本作と次作は Fredrik Nordström が制作に関与している。

Norther
N
🔊 Century Media Records 📀 2008

キャリアの中でも賛否両論を呼んだ 5th アルバム。本作から活動の場所を Century Media へと移した。前作に比べると、以前のような透明感のある北欧メタルの冷ややかなサウンドも戻ってきているが、同時にルーツである北欧ハードロック／メタルのミドルテンポも戻ってきた。アグレッシヴさでは過去の作品に劣り、シンプルなリフとクリーンヴォーカルが目につく作品だ。以前のような北欧の冷たさを感じられる 3 曲目であっても、エクストリームなカタルシスは控えめである。7 曲目はバンドのセンスがストレートに感じられる、数少ないメロデス魂を取り戻した曲だ。

Norther
Circle Regenerated　　　　　　　　　　　🅐 Century Media Records 🅓 2011

バンドの最終作となる 6th アルバム。Ensiferum の活動に専念するためか、Petri が
脱退し、ヴォーカルが Aleksi Sihvonen に替わっている。ギターには Naildown で
も演奏していた Daniel Freyberg が加わった。Soilwork のようにクリーンヴォーカ
ルを乗せようとしているが、美醜やフックのある曲展開に頼りなさがある。単なる
売れ線狙いの北欧メタルと言われるのもやむ無しだった。しかし 9 曲目には初期
のバイブスがあり、バンドの最後の輝きとも言えるソロをぜひ感じてほしい。惜し
くもバンドは本作リリースの翌年解散したが、彼らがフィンランドのメロデスシー
ンを支えてきたことは、これからも記憶に残り続けていく。

Noumena
Pride / Fall　　　　　　　　　　　　　　　🅐 Catharsis Records 🅓 2002

アハタリ出身バンドの 1st アルバム。その名はギリシャ語の「精神（Noumenon）」
の複数形にちなむ。幼馴染みのメンバー同士で結成。Sentenced や Amorphis の流
れを汲むメランコリック、仄かにゴシックテイストな要素を取り入れている。本作
では Hanna Leinonen が女性ヴォーカルとして、Pekka Nurmi がクリーンヴォーカ
ルでゲスト参加。リードギターがしつこく胸を掻きむしるアップチューンの 3 曲目、
繊細かつ優しげな旋律と相反する激情を叫ぶグロウルの対比が展開される 4 曲目
が並ぶ。当時苦学生だったメンバーは制作費の捻出にも苦労し、オーストラリア
Catharsis Records からの助力がなければその後の活動もままならなかった。

Noumena
Absence　　　　　　　　　　　　　　　　　🅐 Spikefarm Records 🅓 2005

前作から 3 年の月日を要して発表した 2nd アルバムは彼らの初期の代表作になる。
Catharsis Records との契約が切れ、Spikefarm Records に移籍した。プロダクショ
ンの向上だけでなく、シンプルな曲構成のスパイスとしてトラッド要素が顔を出す。
リードギターの熱さと、地の底からの叫び声のようなグロウルで織りなす 1 曲目
は歌謡曲のようにキャッチーで、後半のソロまでの流れが素晴らしい。トラッドな
メロディーが支配する 2 曲目はミドルテンポであることの必然性を感じさせ、や
がてデスメタルであることも忘れさせる美しさと情熱を秘めた 4 曲目は、耽美な
メロデスの極致。

Noumena
Anatomy of Life　　　　　　　　　　　　　🅐 Spikefarm Records 🅓 2006

2nd と並んで評価の高い 3rd アルバム。前作と同じ方向性だが、徐々に垢抜けた雰
囲気が漂い始めており、トラッド要素を求めつつもメタルの強度も妥協しないよう
になった。前作同様に、Mika Jussila がマスタリングを手がけているのも大きい。
2 曲目はヴァイキングメタル／フォークメタルに接近しており、フィンランドの素
朴さや、牧歌的な印象を受ける。同年リリースの EP にも収録されている 6 曲目は
本作で最もキャッチーであり、シンプルなリフに低いガテラルと女性ヴォーカルの
力強さが美女と野獣のように展開される。荘厳な様相を見せる 9 曲目も表現力の
向上あってこそで、激しくもメロディーが胸に染みる。

Noumena
Death Walks with Me　　　　　　　　　　🅐 Haunted Zoo Productions 🅓 2013

前作発表後に活動を休止していたバンドが再起を図った 4th アルバム。自ら立ち上
げた Haunted Zoo Productions から発表された。本作からパーマネントな女性ヴォー
カルとして Suvi Uura を迎えている。3 曲目や 8 曲目そして 11 曲目のように彼女
のために用意されたような楽曲もある。従来のメロデス路線を踏襲している 2 曲目
なども顕在だが、タイトルトラックの 4 曲目ではブラックメタルライクなトレモ
ロリフと荒々しいドラムで駆け抜ける曲で、彼らにしては珍しいアプローチである。
ゴシックメタルの側面が強まる 10 曲目は On Thorns I Lay のようなデス／ドゥー
ムの絶望へと沈む中、サックスが悲しく木霊する。

Noumena
Myrrys
🎤 Haunted Zoo Productions ⏺ 2017

2017 年発表の 5th アルバム。レーベル名やアートワークから漂う動物愛は彼らの出身地であるアハタリに由来している。フィンランド国内で二番目に大きい動物園を有し、パンダが最も有名だが熊も展示されており、近年ではヨガをする熊が話題になった。本作は、初めて全編フィンランド語の歌詞で綴られた作品であり、崇拝する Dan Swanö のマスタリングでいっそうの土着性をまとっている。翌年には Suomi Feast 2018 で初来日を果たす。余談だがバンドの集合写真が「フィンランドのパークレンジャーの仕事の 75% は、アルバムジャケットの撮影で迷子になったメタルバンドを救助することだ」というミームに使われている。

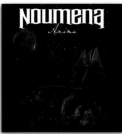

Noumena
Anima
🎤 Haunted Zoo Productions ⏺ 2020

前年の中国ツアーを経てリリースした 6th アルバム。死や喪失をテーマにしており、前作で描かれた熊が亡くなっている。以前の作品と比べてもメランコリックなドゥームの側面が強まっている。2 曲目は以前のような牧歌的なメロディーに胸を締め付けるもので、Antti Haapanen による歌詞が浮かび上がる低音グロウルと繊細な Suvi Uura の歌声が混ざり合う様子がより洗練された。メロデス化した Korpiklaani のような 4 曲目もまた異国のトラッドを思わせる渋い仕上がりでギターがアツい。中盤の 6 曲目は 15 分という大作であり、弱火でじっくり曲を煮込んでいく様子は、彼らの歩んできたバンド活動の足跡と重なる。

Obscurant
Lifeform: Dead
🎤 Woodcut Records ⏺ 2002

中央スオミ県ユヴァスキュラ出身バンドの 1st アルバム。Horna や Ajattara などフィンランドのブラックメタル界では名が通る Infection（本作では Luukkainen 名義）がヴォーカルとギターで在籍していた。蒙昧主義者を意味するバンド名を掲げているが、サウンドはわかりやすいメランコリックなメロデス。Before the Dawn や Noumena に連なるシンフォニックな装飾がされたミドルテンポを主体に、時々クリーンヴォーカルが使われ、フィンランドの冬景色が直送されている。全体的な方向性は定まっている反面、曲ごとに異なるアプローチは行われず単調さもあり、ブラックメタルでの知見がやや悪い方に出た作品だ。

Obscurant
First Degree Suicide
🎤 Woodcut Records ⏺ 2005

前作から 3 年後に発表した 2nd アルバム。前作のメランコリックメタルから、疾走感を取り入れることで起伏のある作品になった。作品はフィンランドのお家芸である「自殺」がテーマであり、苦痛に満ちた楽曲を救済する役目としてメロディーが心地よく照らしている。前述の重々しいテーマ故にメロデスよりもメロディック・ドゥームに感性は近く、アートワークから窺えるモダン化に関しては心配しなくて良い。サウンドの焦点は定まったものの、Rapture や Swallow the Sun など当時話題になったバンドに比べると、Obscurant は今ひとつ話題を得ることができなかった。残念ながら、バンドは 2009 年に解散している。

Pain Confessor
Fearrage
🎤 Megamania ⏺ 2006

ハメーンリンナ出身。2002 年に結成されたキーボードを含む 6 人組の 2nd アルバム。その音楽性は Sentenced ベースのゴシック要素のあるメロデスだが、モダンな感触も兼ね備えており、フィンランドらしい冷ややかなサウンドを持つ。派手さは無いが、質実剛健の内容であり、2 ビートによるデスラッシュナンバーの 2 曲目、繊細かつ丁寧な王道メロデスナンバーの 3 曲目など基本を外さない作品である。また本作は Wood Bell にて日本デビューを果たした。かつて開かれていた Finland Fest の前身にあたる Finnish Music Days in Tokyo 2006 にて初来日を果たしており、その後もフルアルバム 2 枚を発表している。

Re-Armed
Ignis Aeternum　　　　　　　　　　　　　　⊙ Black Lion Records ⊙ 2020

ウーシマー県ケラヴァ出身バンドの 4th アルバム。2017 年に Suomi Feast で初来
日した際に、デスラッシュの先鋭としてフロアを温めたのも記憶に新しい。本作は、
前作『The Era of Precarity』でも実験的に取り入れていたシンフォニック要素を、
本格的に導入した作品だ。攻撃的なリフと叙情的なメロディーのバランスを見直し、
結果としてデスラッシュからメロデスへ回帰している。1 曲目は、フィンランドの
詩人 Eino Leino の『Hymni Tulelle』の一節から歌詞を引用している。デスラッシュ
時代のファンからは賛否両論の本作だが、バンドの新たな章になった。

Renascent
Through Darkness　　　　　　　　　　　　　　　⊙ Metal Union ⊙ 2005

ヘルシンキ出身。当時は Divinefire のヴォーカルだった Jani Stefanović が参加し
ているシンフォニック・メロデスだ。実際にはヴォーカルをデスヴォイスに変え
た Divinefire と言っても過言ではない。本作は 1st アルバム。キリスト教をテーマ
にしているものの、実際にはシンフォニック・ブラックメタルに通じる禍々しさが
強く描かれている。Kalmah や Children of Bodom よりも Dimmu Borgir や Arcturus
などノルウェーのセンスに近い。なお本作は Divinefire の来日公演に併せる形で先
行してフィンランドからアメリカに活動の拠点を移すな
ど、紆余曲折を経て、本作から 11 年後に 2nd アルバムを発表。

Scum
Purple Dreams & Magic Poems　　　　　⊙ Black Mark Production ⊙ 1995

同名のバンドが数多く存在する中、黎明期フィニッシュ・デスメタルシーンで産
声を上げた Scum は OSDM を経由してメロディック・デスメタル／ドゥームメタ
ルヘと至ったバンドだ。1st の音楽性は Asphyx や Entombed を混ぜた重量感のあ
るロックンロール調のデス／ドゥームだが、この 2nd アルバムでは Amorphis や
Sentenced が見いだした繊細なメロディーを宿しており、メロデス路線に到達し
た。まだ音楽性が確立されてないフィンランドの黎明期を感じさせる、荒削りな
音がアーカイヴされている。次作は翌年に収録されていたが、2016 年に発表。As
Serenity Fades 同様にシーンの礎となった。

Shade Empire
Zero Nexus　　　　　　　　　　　　　　⊙ Dynamic Arts Records ⊙ 2008

クオピオ出身。初期（1st ～ 2nd）の頃はインダストリアルな要素を取り入れた作
風であり、後期（4th 以降）になるとシンフォニック・ブラックメタルの色が強く
なり、評価された。この 3rd はその成長の過渡期にあたり、モダンなメロデスの要
素を色濃く残した作品だ。後の作品に比べてもヘヴィなサウンドが特徴で、Fear
Factory の無機質さと冷たい北欧のシンフォニックサウンドが共存している。男女
混成のヴォーカルによるゴシック要素のあるシンフォニックメタルや、サックスを
取り入れたプログレッシヴメタルなどジャンルを越境する作品になった。

Suotana
Land of the Ending Time　　　　　　　　⊙ Reaper Entertainment ⊙ 2018

ヴォーカルとギターを担う Ville Rautio が中心となり結成。本作は 2018 年に出し
た 2nd。フィンランド北部のロヴァニエミ出身ということもあり、ラップランドに
近い土地柄故にか（?）オーロラキラキラ系メロデスを披露している。Wintersun
や Children of Bodom よりもパワーメタルやキラキラ度が強く、そして淡く儚い雰
囲気が支配的だ。透明感あふれるキーボードが美しいアルバムを代表する 2 曲目や
5 曲目を筆頭に、環境問題とそれに連なる水の生態系を題材にしており、釣りにつ
いても歌っている数少ないメロデスバンドだ。2020 年に初来日が予定されていた
が、中止となったため次の機会が待ち遠しい。

Suotana

Ounas I	🅐 Reaper Entertainment 🅞 2023

2023年発表の3rdアルバム。ベースは Iku-Turso でも活動する Rauli Alaruikka に
替わった。コンパクトにまとまっていた前作とは異なり、曲は長尺化の傾向がある。
前作よりもメロブラに接近しており、そのスケール感はフィンランドの湖のように
巨大だ。1曲目では Kalmah のキーボード奏者 Veli-Matti Kananen が参加し、氷点
下の世界へと誘っている。6曲目は Summoning の「Land of the Dead」をカヴァー
曲に選んでいるが、作中で浮くことはなく合致している。変わらないキーボードの
乱痴気騒ぎに期待を裏切らず、想像を超えてくるバンドである。

The Wake

Ode to My Misery	🅐 Spikefarm Records 🅞 2003

ヘルシンキより西にあるカーリス出身。当初は Bleeding Harmony というバンド名
だった。本作は1stアルバム。キーボードで装飾されたメロデスが市民権を持つフィ
ンランドシーンで、ツインリードギターによる可能性を追求し、アンサンブルを重
視。検索に厄介なシンプルなバンド名通り、At the Gates を手本にしながらもメロ
ウでシンプルなスタイルを好む。劇的なリフを紡いだ疾走曲で、正統派メタルの
素晴らしさを再評価した7曲目が印象深い。日本盤では Iron Maiden の「Deja-Vu」
のカヴァーが収録されている。その後1作を残して、2008年にバンドは解散した。

Throne of Chaos

Menace and Prayer	🅐 Spikefarm Records 🅞 2000

エスポー出身バンドの1stアルバム。そのスタイルは In Flames の叙情性に
Children of Bodom 系のキラキラしたアレンジを混ぜたもの。両方の要素が欠け
ることなく両立しており、メロディーを巧妙に仕込むリフセンスとハーモニーの
巧みさは本家に肉薄している。例えば2曲目の3分以降の展開は歴戦のメロデス
リスナーでも息を呑むドラマ性が宿る。しかしながら、In Flames の「Embody
Invisible」に似た1曲目や後半のギターソロが「Stand Ablaze」に似た7曲目は訴
えられても文句は言えない。2ndアルバムまで Throne of Chaos だったが、3rdア
ルバムでは名前を TOC に短縮している。

Tracedawn

Tracedawn	🅐 Redhouse Finland Music Publishing 🅞 2008

ヘルシンキ出身。ギターの Tuomas Yli-Jaskari による1人プロジェクトだったが、
やがてインターネットでメンバーを集めた。結成当時は「Moravia」を名乗ってい
たが、同名のバターが販売されているのは格好がつかないため、バンド名をドラ
マーの Perttu Kurttila が提案した「Tracedawn」に変更している。本作は1stアル
バム。その音楽性は MyGrain にも通じるキラキラした演出と、クリーンヴォーカ
ルを導入した軽快なモダンメロデスと言えそうだ。アルバムを象徴する1曲目は
Antti Lappalainen の野獣の如く荒々しいヴォーカルと清涼感のあるクリーンの対比
を1つの喉で再現し大型新人の登場を予感させた。

Tracedawn

Ego Anthem	🅐 Redhouse Finland Music Publishing 🅞 2009

前作の1年後に発表した2ndアルバム。Wacken Open Air 出演を経たせいか基礎
的な演奏技術の向上が見られ、着実なステップアップを果たした作品だ。Amoral
や Stam1na のようにブレイクダウン／ダウンテンポを導入するなど、フィンラン
ドのメタル界隈の影響が如実に出ている。ヘヴィネスとキラキラが両立した1曲目、
典型的な単音リフにキーボードが折り重なる4曲目など、基本的な方向性に変化
はない。激しくもメロディックなモダンメロデスの模範解答を示している。本作で
フィンランドのチャート29位を獲得するなど、バンドは商業的にも評価され始め、
Ensiferum や Stratovarius の欧州ツアーのサポートに抜擢もされた。

Tracedawn

Lizard Dusk
🅐 Redhouse Finland Music Publishing 🅒 2012

前作の評判を受けて路線変更した 3rd アルバム。ヴォーカルが元 Amoral の Niko Kalliojärvi に入れ替わり、彼がグロウルを担当。クリーンヴォーカルを Tuomas Yli-Jaskari が兼任する形で困難を乗り越えた。スウェーデンのモダンメロデスを想起させるサイバーなエフェクトが強化され、フィンランドの神秘性は薄まり、大衆性とポップさが強まる形に変化を遂げている。ヴォーカルの変更に伴う楽曲面での影響は受けてないと語ってはいるが、いくらかギターの負担は減っており、フレーズはシンプルな方向へ変化。本作は日本盤もリリースされたが、バンドは 2013 年に事実上の解散ということになっている。

Torchia

The Coven
🅐 Rockshots Records 🅒 2020

タンペレ出身バンドの 2nd アルバム。デビューアルバムから、絢爛なメロデスとは縁のないギター至上主義の硬派なメロデスに挑戦していた。デスラッシュほど激しすぎず、モダンメロデスほど羽目を外さない、少し不器用だが頑固なメロデスが愛おしい。本作も The Duskfall や Amon Amarth のファンには好まれそうな仕上がりである。6 曲目の「Jäämaa」は氷の世界を意味しており、歌詞もフィンランド語である。メロデス化した Mokoma のような不思議な感覚を覚える。Suomi Feast 2020 で来日する予定だったが、コロナ禍で中止になってしまった。

Ulthima

Symphony of the Night
🅐 Inverse Records 🅒 2021

フィンランドの大手 Inverse Records から発売された 1st アルバム。ギタリストの Ricardo Escobar と、ベーシストの Antonio Valdés がメキシコのモンテレイにて結成、やがて彼らは自らの音楽性の強い影響元であるフィンランドに移住し、現地でメンバーを募集し本作を発表している。アルバムアートワークやタイトルからも窺えるが、シンフォニック・パワーメタルの要素を取り入れており、典型的ながらも美しいフィニッシュ・メロデスを提示。ネオクラシカル要素を取り入れたツインリードとキラキラキーボードに腕が痙攣してしまう 1 曲目、在りし日の Children of Bodom の面影を感じる 3 曲目が良い。

Verjnuarmu

Muanpiällinen helevetti
🅐 Universal Music Group 🅒 2006

フィンランド北サヴォの最大都市であるクオピオ出身バンドの 1st。サヴォ地域はスウェーデンからロシアに割譲された経緯を持つ。彼らはサヴォ語で歌うメロデスバンドであり、自ら「Savo Metal」を名乗っている。歌詞の題材も地元の民話や歴史的な出来事を扱っており、森と湖の匂いが漂う土着的なメロデス像は、洗練されたヘルシンキのメタルバンドとは異なる本物の生々しさを宿しているのが特徴。その後も 3 作発表しているが、バンドの中心人物である Janne Rissanen の死を理由に活動を停止した。余談にはなるが、グラムメタルバンドの Reckless Love もサヴォ出身で知られる。

Whispered

Thousand Swords
🅐 Redhouse Finland Music Publishing 🅒 2010

元は Zealot という名前で活動していたが、後に現在の名前に改名したバンドの 1st アルバム。自らを「歌舞伎メタル」と称しており、メンバーが隈取りをするなど個性的なバンドだ。日本のゲーム音楽や文化に影響を受け、和風のメロディーを大胆に導入している。本作ではシンフォニックメタルに近い味付けをしていてメロデスの力強さに課題は残るが、新人離れした構成力を披露している。2 曲目から「Rhapsody かな?」と思わせるクワイアを登場させつつ、怪しげな和のメロディーが駆け抜けるドラマ性が窺える。オーケストラヒットがまるで刀同士のぶつかりあいのように思える 6 曲目など、ツボを突いたアレンジがたまらない。

Whispered
Shogunate Macabre   ⓐ Redhouse Finland Music Publishing   ○ 2014

4 年後に発表された 2nd アルバム。前作から 3 年後に初来日を果たし、バンドの勢
いは衰えず作品を発表した。すべての楽曲は前作以上のスケール感で展開され、シ
アトリカルな和の世界へ誘う。小泉八雲の『食人鬼』を題材にした曲であり、和の
旋律とリフの融合を見せつける 1 曲目、和風フォークメタルに手を伸ばした 6 曲目、
和風「Hatebreeder」と言うべきキラキラメロデスの 7 曲目が並ぶ。日本盤ボーナ
ストラックではルーツとなる『Final Fantasy Ⅶ』の戦闘音楽と『銀牙 - 流れ星 銀 -』
の主題歌が収録されている。余談だがフィンランドでは『銀牙 - 流れ星 銀 -』は国
民的アニメで知られるのだ。

Whispered
Metsutan - Songs of the Void   ⓐ Redhouse Finland Music Publishing   ○ 2016

唯一無二のサムライメタルを演じてきた、フィンランドの傾き者の最高傑作と名高
い 3rd アルバム。イントロから叫ばずにいられない 2 曲目はバンド史上屈指の名曲、
3 曲目は明治時代の浮世絵師として知られる月岡芳年の作品『英名二十八衆句』に
影響を受けたもので、諸行無常で残酷なデスメタルを描いている。大曲の 10 曲目
は神奈川県の江ノ島神社に残る伝承である天女と五頭龍伝説を題材にしており、題
材のチョイスが一々渋い。全体的な演奏力はもとより、和の旋律がデスメタルと融
合を果たした天晴れな内容。2017 年には Suomi Feast に出演し、多くの観衆から
歓迎を受けた。

Wintersun
Wintersun   ⓐ Nuclear Blast   ○ 2004

Ensiferum を脱退した Jari Mäenpää が結成。当初はプロジェクト扱いだった。ド
ラムは当時 Rotten Sound の Kai Juhani Hahto のサポートを得ていた。その音楽
性はキラキラ系メロデスの決定版であり、突き抜けた壮大さは後続のバンドから
Wintersun 系と呼ばれるほどのリスペクトを得ている。短くもバンドスタイルが凝
縮した 1 曲目からすでに悶絶級のメロディーが登場する。その勢い衰えぬまま始
まる 2 曲目もジャンル屈指の名曲。特にギターソロに関しては、数あるメロデス
の曲の中でも屈指の完成度。6 曲目は Blind Guardian を彷彿とさせる熱すぎるコー
ラスが登場し、合唱せざるを得ない。

Wintersun
Time I   ⓐ Nuclear Blast   ○ 2012

衝撃的な前作から 8 年の時を経て発売された 2nd アルバム。前作が Children of
Bodom や Blind Guardian の影響を受けた「動」の作品とすると、本作は「静」。大
曲が並ぶ映画音楽を思わせるシンフォニックメタルへと傾倒している点は、賛否両
論ある。人間の体験や疑問をテーマにし、己の存在理由や人生の感情を投げかけて
いる。2 曲目のようなオリエンタルな趣もある曲は、さながら人生という旅を追体
験し、5 曲目は時間が流れていく切なさと憂鬱を表現している。なお続編の『Time
Ⅱ』は今なお本作執筆時点でも発表されていないが、16 コアの Mac Pro の処理能
力を超えているとのことで、メロデス界隈のサグラダファミリアのようだ。

Wintersun
The Forest Seasons   ⓐ Nuclear Blast   ○ 2017

『Time Ⅱ』よりも先にリリースされた 3rd アルバム。四季をテーマにしており、重
厚な 4 つの叙事詩を描いている。生命が沸き立つ様子が描かれた春、壮大なコー
ラスによって生命を称える夏、最盛期が終わり徐々に闇に導かれていく秋、自然に
対して厳しい視線を向ける冬へと進んでいく。その様子は 2nd 以上にネイチャー
に根ざしたものであり、単調な曲の進行は機械的なメタルとは正反対に描かれ、季
節の移ろいを感じるものになっている。故に 1st アルバムのような伝統的なスタイ
ルの面影はすでに無い。バンドは本作を引っ提げて待望の初来日を果たし、多くの
熱心なファンから歓迎を受けた。

Wolfheart

Winterborn · Independent · 2013

Tuomas Saukkonen が新しいサウンドを追い求める形で、当時在籍していたすべてのバンドを解散させて始めた新プロジェクト。本作発表時はまだバンド形式ではなく、Tuomas のソロプロジェクトという位置づけだった。Before the Dawn や Dawn of Solace に比べるとストレートなメロデスを展開しているものの、他のプロジェクトと区別できるほどの明確な個性は本作時点では特に無い。Black Sun Aeon で披露していた曲の Pt.2 に該当する 3 曲目、フィニッシュメロデスを踏襲した 5 曲目など、楽曲自体のメロディーの充実度、そして激しさは健在だ。当時はこの 1st しか発表していなかったが Loud & Metal Attack 2015 で初来日を果たした。

Wolfheart

Shadow World · Spinefarm Records · 2015

一匹狼の Tuomas の元に新たなメンバーが集まって制作した 2nd アルバム。ベースには Bloodred Hourglass の Lauri Silvonen、ギターは Mors Subita の Mika Lammassaari、ドラムには Before the Dawn の最終作で叩いていた Joonas Kauppinen が参加し、装いを新たにバンド形態となった。クサメロ一番搾りのトレモロリフがリスナーの眼前に雪崩込む優勝間違い無しの 1 曲目、北欧トラッドとデスメタルが融合した 4 曲目など、経験豊富なメンバーの参加が作風の広がりを促した。Insomnium と Amorphis と並ぶ哀愁に、ブラックメタルのエクストリーム要素を仄かに取り入れ、前作を超える充実作になった。

Wolfheart

Tyhjyys · Spinefarm Records · 2017

2017 年発表の 3rd アルバム。アルバムタイトルの『Tyhjyys』はフィンランド語で失意や心の中に穴が空くニュアンスを意味しており、日本語では「空虚」が最も近い。本作では Shade Empire の Olli Savolainen がキーボードとオーケストレーションを担当し、従来の路線を少しずつ改良している。なお 1 曲目は Tuomas が幼少期に過ごしたシンペレ湖を題材にしたもので、彼の家族がコーラスで参加している。Lauri Silvonen と Mika Lammassaari がリフを提案した 2 曲目は、重々しくも新鮮なヘヴィネスを感じる。タイトル曲の 8 曲目は母国語で歌詞が綴られており、エキゾチックなフィンランド語で歌っている。

Wolfheart

Constellation of the Black Light · Napalm Records · 2018

Napalm Records への移籍第一弾となる 4th アルバム。前作から大きな変化はないものの、従来の孤独と哀愁をそのままに雪が降り積もる針葉樹林と凍った湖が想起されるような、フィンランドのメロデスに磨きがかかっている。キャリアの中でも最も速い曲が収録されており、2 曲目や 6 曲目は荒々しいトレモロリフからブラストビートで駆け抜けていく。一方でキャリアの中でも最もスロウなテンポで描かれる 3 曲目は Swallow the Sun へのリスペクトを感じる。本作発表後にはアメリカツアーに留まらず、Ne Obliviscaris と共に 4 年ぶりに来日を果たしている。

Wolfheart

Wolves of Karelia · Napalm Records · 2020

バンドが真価を発揮した 5th アルバム。前作をもって脱退した Mika Lammassaari の代わりに、Rotting Christ のサポートギターだったギリシャ人の Vagelis Karzis が参加している。Insomnium に触発されてコンセプトアルバムを描くことに挑戦し、本作は 1939 年から 1940 年の冬戦争をテーマにしている。カレリア地方で育った Tuomas にとって身近な題材でもあり、1st から冬戦争は題材として使われていた。Sabaton のような戦争を題材にしたフィクションではなく、退役軍人からのインタビューに基づいた生々しい内容になっている。音楽性は 1 つの方向性でまとまっており、現在の集大成を感じさせる。2022 年にも 6th アルバムを発表。

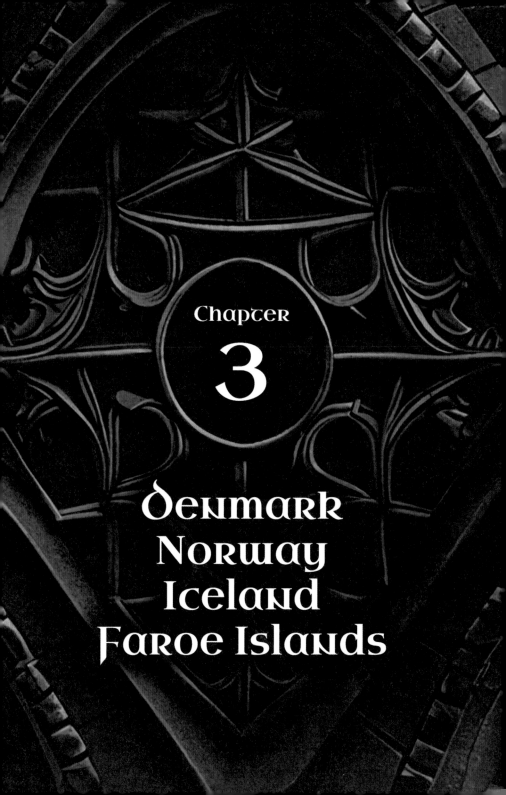

Chapter

3

Denmark
Norway
Iceland
Faroe Islands

デンマーク

デンマークのエクストリームメタルシーンは、1990年以降のノルウェーのブラックメタルシーンやスウェーデンのデスメタルシーンの躍進に比べ、一見すると存在感が薄いように見える。しかし、デンマークは世界のメタルバンドに優れたサウンドを提供することでその存在感を示している。かつてアメリカで発生したゴールドラッシュの勝者が、金鉱を掘り当てた労働者ではなく、実際には彼らに作業着を提供していたリーバイスだったことを思い出してほしい。

前半では同国のメタルシーンを、後半では同国が輩出した Jacob Hansen と Tue Madsen のキャリアを振り返りながら、メロデスシーンがデンマークに与えた影響を見ていこう。

デンマークのヘヴィメタルバンドたち

1980年代に Pretty Maids が、1990年代に Dizzy Mizz Lizzy や Royal Hunt がデンマークのハードロック／ヘヴィメタルのアイコンとして登場した。そしてエクストリームメタルの世界において、決定的影響を与えたのは Mercyful Fate ならびに、King Diamond だ。彼らは Venom や Bathory のような過激なサウンドではなく、NWOBHM の流れを汲むヘヴィメタルであった。しかし、その間口の広さによって当時のメタルキッズが最初に買ったアルバムの1つとも言われている。

一世を風靡した Mercyful Fate

Mercyful Fate はメタルシーンで当たり前のようにイメージする「ハイトーンヴォーカル」「オカルトめいた歌詞」「悪魔のようなルックス」を取り入れたアイコン的存在だった。コープスペイントやヴォーカルワークが後のブラックメタルの象徴として影響を与えたのは有名な話だ。後にイギリスを代表する

ブラックメタルへと成長する Cradle of Filth が影響を語るように、Mercyful Fate がヘヴィメタルの中心地であるイギリスでも認められたことも大きかった。また、インテレクチュアル・スラッシュメタル（知的なスラッシュメタル）を標榜する Megadeth の Dave Mustaine は、Mercyful Fate の演奏技術を要するギターのリフに大きな影響を受けていることを語っている。そして Metallica のドラマーである Lars Ulrich はデンマーク出身であり、2nd アルバム『Ride the Lightning』の収録は親交があった彼らのリハーサルスタジオだった Sweet Silence Studios が使われた。こうした縁も一見すると些細な偶然のように思えるが、その後の同国のメタルシーンの行く末を示唆するエピソードである。

デンマークのプロデューサーシーン

デンマークが輩出したプロデューサーの歴史について振り返る時、Tommy Hansen の存在は無視できない。彼は同国のプログレッシヴ・ハードロックバンド The Old Man & The Sea のオルガン奏者だったが、プロデューサーとして1980年代から活躍しており、Pretty Maids や Manticora などのパワーメタル作品を手がけてきた。言わずと知れた Helloween の『Keeper of the Seven Keys』の制作も担当したレジェンドでもある。一方で、エクストリームメタルシーンでは Pixie Killers や Grope などのスラッシュメタル畑出身の Tue Madsen と、Invocator や Maceration などデスメタルシーンと関わりがあった Jacob Hansen の台頭を待たねばならなかった。

Jacob Hansen の活躍と実績

1980年代のデンマークのアンダーグラウンドシーンはスラッシュメタルの Artillery

が先陣を切っており、やがて Maceration や Konkhra、Illdisposed、Panzerchrist などのデスメタルバンドが登場した。大小様々なスタジオがあったものの、エクストリームメタルの知見を持ったプロデューサーやスタジオが当時は存在せず、手探りの中であった。こうした中で Jacob Hansen はミュージシャン活動と並行して、レーベルビジネスやスタジオ運営、プロデューサー業も手がけるようになる。

Jacob Hansen が当時運営していたレーベルの Serious Entertainment は、1990 年代にスウェーデンのヨーテボリで萌芽したメロデスのサウンドを探求していた。求められているのはデスメタルの残虐さを維持しながら中音域でメロディーが明確に聴き取れるものだ。すなわちデスメタルの姿をしていながら、Mercyful Fate のような音を目指す必要があった。Jacob Hansen は 1990 年代に登場した Mercenary、Illdisposed などの重要なバンドを手がけ、自国のメタルシーンのサポートを行っている。しばしばメロデスの名盤として扱われる Autumn Leaves や Without Grief の作品も彼が手がけている。

Tue Madsen の活躍と実績

Tue Madsen のプロデューサーとしての活動は 2000 年以降であり、メロデスに限らず幅広いメタルバンドの制作に関わってきている。叙情的なメロデスよりもデスラッシュのような過激なサウンドに定評があり、母国の Illdisposed や HateSphere を筆頭に、国外では The Haunted や Heaven Shall Burn などの作品に関わっている。近年では The Black Dahlia Murder の 10th アルバム『Verminous』のミックスを担当している。

近年のデンマークシーンの動向

2000 年以降、エクストリームメタルでも近代的なサウンドの需要が高まっていった。

ドイツの Nuclear Blast が最初に契約したデンマークのバンドである Raunchy は「フューチャー・ハイブリッドメタル」と称され注目を集めるようになり、「いつしかデンマーク＝モダンなメタルバンド」という認識が広まるようになる。国内を代表するデスラッシュバンド HateSphere が 2005 年に発表した 4th アルバム『The Sickness Within』は前述した 3 名のプロデューサーが参加しており、当時のエクストリームメタルにおける集大成といえるサウンドを提示した。また、同時期にデンマークを代表するヘヴィメタルバンドへと成長する Volbeat が登場したことも大事なトピックである。デビューしてから一貫して Jacob Hansen が作品の躍進を支えていたからだ。こうして表のヘヴィメタルの世界でも Jacob Hansen の名前は一般的に知られるようになり、長年の功績が認められグラミー賞を得ている。

他の地域について

なお、デンマークの自治領であるフェロー諸島では Eivor Palsdottir がシンガーソングライターとして一番有名で、Týr や Hamferð などのメタルバンドも国際的に評価されている。しかしメタルシーンはそれほど大きくはなく、相まってメロデスバンドの数も少ない。ただし、Týr の作品の多くは Jacob Hansen が手がけていた。有名な国の出身でなくてもエンジニアの手腕によってバンドが注目を集める逆転現象は珍しい話ではない。フランスの Destinity、スペインの Rise to Fall、アゼルバイジャンの Silence Lies Fear などは彼がアルバム制作に参加したことがその一助になっている。本書では作品の裏でそれを支えているエンジニアたちの姿にも思いを馳せたい。

リフよりもハーモニーに重点を置いたデンマークのモダンスタイル

Mercenary

- ◎ HateSphere, Panzerchrist, Illnath
- ◐ 1991 ⊕デンマーク、オールボー
- ◉ Jakob Mølbjerg, Martin Buus, René Pedersen, Martin Nielsen

デンマーク出身のメロデスバンドの中でも古参の Mercenary は、リフよりもハーモニーに重点を置いたサウンドを得意とするモダンスタイル。初期から一貫して Jacob Hansen がプロデュースとエンジニアリングを手がける音は「デンマークのエクストリームメタル」が何かを象徴する。Henrik Andersen（ステージネームは Kral）とその兄の Hans Jørgen Andersen を中心とした 4 人組で 1991 年に結成。複数のデモと EP『Supremacy』を経て 1998 年に 1st アルバム『First Breath』を発表。その後、ヴォーカルの Mikkel Sandager と兄の Morten Sandager をキーボードに迎え、キャッチーに路線変更した 2nd アルバム『Everblack』を発表し話題になる。2 年後の 2004 年に 3rd アルバム『11 Dreams』を発表し、キャリアの中でも最も商業的にも成功し、Wacken Open Air の出演や Evergrey や Nevermore とのヨーロッパツアーに加え、Century Media Records とも契約し、キャリアの最盛期を迎える。しかしメンバーは長らく安定せず、2006 年の Kral の脱退のほか、2009 年にはヴォーカルの Mikkel Sandager、キーボードの Morten Sandager、ドラムの Mike Park Nielsen が相次いで脱退。兼任や補充を行い、2013 年に NoiseArt Records 移籍後 2 作目の 7th アルバム『Through Our Darkest Days』を発表。2 年後に Dark Lunacy とのカップリングツアーで初来日を果たした。直近では 2022 年にデンマーク国内で開かれた Copenhagen Metal Fest や Viborg Metal Festival に出演。2023 年には実に 10 年ぶりとなる 8th アルバム『Soundtrack for the End Times』を発表した。

Mercenary
First Breath
Serious Entertainment ● 1998

複数のデモや EP を経て発表した 1st アルバム。Jacob Hansen が経営していた Serious Entertainment からリリースされた。後期はパワーメタルとの融合が著しいが、本作は Sentenced ルーツのメランコリーとデンマーク由来のインダストリアルの対照性が魅力の作品であった。すでにデスメタルを最大限にデフォルメし、ゲストの Irene Poulsen の耽美なゴシックパートや、ヨーテボリメロデスの影響漂うギターワークを取り入れている。個性と呼べるほどの魅力はないが、流暢なギターとデスメタルのバランス感覚には優れている。11 曲目の終わりには隠しトラックがあり、1996 年発表の EP 時代の曲を披露。

Mercenary
Everblack
Hammerheart Records ● 2002

前作発表後のメンバー交替劇を経て 6 人体制で担ったバンドの 2nd アルバム。後の彼らの特徴たる、Mikkel Sandager のクリーンヴォーカルと Henrik Andersen のグロウルのコンビネーションが確立された作品でもある。ミドルテンポ主体で Scar Symmetry や Sonic Syndicate にも通じるモダンなメリハリと、キャッチーな歌メロによるコーラスワークによって得られるカタルシスが魅力だ。メランコリーを全面に押し出した 3 曲目はイントロから二重丸、後半のソロを経て曲のクライマックスに至る一連の過程は、スタンディングオベーション必至の出来。

Mercenary
11 Dreams
Century Media Records ● 2004

Century Media Records 移籍第一弾作品で、バンドの出世作となった 3rd アルバム。今やモダンメロデスに標準搭載されるクリーンヴォーカルとハーシュヴォーカルだが、当時はまだ大きな成果を残す例が少なかった。バンドの命となるヴォーカルラインはキーボードの Morten Sandager とヴォーカルの Mikkel Sandager の兄弟が主に作り、メンバー間で意見を出し合いながら形成していたようだ。3 曲目のタイトル曲に憂いがあるのも、Opeth をフェイバリットに挙げるギターの Jakob Molbjerg の趣味が反映されている。8 曲目はスウェーデンのポップロックバンド Kent のカヴァーである。

Mercenary
The Hours That Remain
Century Media Records ● 2006

2005 年には Nevermore とのツアーで順調にキャリアを積んだが、Kral（Henrik Andersen）が脱退。この 4th アルバムでは Jacob Hansen がベースを担当し、Mikkel Sandager がクリーンとハーシュヴォーカルの両方を担当した。結果的にハーシュの使用頻度が減ったものの、それでも前作に勝るとも劣らない傑作と評価されている。Soilwork の Björn "Speed" Strid がゲスト参加した 1 曲目は、劇的かつモダンな触感を覚える。前作の延長線上に、プログレッシヴとパワーメタルの両要素を強化することで、Kral の抜けた穴を感じさせない工夫がされている。多様な作風の前作に比べると、本作は一貫性のある作品だ。

Mercenary
Architect of Lies
Century Media Records ● 2008

新たにベース兼ハーシュヴォーカルとして René Pedersen を迎えた 5th アルバム。Mikkel Sandager がクリーンヴォイスに専念できる環境になったことで、よりコンパクトで直線的な作風へ回帰。作品ごとに微調整はあれど、多くのモダンメロデスがメタルコアに接近しがちな中で、モダンメロデスの掟を今回も忠実に守っている姿に信頼が持てる。エレクトロなアプローチを用いた 2 曲目、Music Video にもなったトラッドなミドルテンポの 5 曲目は特にギターソロが必聴。6 曲目もライヴでは定番のアップチューンだ。バンドとして確かな手応えを感じる出来映えだったが、本作発表後にメンバーが相次いで脱退することになる。

Mercenary
Metamorphosis
NoiseArt Records　2011

バンドのフロントマン Mikkel Sandager とキーボードの Morten Sandager、ドラム
の Mike Park Nielsen が相次いで脱退という状況下で、René Pedersen がベースと
クリーンとハーシュヴォーカルを、ギターの Martin Buus がキーボードを兼任、そ
してドラムに Morten Løwe を迎えた 4 人体制で再始動した 6th アルバム。リフは
以前よりも重量感があり、ドラムはシンプルになっている。本作発表の数年前に
René Pedersen は家族を亡くしているため、ダークで重々しい歌詞が綴られてい
る。しかし彼の歌は困難を感じさせず、堂に入っており、本作を支えている。

Mercenary
Through Our Darkest Days
NoiseArt Records　2013

バンドが暗黒期を抜けたことを示唆するタイトルを掲げた 7th アルバム。前作の
『Metamorphosis』は意図的に古いサウンドから距離を置いたのに対して、本作は
古いサウンドの良いところを吸収する作品になった。「自分たちの過去から逃げる
のではなく、受け入れる方向に向いたのかもしれない」と語る。寒暖激しいメラ
ンコリックな 2 曲目を筆頭に、バンドが評価されてきたエモーショナルな演奏と
ヴォーカルの美しさを追求する原点回帰な作品。「メロディック・パワーデスメタル」
の面目躍如となる充実作である。2015 年には Dark Lunacy とのダブルヘッドライ
ナーで初来日公演を行っている。

北欧メロデス関係者にとってヒーローだった Mercyful Fate

その中でも、1997 年にリ
リースされた『Mercyful Fate
Tribute』 はわかりやすい一
例だ。本書の中でも紹介し
た Armageddon、Dimension
Zero、Dark Tranquillity 、
Gardenian、Sacramentum、
Withering Surface が楽曲を提供
している。特に Dimension Zero
がカヴァーした「My Demon」
と、Dark Tranquillity の「Lady
in Black」は、メロデスとの親
和性の高さが感じられる。なお、
『King Diamond Tribute』 で

デンマークの最重要バンドである
Mercyful Fate と King Diamond だが、日
本で公演したことがないので、その人気の実
態は掴みにくい。しかし、北欧メロデスの関
係者からすれば、まさに子供の頃のヒーロー
であった。関係者のルーツを掘り下げていく
上では、避けられない重要なバンドだ。

は、ブラックメタル関係者の割合が多い。楽
曲を優先する Mercyful Fate と、作劇（歌
詞）を優先する King Diamond という相違
が、ラインナップに反映されている。なお、
2019 年に再結成を発表した Mercyful Fate
は、2022 年からライヴ活動を再開している。

Autumn Leaves
Embraced by the Absolute
🅐 Serious Entertainment 🅞 1997

デンマークの地でカルトなメロデスバンドとして知られる Autumn Leaves はデンマーク最古の町の１つリーベ出身である。この 1st アルバムの音楽性はストックホルムのデスメタルをベースにしたアグレッシヴな演奏を重視しており、ヨーテボリ界隈の要素は薄かった。あくまでデスメタルにメロディーを加えただけの無骨なスタイルは、１曲目から HM-2 系リフでなぎ倒しており、叙情的なメロディーが少しだけ添えられている。もっとも表題曲の 10 曲目ではアコースティックな演奏がバンド名らしい切なさを誘う。より荒々しいデモ時代の音源は 2013 年に Ancient Darkness Productions が再発した LP 盤に付いてくる。

Autumn Leaves
As Night Conquers Day
🅐 Serious Entertainment 🅞 1999

前作から２年後に発表した 2nd は急激にヨーテボリスタイルに近づき、叙情的なメロディーセンスが爆発した作品だ。Flemming C. Lund と Thomas Andersen のツインリードが互いに共鳴してメロディーを形成し、寄り添うような旋律を形成している。当時の水準から見てもメロデスとしての目新しさは何もなく、新たな驚きもない内容である。だが、叙情的なセンスに関しては唯一無二のものがあり、隠れた名盤として長く愛されてきた。長尺曲こそ彼らの真髄で表題曲や 10 曲目のように、じっくりと積み重ねてカタルシスを迎える構成能力が見事。メロデスの栄枯盛衰、そして新世紀を迎える人類の閉塞感を描き、バンドはその活動に幕を下ろした。

Chronicle
Demonology
🅐 Mighty Music 🅞 2020

ユトランド半島北部フレゼリンクスハウン出身バンドの 2nd アルバム。結成当初はオールドスクールなスラッシュメタルや、ヘヴィメタルを演奏していた。そのサウンドは、The Black Dahlia Murder や Allegaeon の影響下にある、テクニカルなメロデスに分類される。２曲目は単音リフを織り交ぜ、前述のバンドたちの歩みを追走するような王道のスタイルを提示。後半になると攻撃性よりも叙情的なメロディーの割合が増えていく。制作の裏側を支えているのは Tue Madsen、アートワークは Pär Olofsson など、その布陣も鉄壁だ。2023 年に 3rd アルバムを発表している。

Cyanotic
Sapphire Season
🅐 Nordic Metal 🅞 1996

首都コペンハーゲンに近いネストベズ出身。メンバーには Withering Surface の関係者も在籍していた。この 1st アルバムを 1996 年発表後に解散した短命のバンドだが、デモを 1992 年に発表した背景を考慮すれば、デンマークで早くからメロディーに理解のあったデスメタルと言えそうだ。しかし、ヨーテボリのバンドで見られる NWOBHM 由来の疾走感や、複雑な演奏は少なく、サイケデリックやドゥームメタルからの影響が強い。彼らが出てきた時代を考慮すると、そのセンスは特異なバンドである。しかし、他のデンマークのバンドと比べても地味さは否めず、後年再評価を受ける機会は得ていない。

HateSphere
HateSphere
🅐 Scarlet Records 🅞 2001

デンマーク第二の都市オーフス出身。初期の頃は Cauterized を名乗り、Necrosis 名義で３作のデモを発表、1st アルバムの発表に合わせて現在の名前に改名した。北欧メロデステイストの強いデスラッシュを得意とし、シーンでは The Crown や The Haunted と並ぶ代表格だ。その中でもこの 1st は、彼らの中でもメロデスの感触が強い作品。初期の名曲として日本でも披露された１曲目から心の中ではモッシュがスタート。ヨーテボリの叙情性を宿しながらも鋭利なデスラッシュサウンドを聴かせる４曲目も人気曲。先人にリスペクトを払い、デンマークのシーンで 80 年代のハードロックを築いた D.A.D. のカヴァー曲を収録している。

HateSphere
Bloodred Hatred　🔴 Scarlet Records　⏺ 2002

前作から 1 年後に発表した 2nd アルバム。前作はメロデスの影響が強かったが、本作はより原初的なスラッシュメタルの影響と仄かなグルーヴメタルの要素が垣間見える。モダンな音像は Tommy Hansen をプロデューサーに迎え、デンマークの Jailhouse Studio で収録。リフもシンプル、メロディーもシンプル、曲構成もシンプル、しかし熱した鉄が冷えないように短く凝縮した楽曲の洗練度は本作がピカイチ。ヴォーカルの Jacob "Dr. J" Bredahl もハードコア寄りのスクリームと、デスメタルの由来のグロウルを器用にこなし、楽曲の細部を整えている。自分たちの音楽性を妄信し猛進する 9 曲 32 分、いや究極の 32 分だ。

HateSphere
Ballet of the Brute　🔴 Scarlet Records　⏺ 2004

The Haunted と Mastodon とのヨーロッパツアーから 1 年後にリリースした 3rd アルバム。なお本作の制作途中で、ギターに Heinrich "Heinz" Jacobsen、ドラムにデイニッシュスラッシュの重鎮元 Grope の Anders Gyldenøhr が加入した。メロデスの面影が強い 2nd とグルーヴなセンスが強まる 4th の間に位置しており、彼らのヘヴィメタルへの造詣を感じる内容だ。オープニングから続く 2 曲目からその暴れ馬なサウンドに脳がトリップする。実在の殺し屋 Richard Leonard Kuklinski を題材にした 10 曲目のようなダークな楽曲も人気。日本盤には Ozzy Osbourne と Anthrax のカヴァーを追加収録。

HateSphere
The Sickness Within　🔴 Steamhammer　⏺ 2005

バンドの代表作となる 4th アルバム。Jacob Hansen、Tommy Hansen、Tue Madsen などデンマークの名匠がオールスターで参加。従来のサウンドの延長線上にある内容だが、隙間にキーボードを配置しているのが特徴で、楽曲のうねりを補完している。その中でも 4 曲目は、デスラッシュの教科書とも言えるマシナリーな刻みの中にメロディーを交えたバンド屈指の名曲で、現在もライヴでは必ず披露される定番曲だ。タムの 1 つ 1 つに重量感を感じさせる音作りには、Lamb of God の影響が見られる。本作リリースの翌年に Independence-D に出演するために、初来日を果たした。

Illdisposed
There's Something Rotten... in the State of Denmark　🔴 Serious Entertainment　⏺ 1997

オーフス出身のデンマークの古参バンド。1991 年にヴォーカルの Bo Sommer とギタリストの Lasse Bak によって結成された。活動初期はスウェディッシュ・デスメタルの潮流がデンマークでも広まり始めた時期だったため、オールドテイストなデスメタルを披露していたが、3rd（本作）から徐々にデスメタルからメロディーを見いだすようになる。ヨーテボリではなく、Hypocrisy などに連なるデスメタルの芯があり、Death や Obituary などフロリダのスタイルも融合した。デスメタルからメロデスへの過渡期を象徴し、やがて訪れる次世代のデンマークの台頭にも貢献した初期の傑作といえる。

Illnath
Cast into Fields of Evil Pleasure　🔴 Worldchaos Production　⏺ 2003

シンフォニック・ブラックメタルの側面も持つ Illnath は、ノルウェー人ヴォーカルの Narrenschiff を有する点が特徴。本作は 1st アルバム。Cradle of Filth や Dimmu Borgir の邪悪で優雅なメロディーをメロデスの文脈にまで落としている。傍から見ればフィンランドでよく見られ、モダンメタルが多いデンマークでは珍しい選択だが、北欧の情緒とゴシックの耽美な部分を自国の King Diamond を参考にメロデス化しており、総じて完成度は高い。人気の 1 曲目は Kalmah を思わせるツインリード一本釣りのメロデスで高音のスクリーム、劇的な展開美、派手なキーボードといったバンドの特徴が凝縮された 1 曲。バンドは 2013 年に解散している。

Livløs
And Then There Were None
🔵 Napalm Records　🟢 2021

オーフス出身の 2nd アルバム。バンド名は肉の部位ではなく、デンマーク語で「死」を意味する。前作は自主制作だったが本作から Napalm Records に所属。その音楽性は古典的な Death の影響から At the Gates をよりプログレッシヴに味付けした内容である。モダンだが、雑多に渡るルーツの捻りが利いた作品。わかりやすいパワーメタル側のカタルシスはなく、エクストリームの邪悪さの中にキャッチーな旋律を覗かせる玄人向けの仕上がり。アートワークは Mariusz Lewandowski の作品で、2017 年に発表されたフューネラルドゥームの Bell Witch の 3rd アルバムと構図が似ている。

Mnemic
The Audio Injected Soul
🔵 Nuclear Blast　🟢 2004

オールボー出身バンドの 2nd アルバム。「Mainly Neurotic Energy Modifying Instant Creation」の頭文字を取り、またラテン語で「記憶」を意味するバンド名を掲げる彼らは、同じデンマークの Raunchy と共にメロデスに限らず、多様なジャンルが混合しているバンドだ。分類不能な音楽性が持ち味だが、本書ではモダンメロデスの「モダン」の意味をいち早く定義し、Fear Factory meets Soilwork と呼ぶべき無機質なリズム感に、キャッチーな歌メロを乗せるという手法を確立した点に着目したい。本作まで在籍している Michael Bogballe のスクリームは「サイヤ人シャウト」と、日本でも局所的に評価。

Raunchy
Death Pop Romance
🔵 Lifeforce Records　🟢 2006

コペンハーゲン出身で「フューチャー・ハイブリッドメタル」を名乗る Raunchy の 3rd アルバム。活動当初よりインダストリアルメタルやメタルコアの影響を受けたバンドだが、本作で The Arcane Order で並行して活動していた Kasper Thomsen がヴォーカルで参加し、メロデスの要素が強くなった。冒頭からテンションが高まる 1 曲目を筆頭に、アルバムタイトルが示すようにデスメタルのデフォルメとも言えるポップな作風である。激しくも聴きやすい作品に仕上げている。日本盤ボーナストラックは Wham! の「Last Christmas」のカヴァー。謎センスの選曲だが趣深い仕上がり。

Sylvatica
Ashes and Snow
🔵 Satanath Records　🟢 2021

2009 年結成の 4 人組バンドによる 2nd アルバム。メンバーがブラックメタル関係者が多いからか（？）ブラックメタルに定評のある Satanath Records に在籍中。前作から 7 年ぶりに発表した本作は典型的な Wintersun フォロワーであり、Brymir や Frosttide を始めとする眼前にオーロラが広がるような、シンフォニック・メロデスを披露している。これらのフォロワーの中ではフォークメタルからの影響も感じられるのが特徴で、楽曲の中で自然に反映されている。インストを除けば実質 6 曲と曲数は少ない。しかし長尺曲が多いため、予想以上に濃厚なボリュームだ。

The Arcane Order
The Machinery of Oblivion
🔵 Metal Blade Records　🟢 2006

コリング出身バンドの 1st。Autumn Leaves 解散後、Flemming C. Lund を中心に新たに結成。当初は Scavenger という名前だったが、1st 発表に伴い、現在のバンド名に改める。その音楽性は Autumn Leaves とは異なり、モダンな感触の強いデニッシュメロデスの王道を再定義したもの。デスラッシュな刻みと強烈なシュレッドの両方による美しいバランス感覚で成り立っている。8 曲目では元 Autumn Leaves のヴォーカルである Torsten Madsen も参加。Jacob Hansen のプロデュース、デンマーク勢では初となる Metal Blade Records 所属という後押しもあり、Danish Metal Awards のベストデビューアルバムにノミネートされた。

The Arcane Order
In the Wake of Collisions
🎤 Metal Blade Records 🕙 2008

前作から 2 年後に発表した 2nd アルバム。本作は荘厳なキーボードの装飾によって前作のデスラッシュ路線とは違う変化が見られる。特にドラムの Morten Løwe Sørensen の技術向上は目覚ましく、メロデスの形を残しながら激しさの限界に挑む鬼気迫るプレイは一聴の価値あり。またヴォーカルの Kasper Thomsen のスクリームは、フランスの Scarve を思わせる悲痛さと無慈悲さが共存している。Dimmu Borgir を思わせるキーボードの嵐と共に、デスメタルを濃縮した 1 曲目や、4 曲目を始めとする疾走感を兼ね備えた曲が並ぶ。インダストリアル方面との融和がモダンメロデスの進化を加速させた。

The Arcane Order
Cult of None
🎤 Massacre Records 🕙 2015

Massacre Records に移籍し、7 年ぶりに発表した 3rd アルバム。制作が遅れた背景については、ドラムの Morten Løwe が「Amaranthe のツアーに出ていたことやレコード会社選びに難航した」と語っている。方向性としては 2nd に地続きだが、前作に比べるとさらに 1 曲あたりの時間が長くなり、キーボードの存在感は影を潜めている。そこには必要な情報量をすべて入れたい Flemming C. Lund の意向があるようだ。激烈な演奏の最中に淡い音像が重なる方向性は In Dread Response の 3rd にも近い。9 分にもなるオープニングの 1 曲目の迷いのない疾走感と、展開の豊富さは本作の路線を象徴している。

Urkraft
Eternal Cosmic Slaughter
🎤 Cartel Media 🕙 2004

デンマーク南部のスメンボー出身。1995 年には活動を始めていたが、他のデンマーク勢が 2000 年代に入って頭角を現すようになった頃、満を持して目覚めたバンドの 1st アルバム。バンド名はデンマーク語でコスモス、生命、宇宙など生命力を意味する言葉のようだ。その方向性はグルーヴ路線を強化した HateSphere のようだが、キーボードを使用している点で差別化を図っている。At the Gates に通じる単音リフにマシナリーな刻みで味付けした 4 曲目、荘厳さを演出する 6 曲目など典型的なフォロワーの印象が強い。演奏面で不器用さもあるが、質実剛健なスタイルを提供している。

Urkraft
The Inhuman Aberration
🎤 Earache Records 🕙 2006

その将来性を買われ、Earache Records 移籍後に発表した 2nd アルバム。前作でも感じられた At the Gates の直線的なスタイルを継続しており、演奏面も飛躍的に向上している。モダンなバンドの多くがインダストリアルなセンスや、淡い音像に憧れを持つ中、リフとキレのわかりやすさに焦点を絞っている。不器用だがメロデスに対する献身的な姿勢は伝わっており、2 曲目や表題曲の 4 曲目を筆頭に硬派な曲が並ぶ。本作においても彼らの立ち位置は Illdisposed、HateSphere などのバンドのフォロワー感は否めないが、単音リフのセンスは徐々に洗練されている。

Urkraft
A Scornful Death
🎤 Independent 🕙 2008

バンドの一時解散に伴い、CD でリリースされることもなく、当時彼らのウェブサイトでひっそりと無料公開していた 3rd アルバム。プロダクションは初期から Tue Madsen が担っているが、本作も良好だ。Arch Enemy を感じさせるリードギターのセンスにテクニカルなエッセンスがほんのりと漂っており、以前の一直線すぎる作風が改善されている。1 曲目のような跳ねるリフもあれば、無慈悲なデスラッシュを追求する曲もあり、決して悪い作品ではない。バンドは 2019 年に再結成を果たしており、4th アルバムを発表すると共に、Hokuo Loud Night にて初来日を果たしている。

Withering Surface
Scarlet Silhouettes　　　　　　　🅐 Euphonious Records　🅓 1997

ネストベズ出身。Michael H. Andersen が中心となり、「デンマークのメタルシーン
に変化をもたらすバンドを作りたい」という思いから結成。デモが国内のラジオ
で好評であったことも後押しとなった。本作はヨーテボリのメロデスのデンマー
ク出張所といった様子だ。事実、この 1st と 2nd は Fredrik Nordström が所有す
る Studio Fredman で収録されている。デビュー時は今よりダークでブラックメタ
ルの影響も見受けられる。本作のベースを務める Kaspar Boye-Larsen は、後年
Volbeat のメンバーに抜擢。Michael は後年「メロデスではあらゆることが許され
るので、創造性や楽しみのための素晴らしい遊び場だ」と語っている。

Withering Surface
The Nude Ballet　　　　　　　　🅐 Euphonious Records　🅓 1998

1998 年発表の 2nd アルバム。すでに Michael は自身で Mighty Music というレーベ
ルを運営していたが、そこから作品を発表しなかったのは自身のバンドを特別視す
ることへの抵抗があったからのようだ。1st に比べてデスメタルが徐々にメロディー
を取り入れ始めた 1993 年頃の原点に立ち返り、展開を二転三転させ、複雑化して
いる。バンドの刺々しさが失われて聴きやすい反面、ぼこぼこドラムが気になる人
もいる。本作はデンマーク国内の「Hard Rock Album of the Year」にノミネートさ
れたほか、翌年には 40 年の歴史を持つ欧州最古の野外フェス Roskilde Festival に
も出演し、バンドは全盛期を迎えていく。

Withering Surface
Walking on Phantom Ice　　　　　🅐 Copro Records　🅓 2001

イギリスの Copro Records から発表した 3rd。デンマークという小国から活動の幅
を広げるためには、商業的な要素を無視できなかったようだ。Mnemic や Raunchy
など後続の国内バンドが提唱するインダストリアル要素に目をつけ、独自のメロデ
スを研究した形跡がサウンドに残る。当初はコンセプトアルバムを想定していたが、
テーマが散漫になってしまった背景があり、最終的には Michael の薬物や時事問題、
政治についての人生観が反映されている。Johan Liiva が制作に関わっていた縁も
あってか、本作のリリース翌年には Arch Enemy と Opeth と共にイギリスツアー
を行った。

Withering Surface
Force the Pace　　　　　　　　　🅐 Scarlet Records　🅓 2004

Scarlet Records に移籍して発表した 4th アルバム。前作に比べるとサウンドに鋭
利さが際立つようになり、アグレッシヴでテクニックに重きを置いた演奏が織り込
まれた作品。適度にデススラッシュ要素が織り込まれていた本作は、奇しくも同日
に 3rd アルバムを発表した HateSphere と近い感性を持っている。デンマークを代
表するプロデューサーの Tue Madsen の指揮のもと、Antfarm Studios で収録された。
しかし残念ながら、2005 年のコペンハーゲンでのライヴをもって解散した。

Withering Surface
Meet Your Maker　　　　　　　　🅜 Mighty Music　🅓 2020

16 年ぶりに復活した 5th アルバム。ヴォーカルの Michael H. Andersen とギター
の Allan Tvedebrink の間で再結成の話題が出たのが、復活の呼び水になったのだ
そうだ。なお多忙により Kaspar Boye-Larsen は本作に参加しておらず、ベースは
Jesper Kvist が代役を務める。モダンメタルの主戦場であるデンマークのメタル
シーンを反映させたサウンド作りは、お馴染み Jacob Hansen が担当。7 曲目は制
作当時 19 歳の Michael の娘がフィーメールヴォイスで参加しており、メロデスソ
ングを親子で歌うという試みは時間の歩みを物語っている。

ノルウェー、アイスランド、フェロー諸島

1980年代から1990年代のノルウェーはブラックメタルのセカンドウェーブの中心地であったため、バンドリソースの多くはブラックメタルへと流れている。ノルウェーでは圧倒的なブラックメタルの数に対して、Cadaverを中心としたデスメタルのコミュニティーが小さく語られる。一見すると、メロデスが入り込む余地は無いように思えるが、いくつか注目すべき事件があった。

スウェーデンのメタルシーンとの関わり

1988年から1991年までMayhemのヴォーカルを務めたDead（本名はPer Yngve Ohlin）にとって後にAt the Gatesで知られるTomas Lindbergは良き親友で『Transilvanian Hunger』に共感した理解者だった。元々Deadはスウェーデン出身でストックホルムのカルトバンドMorbidのシンガーであり、親交があった。当時のTomas LindbergはGrotesqueに在籍しており、Goatspellというステージネームで活動していた。

1988年（1989年の説もあり）の大晦日、ノルウェーのメタル雑誌『Slayer』誌の編集者だったMetalion主催のパーティーでその日もDeadとTomasは意気投合するが、Deadは突然ナイフを振り回し、暴れた。その時はCadaverの故René Jansenによって手錠で拘束され、警察署に連行されたという。彼の猟奇性を物語るエピソードで有名だ。1991年4月8日のDeadの拳銃自殺後、At the Gatesが同年発表した1st EP『Gardens of Grief』に収録された「At the Gates」という曲の歌詞は、亡くなったDeadに捧げたものだという記載がある。このようにスウェーデンとノルウェーの関係性は良好だった。

裾を分つデスメタルとブラックメタル

しかし、1stアルバムまではデスメタルだったDarkthroneが、1992年発表の2ndアルバムでブラックメタルへと転向したことが大きな物議を醸し出した。Mayhemの首謀者たるEuronymousがスウェーデンのデスメタルバンドを「ライフメタル」と腐し、「ブラックメタル」が優れていると吹聴した結果、対立した。Immortalのメンバーが関わるOld Funeralや、Emperorのメンバーが在籍していたThou Shalt Sufferは、当初デスメタルバンドだったが、後にブラックメタルへ転向するほどの影響を与えた。1993年、Euronymousが刺殺され、その後次々と逮捕者が出ると、インナーサークルは解散した。親交があったDissectionのJon Nödtveidtは『The Somberlain』でEuronymousに弔意を表した。

ゴシックメタルシーンの発展が影響を及ぼす

現在のメロデスでは男女混合のヴォーカルワークは常套手段の1つだが、それが身近になったのはゴシックメタルの発展のおかげである。Enslavement of Beauty、Theatre of Tragedy、Tristaniaは、Therionと共鳴する形でデスメタルの次を見据えていた。本書で紹介するノルウェーのバンドは典型的なメロデスバンドよりは、他ジャンルの狭間に潜むバンドの方が多い。しかし結果的にメロデスの多様な在り方を証明している。

アイスランドシーンの動向

アイスランドは一般的にブラックメタルの数が多く、相まってメロデス自体は少ない。Cult of Lilithはテクニカルかつメロディックな演奏を行う、貴重なバンドだ。フェロー諸島ではTýrやHamferðが知られている。これらのバンドでもメロデス由来のアプローチは確認できるが、純然たるメロデスバンドの数は、依然として少ないのが実情だ。

Deception
ノルウェー

| The Mire | Rob Mules Records | 2021 |

2012 年に Art of Deception としてデビュー、やがて同名のバンドが多いのにもかかわらず、現在の名前に改名する。本作は 3rd アルバム。そのサウンドは荘厳なシンフォニックサウンドを背景としたメロデスで、Septicflesh と Hypocrisy から生まれた子供のようだ。実際に Hypocrisy の 2022 年のノルウェー公演では前座を務めている。ベース不在につき、ノルウェーのデスメタルを代表する Blood Red Throne の Stian Gundersen がサポートした。Music Video にもなった 3 曲目は甘美なシンフォニックの響きと、それに埋もれないデスメタルのビターな味わいが楽しめる大人向けの仕上がりだ。

Enslavement of Beauty
ノルウェー

| Traces o' Red | Head Not Found | 2001 |

オスロ出身。シンフォニック・ブラックメタルやゴシックメタルの文脈でも語られるが、日本盤を出した Avalon Label は彼らをメロデスとして扱っている。この 1st アルバムの音楽性はシンフォニックサウンドとメタルを本格的に融合したもので、Eternal Tears of Sorrow に近い。Limbonic Art や Tristania を筆頭に、当時のノルウェーのシンフォニックメタルの成熟を感じさせる。タイトルを冠し、叙情的なギターとクラシックなサウンドが交差する 2 曲目や、アップテンポで透明感のある音が挿入され感情を揺さぶる 6 曲目がマスト。ジャンルの狭間に漂うからこそ目立たないが、耽美なメロデスを語る上で避けられない傑作の 1 つだ。

Haunted by Silhouettes
ノルウェー

| The Last Day on Earth | Rob Mules Records | 2019 |

トロンハイム出身バンドの 2nd アルバム。バンド創設者の 1 人である Stian Hoel Fossen は、元々はドラムだったが、2014 年のデビュー EP 発表後にギターに転向している。バンド名については、「シルエットとは比喩の 1 つで、人の暗黒面を表す試みである」と語っている。作風こそ Insomnium や Be'lakor のように、叙情的なメロデスに該当するが、ギターは Parkway Drive のようなメタルコアからの影響も強く、エッジの効いた演奏が魅力。アルバムで注目すべきは 7 曲目で、ノルウェー語で綴られた珍しい曲である。題材は人間の果てしない欲望について扱っているようだ。

Hypermass
ノルウェー

| Empyrean | Independent | 2022 |

トロンハイム出身。ノルウェーのモダンメロデスの期待の新人として登場した。この 1st アルバムは「人間嫌いと過激派思想の研究である」と語るように、現代文化の諸問題を扱っている。グルーヴメタルや、プログレッシヴメタルを織り交ぜた知的な作風は、そこから生まれたものになる。Music Video になった 3 曲目や 4 曲目に共通しているように、リフを重視したミドルテンポの曲を主体に扱っており、楽曲の隙間にテクニカルなエッセンスが織り込まれている。アルバム制作には元 Periphery の Adam "Nolly" Getgood も関わっており、細かいサウンド周りは自主制作とは思えないほどの完成度に仕上がっている。

In Vain
ノルウェー

| Ænigma | Indie Recordings | 2013 |

2013 年発表の 3rd アルバム。Solefald のライヴメンバーが関わる In Vain は、一般的には、プログレッシヴ・デスメタルの文脈で評価されている。母国の Borknagar や Enslaved がヴァイキングメタルや、ブラックメタルの延長線上に存在するのに対して、In Vain は隣国スウェーデンの Opeth や In Mourning をお手本にしている。本作は彼らの作品の中でもメロディーとデスメタルのコントラストに優れた内容で、メロデスと遜色のない展開が多い。また Solefald の Lars Nedland と Cornelius Jakheln がクリーンヴォーカルでゲスト参加し、脇を固めているのも要チェックだ。

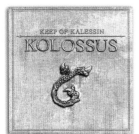

Keep of Kalessin
ノルウェー

Kolossus
🅐 Indie Recordings 🅞 2008

トロンハイム出身のバンドによる 2008 年発表の 4th アルバム。バンドは一般的に
ブラックメタルに分類されるが、邪悪さよりも、普遍的なヘヴィメタルのカタルシ
スを重視し差別化を図る。その傾向は 2003 年発表の EP『Reclaim』以降から目立
ち始める。本作は、前作『Armada』と並んで、現代的なエクストリームメタルの
決定盤として扱われる代表作だ。もしメロデスリスナーが初めてブラックメタルを
聴こうとするならば、本作は自然と受け入れられる。その理由は、メロデス方面の
センスも豊富に取り入れており、ジャンル間のギャップを埋めているからだ。9 曲
目はバンドを代表する曲で、Music Video にもなった。

Purified in Blood
ノルウェー

Reaper of Souls
🅐 Alveran Records 🅞 2006

ローガラン県サンドネスと、スタヴァンゲル出身のメンバーによって結成したメロ
デス影響下のエッジメタル／ハードコアバンドによる 1st アルバム。その影響源は
ノルウェーシーンよりも、Arkangel や Liar を生んだベルギー発祥のニュースクー
ルに由来する。2 曲目はバンドの代表曲で At the Gates 由来の単音リフに、スラッ
シュメタルの切れ味をプラスし、リフメイカーの素養を十分に発揮している。9 曲
目も代表曲の 1 つで、メロデス／メタルコアのお手本のような展開に、内なる暴
力性が目覚めてしまう。本作発表後に一度バンドは解散するも、その後は 3rd アル
バムまで作品を発表している。

Schaliach
ノルウェー

Sonrise
🅐 Petroleum 🅞 1996

首都オスロの隣町ベケスチュア出身のクリスチャンメタルの 1st。Vardøger でも活
動していた Peter Dalbakk と、後に Extol に加入する Ole Børud の両名が、結成し
たメロデスデュオだ。すでにブラックメタルが根付くノルウェーにおいて、彼らの
立ち位置は自国のシーンへの反発そのものである。奇しくもメロデスの宗教中立性
が彼らの目に留まり、変拍子やドゥームな感触を宿した初期 Amorphis ライクなメ
ロディーとデスメタルが両立された作品となっている。近所の海辺で撮影したと思
われるアートワークも趣深いが、2005 年に Momentum Scandinavia から再発され
た際にはアートワークが刷新され、ボーナストラックが追加されている。

The Embraced
ノルウェー

In My Dreams... I Am Armageddon
🅐 Aftermath Music 🅞 1998

トロンハイム出身。デスメタルのカウンターカルチャーとしてブラックメタルが
確立していた同国において、メロデスの文化が独自に発展されることはなかっ
た。その中で The Embraced はメロディアスなトレモロリフを中心に据えたメロ
デス／メロブラの二面性を持つだけでなく、いくつかの曲では女性ヴォーカルが楽
曲に参加し、ゴシック要素を取り入れているのが特徴。音楽的に近いところでは
Enslavement of Beauty がおり、同国ゴシックメタルの界隈では Tristania や Trail
of Tears などと共鳴していたことが推測される。なお、同年に公開された有名な映
画と本作の発表時期が近いのは全くの偶然である。

The Embraced
ノルウェー

The Birth
🅐 Aftermath Music 🅞 2001

前作から 3 年後に発表した 2nd では音楽性を大きく変化させ、メロデス界隈の七
不思議の 1 つである「『embrace』と名のついたバンドは必ずプログレッシヴ化する」
というジンクス通りになった。全 8 曲のうち、10 分以上の曲が 3 曲を占めており、
大作主義が進んでいる。短い曲では従来のバタバタした勢いのある疾走感が残って
おり、ヨーテボリメロデスの感触を見せる。一方で長い曲ではゴシック／ドゥーム
に通じる反復とダークな感触を見せており、バンドの音楽の二面性を際立たせてい
る。本作は日本盤が Soundholic でも発表されるなど注目を浴びていたが、バンド
はすでに解散しているようだ。

Theatre of Tragedy
ノルウェー

Theatre of Tragedy
🔺 Massacre Records ⏺ 1995

スタヴァンゲル出身。ノルウェーのゴシックメタル界隈における伝説として知られるが、当時はゴシックメタルとメロデスの境目も曖昧だったため、日本盤の帯ではメロデスとして紹介されていた。この 1st では Paradise Lost の影響を受けた重厚なサウンドに合わせて、グロウルを担当する Raymond I. Rohonyi と女性ソプラノの Liv Kristine が共に歌い上げ、リードギターとキーボード、ストリングスが楽曲の雰囲気を支える形態で、その後の方向性の基礎を固めた。所謂「美女と野獣」のアプローチの原型である。ゴシックメタルに影響を受けたメロデスにも、多くのヒントを与えた。

Tristania
ノルウェー

Widow's Weeds
🔺 Napalm Records ⏺ 1998

Theatre of Tragedy や The Sins of Thy Beloved と並ぶ、ノルウェーゴシックメタル界隈の重鎮の 1st アルバム。ヴォーカルワークの可能性という意味では Tristania の貢献もまた大きかった。男性グロウルを Morten Veland、女声ソプラノは Vibeke Stene が担当。さらに男性クリーンヴォーカルの Østen Bergøy も加わることで表現の幅を広げている。この時点ではデスメタルの色合いがまだ強いが、シンフォニックなアレンジで彩られた本作は音質面でもチープさを感じない。ノルウェーではデスメタル／メロデスがブラックメタルの陰に隠れて栄えなかったが、メロディーを伴うデスメタルの在り方を独自に追求していた事は間違いない。

Cult of Lilith
アイスランド

Mara
🔺 Metal Blade Records ⏺ 2020

レイキャヴィーク出身。ギターの Daniel Thor Hannesson のプロジェクトからバンド体制へと発展した 5 人組の 1st アルバム。テクデス由来のメロディーセンスと、激情のスクリームとサウンドの重厚さを兼ね備え、その潤滑油にメロデスが機能している。大手の Metal Blade Records と契約したことも納得である。Music Video になった 2 曲目を筆頭に演奏力は、洗練されており今後の成長にも期待大だ。アルバムタイトルは、アイスランド語では Martröð（悪夢）を意味する。楽曲の波瀾万丈な展開は、悪霊リリスを崇拝するカルト集団への畏怖感を植え付ける。

Moldun
アイスランド

Moldun
🔺 Independent ⏺ 2014

レイキャヴィーク出身バンドの 1st アルバム。メンバーの一部はデモ音源のみで解散したメロデス／メタルコアバンドの Fortuna に所属していた。ブラックメタルが強いアイスランドの地で、孤軍奮闘していた Moldun はヨーテボリの先人たちをお手本にした王道のメロデスを得意としている。モダン化以降の In Flames をお手本にした刻みリフやヴォーカル、リードギターのメロディーや展開には既視感が否めないが、フォロワーとしては中々のもの。このバンドの近況は不明だが、所属していたメンバーは、新たにストーナーメタルの Kavorka を結成している。

Synarchy
フェロー諸島

Tear Up the World
🔺 Tutl Records ⏺ 2011

フェロー諸島の首都であるトースハウン出身バンドの 2nd アルバム。なおバンドメンバーにはメロディック・ドゥーム／デスメタルの Hamferð の関係者も多く、ベースを担当する Ísak Petersen は両バンドを兼任している。そのスタイルは Soilwork meets Lamb of God と称されるように、モダンメタル志向の作品である。Bandcamp 上では、メタルコアやスラッシュメタルでタグが付いており、メロデスは付いてないのだが、方向性は似通っている。2 曲目はフェロー語で歌った珍しい曲で、公開されている Music Video では、Wacken Metal Battle のフェロー諸島大会の様子が確認できる。

索引

あとがき

本企画の経緯を語っていきたい。私は2020年1月にアメリカのメタルコアバンドのAs I Lay Dyingの台湾公演に行った。そこで、観客の熱意に圧倒されてから、台湾や中国のメタルシーンに興味を持つようになり、調べていた時期があった。当時パブリブが『デスメタルチャイナ』を発表して間もない時期だったので、私のTwitter上での何気ない発言が編集者の濱崎誉史朗氏の目に留まり、2020年10月から執筆が始まった。私のふとした呟きが無ければ、本書の企画も生まれなかったと思う。SNS時代の数奇な巡り合わせだ。濱崎氏からいくつかの企画を拝見した後、自分に合うものを選ぶように言われた。当初は、「何でも書けると思います」などと発言をしていた。何も知らないとは恐ろしい話である。メロデスを選んだのも「一番書きやすそう」だったからという、なんとも不純な動機だった。

しかし、それからすぐに「一番書きやすそう」というのは、重大な誤りであると気がつく。メロデスは富士山のようなわかりやすい独立峰ではなく、アルプスのような果てしない山脈だったからである。メロデスは、多くのメタルリスナーには馴染みのあるジャンルである。その一方で、その明確な線引きを取ることが困難なジャンルである。一つ一つの地点にゴールはあるかもしれない。しかし、どこがスタートで、どこがゴールかを決めるのは難しい。人によって一家言あるだろう。巨大な山脈を前にして、日本で人気のあるジャンルであるにもかかわらず、これまでメロデスに的を絞ったディスクガイドが存在しなかった理由が、今なら理解できる。膨張し続けるレビューリストに、何度か心が折れそうになった。お手頃な価格でオールカラーを維持するために、濱崎氏の提案で、書籍は『北欧編』と『世界編』で、2冊に分けることになった。

作品のレビューは、キャリアにおける立ち位置、テーマやコンセプト、ライヴの様子、後年の評価などを織り交ぜている。これまでもレビューは書いてきたが、字数が制限された環境での執筆は、初めての経験だった。

読む人に新たな視点や、興味を与えられるような工夫を目指した。バンドの基本的な情報は、オフィシャルで公開している一次情報のほか、Metal ArchivesやLast.fm、Discogsの情報を参考にしている。テーマやコンセプトは、国内外の雑誌、Webzineのインタビュー掲載で言及した内容を採用している。古い作品については、Webzineの先駆けであるChronicles of Chaosに助けられた。このようなバンド側から直接、あるいはメディアを通して得られる情報の他にも、X（Twitter）やInstagram、RedditやFacebookのサークル内で得られたファンベースの情報も参考にしている。作品は発売されたら完成ではなく、ファンの元に届き、その集合体であるシーンの反応に揉まれてこそ、真の評価を得るからだ。Rate Your Music、Angry Metal Guy、Sputnikmusic、Metal Templeなどの海外の批評サイトのほか、日本のメディアから個人ブログに至るまで、様々な視点の反応を参考にした。

私がかねてより不安だったのは、生まれた時には、すでにメロデスのブームは祭りの後で、当時の空気を知らないことだった。そのギャップを埋めるのに、パブリブで刊行された邦訳版の『スウェディッシュ・デスメタル』は、当時の肌感覚を理解する上で参考になった。また、YouTubeの動画も、執筆では刺激を受けた。BangerTV - All Metalを筆頭に、当時を振り返るドキュメンタリーは後追いの私は大きく助けられた。YouTuberのWyattxhimのチャンネルでは、アンダーグラ

ウンドからメロデスシーンを俯瞰し、その鋭い視点にインスピレーションを受けた。オーストラリアのタスマニア大学に在籍していたBenjamin Hillier 氏が記した論文は、音楽理論の観点から NWOBHM とメロデスの比較を行っていた。改めてメロデスというジャンルが、特異であることを再認識した。このように、本書の執筆は自分の1人の力ではなく、数多くの知恵を借りる形で行なわれた。

本書はパブリブがこれまで出してきたマニアックなメタルガイドの中では最も大衆的なシーンを扱っているだろう。しかしながら、ここまで読んでいただければ、わざわざ明言せずとも理解してもらえると思うが、大衆的であることは、必ずしもジャンルとして底が浅いことにはならない。本書が再発見した部分は、これまで定説だと思われてきたことに揺さぶりを掛ける内容を含んでいるし、デスメタルサイドから見れば不都合な内容も多く書いている。「その世界の見えていなかった場所に光を当てること」これまでパブリブが刊行してきた本に共通する開拓者精神だ。本書もそれに連なる内容になれば、幸いである。

最後に、本の完成にあたり、多くの方々にご支援とご協力をいただき、心から感謝申し上げる。まず初めに、編集者の濱崎氏には深く感謝する。孤独な執筆活動の中で、二人三脚でゴールを目指した。アドバイスや叱咤激励、取り止めのない200件を超えるメールでのメタル談義は、振り返ればどれも自分の糧になった。次に、今回インタビューに快く答えてくれたバンドのメンバーに感謝したい。怪しい日本人からの突然の連絡、本来であれば迷惑メールの類だと思うのが普通だろう。それにもかかわらず私がインタビューしたいと思ったバンドは、ほぼコンタクトを取ることに成功した。それはひとえに私の人となりや交渉力が優れているわけではなく、多くの日本人のファンが、長い時間をかけてバンドと信頼の実績を積み上げてきたからに他ならないことを強調したい。

そして、バンドと私を仲介していただいた方々にも感謝したい。Hypocrisy のマネージャー Anna Yakina、Insomnium と Omnium Gatherum のマネージャー Heta Hyttinen、Fredrik Nordström のビデオインタビューで、通訳で協力していただいた Miyuki Okada Eriksson 氏には感謝を伝えたい。また、Kvaen の Jacob Björnfot 氏と、A Canorous Quintet（This Ending）の Fredrik Andersson 氏と、日本でスウェーデンの話を聞けたのは幸運だった。そこで偶然同席した Risa Andersson 氏には、スウェーデンのメタルシーンの情報について、内容のチェックをしていただいた。この場を借りて感謝する。パブリブで『デスメタルインディア』『デスメタルコリア』を執筆した水科哲哉氏には、編集でご協力いただいた。ご多忙の中で快く応じて頂き、お礼申し上げる。そして、家族と友人、会社の方々にも感謝の意を示したい。身の回りの支えなくして、本書の完成はあり得なかったと確信している。

続編となる『世界編』では、今回紹介した『北欧編』以外の日本とアジア、アメリカとカナダ、他のヨーロッパ地方、果ては中東やオセアニア、南米やアフリカなど世界中へ領域を広げてメロデスバンドに迫っていく。『北欧編』で蒔いた種は、どのように世界に広まっていったか。その後の動きに迫っていく。すでに『世界編』は大半が出来上がっている。なるべく早く出す予定なので、楽しみにしていただきたい。

スウェディッシュ・デスメタル

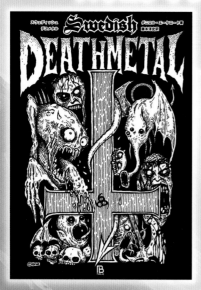

ダニエル・エーケロート著、藤本淳史訳

ISBN　978-4-908468-43-8
C0073 A5 判 544 頁
本体 3,200 円 + 税

OSDM リバイバルに大きな影響を与え英仏独伊波等各国語版が出版されているデスメタル界の古典的ベストセラーの日本語訳がついに登場！　歴史的証人 Daniel Ekeroth による詳細な記録と貴重な写真やフライヤー、ファンジンを大量に掲載。90 年代にリアルタイムで英語で欧米デスメタルを紹介してきた『No Deception ′zine』の拓殖大学英米語学科藤本淳史教授による読みやすい翻訳。はるまげ堂、Butcher ABC 関根氏のコメントも。

ヴァイキングメタル・ガイドブック

世界過激音楽 Vol.15
海の戦士たちの先祖賛歌

松原誉史

ISBN　978-4-908468-49-0
C0073 A5 判 256 頁
本体 2,400 円 + 税

反キリストの矛盾に気が付いた海の戦士達は北欧神話に回帰し大海原へ繰り出した！　フォーク、ペイガンへと続く「民族メタル」第 1 弾！　読み方総ルビ化！　歌詞やコンセプトの背景にある北欧神話や歴史を丁寧に解説！　インタビュー　Helheim、Moonsorrow、Thyrfing、Himinbjorg、Týr、Thrudvangar、Claim the Throne、Grimner、Vanir、Valhalore、Rumahoy 等。コラム　内陸ランキング・面白ミュージックビデオ・ヴァイキングロック等。

ポストブラックメタル・ガイドブック

世界過激音楽 Vol.16
耽美・叙情・幻想・前衛
近藤知孝

ISBN　978-4-908468-61-2
C0073 A5 判 304 頁
本体 2,700 円 + 税

ポストロックやトリップホップ、アンビエントなどを自由自在に取り込み、メインストリームにも波及……。ブラックメタルの古典的な手法や様式に囚われず、自由さと冒険心に溢れ、メタルから逸脱したスタイルであっても、「ブラックメタル」と名乗ることを許される寛容なジャンル。「〇〇ゲイズが多すぎる」「My Bloody Valentine、Slowdiveの影響」「メタル界での「Harakiri」」「ノルウェーがブラックメタルをやめる問題」等のコラムも。

プリミティヴ・ブラックメタル・ガイドブック

世界過激音楽 Vol.13
True, Lo-Fi, Raw
田村直昭

ISBN　978-4-908468-46-9
C0073 A5 判 296 頁
本体 2,400 円 + 税

原始主義・原理主義・復古主義。デスメタル襲撃・アンチクライスト。躊躇いなく教会放火や殺人を犯す武闘派。伝説の名著『SHADOWS OF EVIL BLACK METAL DISC GUIDE』の執筆者がその中でも最も過激な一派の調査を押し進めた！

オールドスクール・デスメタル・ガイドブック 上巻

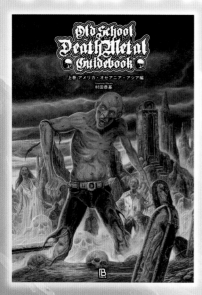

世界過激音楽 Vol.10
アメリカ・オセアニア・アジア編
村田恭基

ISBN 978-4-908468-38-4
C0073 A5 判 224 頁
本体 2,400 円 + 税

ホラーな世界観・混沌としたプロダクション荒々しい演奏…ニュースクールに相対するものとして再発見され、リバイバルしたオールドスクール・デスメタル！ 上中下 3 巻、まずはシーン発祥の地、アメリカ、そしてオセアニア、アジアから！「Thrash to Death」の古典的音源やタンパシーンなど歴史を検証。

オールドスクール・デスメタル・ガイドブック 中巻

世界過激音楽 Vol.11
ヨーロッパ編
村田恭基

ISBN 978-4-908468-39-1
C0073 A5 判 232 頁
本体 2,400 円 + 税

シリーズ第 2 弾はヨーロッパ。HM-2 なスウェディッシュデス。グルーミーなフィニッシュデス。ドゥーム＆アヴァンギャルドなダッチデス。ボルトスロウィング＆ゴスな UK デス、ブラックメタル大流行のノルウェー。オカルト蔓延る南欧、共産主義の面影を残す東欧等々……

デプレッシヴ・スイサイダル・ブラックメタル・ガイドブック

世界過激音楽 Vol.7
DSBM＝鬱・自殺系ブラックメタル
長谷部裕介

ISBN　978-4-908468-26-1
C0073 A5 判 336 頁
本体 2,400 円 + 税

多数のサブジャンルに分派したブラックメタル。その中でも DSBM と呼ばれる一派は反キリスト教や悪魔崇拝といった他者に対する攻撃を放棄し、その矛先を己自身に向けた。その結果、生み出された音楽は余りにも内省的・自虐的・厭世的だった。荒々しく生々しい音質は「チリチリギター」「ヒョーヒョーヴォーカル」と揶揄され、群れる事を好まない為「ぼっちメタル」「ひとりブラック」と蔑まされる事もあった。聴いている内にだんだん死にたくなってくるこの世で最も危険な音楽と言っても過言ではない。

ゴアグラインド・ガイドブック

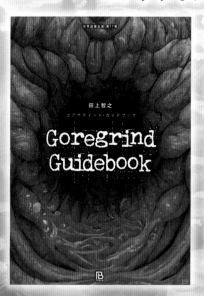

世界過激音楽 Vol.17
究極のエロ・グロ・おバカ音楽
田上智之

ISBN　978-4-908468-63-6
C0073 A5 判 240 頁
本体 2,400 円 + 税

『世界過激音楽』シリーズで最も過激！ デスメタルとグラインドコアのエッセンスを倍増させたエクストリーム音楽の究極形態を徹底解剖！ 下水道ヴォーカル・工事現場ドラム・医療コンセプト。要閲覧注意ポルノ・死体ジャケット。リヴァプールの残虐王 Carcass、阿鼻叫喚 Mexican Disgorge、チェコ「自害」Jig-Ai 等。「くだらない MV」「女性ゴアグラインダー」「読めないロゴ」などのコラムも。Kots, Gut、C.U.M. 等激レアインタビュー多数。

内藤智裕
Tomohiro Naito

1992 年生まれ。東京都、兵庫県を経て、現在は愛知県在住。日々の勤務の傍らで、2017 年よりヘヴィメタルのレビューサイト『ぴろぴろめたる』を運営。名前の由来は過剰なギターソロを意味するオノマトペである「ぴろぴろ」と、「PR（宣伝）」のダブルミーニングである。メロデスとの出会いは、高校 2 年の時に手にした In Flames の『Colony』までさかのぼる。当初はデスヴォイスが受け入れられず、克服するのに時間がかかったが、メロデスを通じて、他のヘヴィメタルのサブジャンルも先入観なく受け入れられるようになった。趣味は、トレッキング（フォークやペイガンメタルをお供に冒険者気分）、料理（現地の料理を食べながら、現地のメタルを聴くのが幸せ）、裁縫（バトルジャケット作り）など。

http://blog.livedoor.jp/prprprprprpr/
prprmetal@gmail.com
@prprmetal

世界過激音楽 Vol.14
Djent ガイドブック
プログレッシヴ・メタルコアの究極形態
脇田涼平
ポストロックやトリップホップ、アンビエントなどミュート・シンコペーション・ポリリズム。超絶テクニック・最先端プロダクション。擬音語として誕生、「演奏法」と言われながらも事実上ジャンル化し、一世風靡。乗りにくいリズム・意表を突くような展開、まるで騙し絵の様な近未来音楽。
A5 判並製 224 ページ　2,300 円＋税

世界過激音楽 Vol.19

メロデスガイドブック
北欧編

2023 年 10 月 1 日　初版第 1 刷発行
著者：内藤智裕
編集協力：水科哲哉
装幀＆デザイン：合同会社パブリブ
発行人：濱崎誉史朗
発行所：合同会社パブリブ
〒 103-0004
東京都中央区東日本橋 2 丁目 28 番 4 号
日本橋 CET ビル 2 階
03-6383-1810
office@publibjp.com
印刷＆製本：シナノ印刷株式会社